Narratori Feltrinelli

Simonetta
Agnello Hornby

Caffè amaro

Prima edizione ne "I Narratori" aprile 2016

Stampa Grafica Veneta S.p.A. di Trebaseleghe - PD

ISBN 978-88-07-03183-0

Caffè amaro

1.

Un innamoramento d'altri tempi

Alta e lucida come il carro di santa Rosalia, la Isotta Fraschini saliva rombando lungo la via Grande, una strada che attraversava serpeggiando il paese di Camagni. Sotto la capote di tela impermeabile, Pietro Sala era alla guida – berretto di cuoio nero, giacca turchina pesante, occhialoni e sciarpa – con Leonardo a lato, anche lui con berretto, occhialoni e spolverino grigio doppiopetto. A ogni curva l'automobile sembrava sfiorare i muri delle case: dietro le persiane, molti occhi attoniti.

La via Grande si era spopolata. Bestie da soma cariche di provviste e merci erano state legate in fretta e furia agli anelli lungo le scale che tagliavano la strada. Come formiche impazzite, la gente, le carriole, i calessi e le carrozze avevano cercato rifugio. Gli androni gentilizi erano affollati di estranei, e così l'interno e le soglie delle putìe; i carrettieri avevano accostato i carri ai muri e gettato una coperta sulla testa dei muli. Di tanto in tanto arrivavano ragli isolati e grida di scimuniti. I cani erano all'erta. Le scale esterne delle abitazioni e le scalinate delle chiese si erano trasformate in palco e rifugio.

Al passaggio della macchina spinta da energia inanimata gli alunni del Convitto Nazionale, stipati nei balconi del collegio, diedero il via a un entusiastico battimani. Bastò quello per far tornare la normalità. I cani abbaiavano. La gente si riversava in strada, curiosa. I ragazzini seguivano l'automobile incuranti del fumo che bruciava occhi e gola. Cu sunnu i forasteri? Cu c'i purta? Unni vannu? Che razza di machina è? All'ultima curva la Isotta Fraschini rallentò; poi riprese velocità e raggiunse la piazzetta su cui si apriva il seicentesco palazzo Tummia.

In piedi davanti alla portineria, svuotata per l'occasione dalle graste e pulitissima – pavimento lucido, fresco odore di liscivia –, don Totò era pronto a dare il benvenuto al cognato del padrone, il barone Peppino Tummia. Un ruggito del motore, una sterzata, e la Isotta Fraschini fu oltre il portone. Pietro balzò a terra. Dopo un saluto veloce a don Totò e ai garzoni, infilò la scala che portava al piano nobile, lasciando Leonardo, madido di sudore e imbarazzato, a raccontare le mirabolanti avventure del viaggio da Fara alla piccola folla ammirata che a poco a poco si ingrossava attorno a lui e all'automobile. "Insomma, ti piaci 'sta machina?" chiese don Totò. Leonardo gli lanciò una lunga taliata, poi si sbottonò la palandrana che lambiva le scarpe rivelando, sotto, l'uniforme di cocchiere: "Nonzi. Cocchiere dei Sala nascìu, come don Ciccio mio padre, e cocchiere sugnu!".

La camera da letto dei baroni Tummia era divisa in due ambienti: da una parte la stanza da letto vera e propria – dove Caterina, la cameriera della baronessa, aveva fatto entrare Pietro – e dall'altra, nascosto da un tendone rasente l'alcova, un salotto che chiudeva la fuga delle sale di rappresentanza del palazzo. Appoggiata ai guanciali e vestita di tutto punto, Giuseppina Tummia lavorava all'uncinetto. Alla notizia dell'arrivo del fratello si era raddrizzata, aveva posato il lavoro sul letto e, pudica, si era coperta con lo scialle i piedi scalzi. "Pietru', beati gli occhi che ti vedono... era da tanto che non venivi."

Pietro, disinvolto, si era seduto sul bordo del letto e parlava fitto per non lasciare alla sorella maggiore l'opportunità di fargli domande e, soprattutto, di rimproverarlo. Invano.

"Non capisco come nostro padre ti abbia permesso di venire in automobile. Le strade non sono adatte! Non devi guidare: è pericoloso per te e per i cani. Si spaventano e si fanno ammazzare. Se l'automobile sbanda, ci muori anche tu!"

"È il prezzo del progresso. Chi va a cavallo corre il rischio di una caduta, se non peggio. E poi ricordati che io sono fortunato... lo sarò anche con le automobili. La Isotta Fraschini si è fatta onore alla Targa Florio dell'anno scorso, è una macchina affidabile. Ti garantisco che non ci morirò!" Pietro prese la mano della sorella e depose un bacio sul dorso. "Tuo marito mi ha fatto sapere che Fuma Vecchia è in vendita e che se ne occupa vostro cognato, Ignazio Marra: ho appuntamento con lui stamattina. Ne voglio fare una riserva di caccia, e ho pensato di trasformare la torre in casa di villeggiatura. Saremo vicini di casa, ci vedremo spesso."

"Dopo il primo entusiasmo, la abbandonerai come facesti con la casa di Palermo, arredata con i mobili di Ducrot! Quanto ci sei rimasto? Due, tre mesi? Tu stai bene solo a Montecarlo!" Giuseppina fissava il lavoro a uncinetto e scuoteva la testa. "Un altro capriccio!" E poi: "Mamà come sta?".

"Al solito: beata tra le sue monachelle a fare mantelline all'uncinetto, come te." Lo disse con una smorfia indecifrabile, e parve contrariato; poi prese congedo dalla sorella e la rassicurò che sarebbe ritornato all'ora di pranzo.

Il venticello insistente, incanalato tra le muraglie di case, infastidiva i passanti che si muovevano cauti, all'apparenza incuranti dello sconosciuto che camminava a testa alta e passo spedito.

"'Mericano?" chiese la biscottara.

"Nonzi. Italiano deve essere," rispose la nipote.

"Che vuole cà?"

"'Nnu sacciu," fece la nipote distratta.

"Meglio 'mericano ca italiano. Quelli portano moneta, l'autri ce la rubano con i tassi!"

"Meglio assai!" fece una cliente, che aveva comprato un coppo di ciambelle. "I figli masculi c'arrubbano, 'sti italiani, a noi puvareddi! Vossia si addimenticò dei bei masculi arrubbati dalla leva militare e dalla guerra d'Affrica!"

La portineria di casa Marra sembrava deserta. La targhetta AVVOCATO IGNAZIO MARRA era avvitata sulla porta d'ingresso interna. Ad aspettare Pietro non c'era nessuno. Dal buio emerse una mano; roteando l'indice, gli fece cenno di proseguire per le scale fino al secondo piano; poi il pollice dritto fece segno di suonare il campanello.

Il profumo del gelsomino era dolce. Pietro aveva un olfatto finissimo: a ogni respiro gli calava dentro un senso di benessere. Passi in discesa, poi silenzio. Sul pianerottolo, tralci rigogliosi di fiori bianco-rosati cadevano a frangia sulla finestra spalancata. Nell'angolo, appiattito, un giovane dai capelli scuri fissava intensamente un punto nel cortile; quando vide Pietro si riscosse, sollevò il cappello e riprese a scendere.

Lo studio dell'avvocato Ignazio Marra era severo: vetrine stipate di volumi e faldoni, scrivania e sedie di legno scuro. Due stampe ne rivelavano l'appartenenza politica: un anziano Francesco Crispi dai baffi spioventi e Giuseppe Mazzini da giovane, pensieroso. L'incontro d'affari fu rapido – Pietro accettava la cifra richiesta dal venditore e avrebbe visitato la torre prima di confermare l'acquisto di Fuma Vecchia – e i due erano già pronti al commiato. In quel momento si sentì un gran vuciare di bambini; saliva dalla finestra e Pietro, curioso, si sporse fuori. "Complimenti! Mi aspettavo il solito cortile interno e invece vedo una quantità di piante e angoli di conversazione! Siete stato voi?" Pietro aveva assunto il tono familiare di chi parla con il cognato della propria sorella.

Non possedendo una casa di villeggiatura, Ignazio aveva trasformato il cortile in un rifugio ameno in cui si stava al fresco in estate, si ricevevano le visite e i figli potevano giocare. "Le piante, crescendo, si sono 'mangiate' il cortile." Fiero, illustrava dall'alto la sua creazione. "Ho lasciato un corridoio di disimpegno lungo l'intero perimetro, su cui si aprono le stanze di servizio e la sala da pranzo. Contro i muri ho messo dodici piante di gelsomino rampicante; crescendo hanno raggiunto le finestre interne: il profumo mi fa sentire in campagna, e in più tiene lontane le zanzare!" Al centro del cortile aveva fatto costruire un gazebo, in quella stagione coperto di rose, da cui partivano quattro vialetti bordati da siepi di bosso. "L'unico capriccio che mi sono concesso è la vetrata in stile moderno della sala da pranzo." E la indicava, faceva da sfondo alla rotonda di mattoni rossi arredata con tavoli, sedie e panchine di ghisa, graste contenenti alberi e arbusti e due statue di donne ignude. Sotto lo studio, un giardinetto di piante aromatiche – lavanda rosmarino salvia origano citronella e arbusti di alloro diventati veri e propri alberi – con al centro un giovane pergolato di glicine, alla cui ombra due donne erano intente a ricamare una tovaglia. L'orto era davanti alla cucina: graste di prezzemolo, menta e basilico, una stretta aiuola rettangolare di melanzane in fiore e una folta macchia di banani. Grazie alla posizione sopraelevata, Ignazio leggeva con orgoglio ogni dettaglio del giardino. Tra le grandi foglie, in piedi, stava una vecchia – probabilmente un'antica persona di casa – in abito blu scuro, cuffia bordata di merletto e grembiule di cotone blu chiaro. Pietro l'aveva già notata prima: stendeva fazzoletti umidi sull'alloro senza assicurarli ai rami. Ignazio indicava intanto due cerchi concentrici. Quello interno era formato da alberi di agrumi dal fogliame lucido – tra cui erano appese a festone le corde per stendere la biancheria –, mentre quello esterno era un pergolato di uva da tavola. "Per nascondere la vista della roba stesa ad asciugare!" spiegò. Poi, con un "mi scusi", si rivolse al portiere che aspettava di consegnargli un biglietto.

Pietro ritornò a guardare fuori. Due ragazzini inseguivano un bambino di non più di otto anni che, con una fionda in mano, scappava di qua e di là, saltava le siepi, si infilava nelle aiuole, si nascondeva sotto le fronde e da lì li sfidava: "Non ve la do! Mia è! Mia!". Sotto il pergolato le due ricamatrici, una vestita di grigio e l'altra di bianco, li tenevano d'occhio. La biancovestita, con i capelli raccolti in una lucida treccia, si alzò e corse dietro ai due ragazzini. Era anche lei giovanissima. Li superò e acchiappò il fuggitivo, che non le resistette. Gli altri si erano fermati e guardavano, muti: dalla carnagione e dai lineamenti sembravano fratelli; a un cenno della ragazza si avvicinarono docili. Era un rimprovero ai tre, impartito con calma da una voce limpida; quelli ascoltavano, gli occhi fissi su di lei, ammaliati. Pietro posò uno sguardo indolente sulla ragazza: folti capelli castani, volto ovale, pelle olivastra, sopracciglia ben marcate, occhi scuri, naso dritto e labbra piene. E allora, come se quella avesse fatto una malìa anche a lui, come gli altri tre non riuscì più a staccarle gli occhi di dosso:

tisa tisa, con l'abito di mussola bianco chiuso al collo, corpetto aderente e sottana dritta con una piega sul dietro, il respiro grosso, mostrava senza accorgersene il corpo – seni, glutei e cosce – come se fosse nuda, e nel contempo, più Pietro lo guardava, più il volto dai tratti regolari cresceva in profondità e bellezza. Erano gli occhi che parlavano, grandi e incassati, a mandorla, con una intensa luminosità. La ragazza taceva. Tutto era fermo. Poi lei alzò una mano a sfiorare in una carezza le teste dei tre, cominciando dai capelli ricciuti e finendo sul mento. A uno a uno, i ragazzi le diedero un bacio sulla guancia e rientrarono in casa mogi, il piccolo tra i grandi. Lei rimase in piedi, la fionda tra le mani, lo sguardo vellutato sui giovani, dolcissimo; Pietro ammirò ancora una volta il seno ansante, perfettamente modellato, la vita sottile e la schiena arcuata. La vecchia intanto si avvicinava a passi lenti. "Così si fa, brava!" si complimentò, con il vocione dei sordi.

"Grazie Maricchia," rispose lei, e le carezzò il braccio.

Tornata al ricamo, la ragazza aveva intonato una canzone d'amore napoletana; un canto sommesso, con sentimento, muovendo il capo a tempo. Pietro ascoltava. E così anche Ignazio, che lo aveva raggiunto.

"Chi è?"

"Mia figlia."

"È bella..." mormorò Pietro senza distogliere lo sguardo.

Le dita volavano sul lino, le ragazze cantavano insieme. Di tanto in tanto, bisbigliavano tra loro e ridacchiavano. Quella in grigio sembrava la maggiore. Aveva un volto sciapo e movimenti pacati; sollevava lo sguardo di rado, intenta com'era al suo lavoro. L'altra, pur non lasciando inoperoso l'ago, si concedeva piccole pause. Alzava la testa per osservare un passero che scendeva in volo a carpire una goccia d'acqua dalla fontanella e subito riprendeva quota, seguiva le nuvole in fuga nel cielo, poi abbassava lo sguardo per vedere chi entrava nel cortile e salutava con un ampio sorriso accompagnato da un cenno della mano – era come se si offrisse in dono. Tornava al ricamo tralasciato, lo carezzava e riprendeva l'ago appuntato, ma non ricominciava subito il canto: aspettava che la voce solitaria della compagna raggiungesse l'inizio di una nuova strofa.

A turno, si interrompevano per preparare le nuove gugliate. La ragazza tagliava il filo con le forbicine legate a un nastro che le pendeva sul seno, poi prendeva in mano ago e filo e si preparava per l'infilata: la punta della lingua guizzava dalle labbra carnose e dava una rapida leccata al filo. Se ancora non passava dalla cruna, vi indugiava con tutta la lingua per inumidirlo ancora una volta. Poi lo allisciava e sollevava l'ago, le labbra socchiuse, l'occhio fisso sulla cruna, mento in alto e collo teso; nel frattempo, la mano sinistra "lavorava" il filo accarezzandolo dall'alto in basso. Le dita sottili palpavano, lisciavano e finalmente ammansivano il grande protagonista del ricamo. Erano movimenti ritmici, da sacerdotessa. Suggestivi. Sensuali. Pietro fu sopraffatto da un languore insistente. Cercò di guardare altrove – non ce la faceva.

Un colpo di vento sollevò i fazzoletti incautamente poggiati sull'alloro; svolazzando, finirono impigliati nei rami alti. La vecchia strillò. Dalla cucina accorsero altre donne, ma la ragazza era giunta per prima. Arrampicata sull'albero, proprio sotto l'osservatorio di Pietro, si affannava a raccoglierli, ignara di essere guardata. Pietro seguiva i movimenti aggraziati, osservava il corpo armonioso, il volto arrossato velato di sudore, la fronte contornata da firrichioccoli scappati dalla treccia e il seno fiorente, e si eccitava. Raccattati i fazzoletti, la ragazza li porse alla vecchia e ritornò al ricamo con l'amica. Canticchiavano insieme *A cura 'e mamma*. Come se si fosse accorta degli sguardi dell'estraneo, la ragazza spostò la sedia verso il pergolato. Pietro si mosse e riguadagnò la piena vista. Lei murmuriava i versi della canzone e lanciava nella direzione di Pietro lunghe taliate oblique. Poi sorrideva. Pietro voleva che quel sorriso fosse rivolto a lui, e a lui soltanto. La voleva. Voleva toccarla. Possederla. Se la mangiava con gli occhi. E si gonfiava, senza imbarazzo né vergogna.

"Come si chiama?"

"Maria."

Un lungo silenzio, poi, "Maria... Maria..." ripeté Pietro. Si girò verso Ignazio. Tirò il fiato, si drizzò tutto e chiese: "Me la dareste?".

2.
Una giornata che lascia tutti perplessi

L'ora di pranzo era passata da un pezzo; il timballo di pasta al forno scuoceva di minuto in minuto. I Tummia aspettavano Pietro in salotto, irritati. "Andiamo a tavola! Muoio di fame!" diceva Carolina, diciassettenne. Fu ignorata: sua madre, Giuseppina, si lamentava con il marito per avere assecondato il fratello nella bizzarra idea di acquistare Fuma Vecchia. "E poi, come ti venne in testa di indirizzarlo a tuo cognato? Tutti lo sanno che Ignazio Marra non è altro che un socialista dalle mani bucate, che ha rovinato la vita di tua sorella e dei figli... non gli affiderei una lira!"

"Basta aspettare! La pasta sarà immangiabile!" piagnucolò Carolina.

Il pensiero della pasta scotta turbò i genitori. Stavano discutendo l'opportunità di mandare Leonardo dai Marra per riportare il padrone a casa, quando Pietro fece il suo ingresso nella stanza. Compitissimo, si scusò del ritardo: "Ma ho un'ottima giustificazione: il cuore!". Annunciò che si era innamorato di Maria, la figlia di Ignazio Marra, e che intendeva formalizzare il fidanzamento al più presto. "Grazie Peppino, per avermi suggerito di comprare Fuma Vecchia. Ci passeremo le estati, accanto a voi!" E Pietro si fermò, in attesa delle congratulazioni per il secondo intreccio di parentela tra i Sala e i Tummia. Nessuno dei tre parlò.

"Zio, e Maria che cosa ne dice?" intervenne Carolina osando dire quello che le premeva.

"L'ho vista soltanto da lontano. Ne sarà contenta, quando ci conosceremo," rispose lui, tranquillo, e guardò la sorella;

fu un brevissimo incrocio di sguardi, perché Giuseppina ebbe un mancamento: scivolò sul divano, il capo reclinato sulla spalliera, e diligentemente svenne. Senza scomporsi, i due uomini si spostarono verso il balcone, e da lì osservavano Carolina, abituata ad accudire la madre in quei frangenti; le passò i sali sotto le narici e prese a pizzicarle le dita, le orecchie tese a carpire la conversazione tra il padre e lo zio. Pietro intendeva partire immediatamente con Leonardo per Fara: avrebbe informato il padre delle sue intenzioni e sarebbe ritornato in serata. "Guiderò io stesso l'automobile!"

"Noo!" gemette Giuseppina, rinvenuta proprio in quel momento. "No... no... non farlo! Non guidare, Pietruzzo..." E un altro stinnicchio la fece accasciare contro la spalliera.

Gli uomini rimasero davanti al balcone e la contemplavano con un certo tedio. "Che cosa consigli?" chiese Pietro a Peppino.

"Ti devo informare che in casa Marra i denari scarseggiano. Lui è un bravo avvocato, ma le sue idee politiche non sono gradite ai proprietari terrieri, che non dimenticano il suo incauto coinvolgimento a favore delle canaglie, ai tempi dei Fasci. Insomma, ha pochi clienti che pagano bene. Oltre ai figli, Ignazio mantiene in casa sua due eretiche, la sorella e la figlia di un amico piemontese scomparso o morto non so come, e un ragazzo di diciotto anni, figlio del rettore del Convitto Nazionale, un toscano, morto durante i Fasci, nel '93. E forse dà pane e companatico a qualche fimmina palermitana... di cui mia sorella non sa nulla, ci capiamo? Denari per la dote non ne avrà, deve pensare all'università dei figli maggiori. Te ne parlo perché tuo padre ai miei tempi contrattò a lungo sulla dote di tua sorella."

"Sarà ben diverso, nel caso di Maria," rispose altezzoso Pietro. "E comunque il mio chiedere consiglio aveva a che fare con gli svenimenti di tua moglie."

"Ah! Promettile che guiderà Leonardo e poi fai come meglio credi." E Peppino, offeso, si allontanò con il pretesto che voleva parlare lui stesso con Leonardo.

Pietro si avvicinò alle donne.

"Zio, ma se Maria non sa nulla e non ti conosce... il fidanzamento allora non c'è ancora?" chiese Carolina.

Pietro non ebbe il tempo di risponderle.

"Tu!" sibilava una voce fioca, proveniente dal divano. "Tu!" Riversa, il braccio destro alzato, Giuseppina puntava l'indice contro il fratello. "Tu che ti vanti dell'amicizia di principi e granduchi! Tu che passi la vita negli alberghi più eleganti del mondo! Tu che ami ricevere in casa da gran signore! Tu che ti senti collezionista di quadri!" La voce guadagnava forza e veleno a ogni frase. "Tu che ti consideri un esperto d'arte!" Poi, stridula: "*Tu*, adesso vuoi una moglie paesana che non conosce il mondo e nemmeno Palermo?! La figlia di un socialista che non ha una lira?! Mi fai ridere. E ne riderà assai anche nostro padre!". Ciò detto, si accasciò sui cuscini, gli occhi che roteavano minacciosi come se frugassero nel cervello. Pietro non rispose. Giuseppina si sollevò ostentatamente a fatica e, sforzandosi di controllare il tono della voce, riprese: "Se proprio vuoi una moglie di Camagni, prenditi questa figlia mia, che per giunta è nobile!". Senza dar tempo al fratello di controbattere, si rivolse a Carolina: "Te lo prenderesti, tuo zio?".

Era giunto, finalmente, anche il momento di Carolina, che aveva ascoltato tutto: sdivacata e a gambe larghe, era svenuta nella poltrona del padre.

3.

Colpo di fulmine

In sala da pranzo, Titina insegnava alla nuova domestica, Maddalena – una ragazza tarchiata dai capelli corvini, non più vecchia di sua figlia –, come conzare la tavola. "I cestini del pane vanno ai lati del centrotavola, la zuppiera la devi mettere davanti a mio marito." La portafinestra si aprì all'improvviso ed entrò Ignazio; era scuro in viso e mandò via Maddalena con un secco "andate".

"Che cosa è successo, Ignazio?" Titina non era contenta di quel comportamento scortese.

"Pietro Sala ha chiesto la mano di Maria," rispose lui senza giri di parole.

"Oddio! Dove l'ha vista? Non sarà certo per la dote!"

"Mi ha fatto capire che è al corrente, sa benissimo che da noi non potrà avere una dote congrua e questo non sarà un problema. Si è innamorato, capisci?! Era qui, nello studio, un quarto d'ora fa! Vuole comprarsi Fuma Vecchia e stava per andarsene, quando gli venne in testa di guardare in cortile. Maria ricamava con Egle. Un colpo di fulmine!" Ignazio prese uno dei due cestini e lo sbatté sul tavolo. "Un colpo di fulmine! Posso testimoniarlo: un-colpo-di-fulmine!" E ficcò gli occhi in quelli della moglie. "Titina, mi capisci? La guardava, e la voleva!"

"Non dovremmo preoccuparci: gli passerà." Titina aveva parlato con forza. "Passano, i colpi di fulmine." Non riusciva a stare ferma. Prendeva le saliere e le rimetteva dove le aveva prese, controllava le brocche dell'acqua, lisciava i tovaglioli, li ripiegava e li lisciava di nuovo. E continuava a parlare. Era un soliloquio, più che una conversazione. "Sappiamo da Giuseppina che è un donnaiolo. Un fannullone. Poco affidabile. Ne ha fatte passare tante a quel brav'uomo di suo padre!" Titina tolse i lavadita dalla tavola e li impilò sulla credenza. Poi li rimise dove li aveva presi. "Gli piacciono le donne di mondo, sofisticate. La mia Maria è innocente!" Dispose i bicchierini intorno alla bottiglia di cristallo del rosolio. "È troppo vecchio per lei. E non è nemmeno bello: basso, occhialuto... un ebreo pare! Ha più della mia età, dev'essere vicino ai quaranta!"

"Ti ripeto che se n'è innamorato, Titina. Innamorato! Capisci?" insisteva il marito. "Vuole accasarsi. Altrimenti, perché comprerebbe una proprietà a Camagni per farci una casa di villeggiatura da famiglia, vicino a quella di sua sorella?"

"E tu cosa gli hai risposto?" Finalmente Titina lo aveva preso sul serio.

"Che si devono conoscere. Maria deciderà, lei sola. Francamente, Pietro Sala è un ottimo partito, se le piace. Domani saremo tutti a Fuma Nuova e i due si incontreranno. Se quaglia, quaglia."

"Maria è ancora bambina." Titina non ne voleva sapere di quel matrimonio.

"Alla sua età tu eri già madre e moglie."

"Già. I tempi sono cambiati." Titina ora parlava piano, scandendo ogni sillaba: "Me lo insegnasti tu, che la donna è pari all'uomo. Che prima o poi avremo il diritto di voto. Mi hai detto che il presidente Zanardelli aveva perfino pensato di introdurlo, anche per noi. E che ci sarà il divorzio... Oggi le donne non prendono più marito appena diventano signorine: studiano, lavorano, insegnano nelle scuole... Le maestre vanno a lavorare lontano da casa, e la gente le rispetta. Sono moderne le donne di oggi, e nostra figlia è la più moderna di tutte! Voleva perfino diventare una pianista... poi ha capito che non ce lo potevamo permettere, di mandarla al conservatorio, con quattro maschi da educare!".

"Titina mia, non dirmi che ti sei pentita di avermi preso per marito..." Ignazio le cinse la vita.

"Pentita no, di quello, e di quanto mi insegnasti tu... ma

erano tempi diversi! E poi... eri affascinante e io mi innamorai!" E Titina allungò una mano per fargli una carezza.

A fine pasto, Ignazio chiese a Maria di rimanere nella sala da pranzo con lui: era il suo modo di parlare a quattr'occhi con i figli, sia per i rimproveri sia per le buone notizie. Con lei, la maggiore e l'unica femmina, quelle conversazioni avevano un'intimità particolare, e talvolta struggente: il padre cercava di darle un'educazione politica; nonostante lui stesso avesse dovuto dare la precedenza all'istruzione dei figli maschi su quella dell'amatissima figlia, la incoraggiava a considerarsi pari a qualsiasi altro essere vivente e a farsi rispettare, in una realtà in cui era impensabile che le donne avessero il diritto di voto. Maria si avvicinò alla portafinestra che dava sul giardino, dove l'aspettava il padre, tristolina: sarebbe voluta andare a suonare il pianoforte. C'era soltanto un pianoforte in casa Marra, e bisognava fare i turni. Era diventato il suo rifugio, da quando, compiuti i quattordici anni, aveva smesso di frequentare la scuola: lo suonava appena lo trovava libero, se non aveva lavori di casa da completare – il che capitava di rado. Ma dopo pranzo era il suo turno. Rinunciava volentieri al riposo pomeridiano per quelle due ore di musica: le migliori della giornata.

Come richiesto dalla madre, Maria osservava Maddalena che sparecchiava, per insegnarle; impaurita dalla presenza del padrone, la ragazza non sapeva più cosa fare e Maria, senza farsene accorgere, le indicava con gesti e occhiate eloquenti di togliere e impilare i piatti, poi i bicchieri, raccogliere le posate pulite e infine mettere i tovaglioli negli anelli di ciascuno, incoraggiandola sottovoce con ripetuti "brava!", più o meno meritati.

"Stamattina è venuto a trovarmi Pietro Sala, il cognato di tuo zio Peppino. È interessato a comprare Fuma Vecchia, per trasformare la torre in una casa di villeggiatura e avere una tenuta di caccia nel bosco." Maria ascoltava, paziente;

era abituata alle conversazioni con il padre, che la prendeva sempre alla lontana. "Al momento di andarsene ha guardato in cortile, e..." La voce si inceppò.

"I fratelli hanno litigato," lo anticipò Maria, "spero che non vi abbiano disturbato." E si affrettò a difenderli: "Non c'era baccano".

"No, non loro, tu..."

"Facevamo una cantatina, Egle e io, forse... ma lo facciamo spesso..." Lui la guardava fissa, come se non ascoltasse; cercava di immaginarla, mentre cantava. Maria non capiva. "Si è lamentato di me?"

"Figlia mia, non hai fatto nulla di male o di indiscreto... E poi... il fatto è che ti ha vista, ti ha guardata a lungo... e si è innamorato di te. Ti vuole in moglie." Le ultime frasi gli erano uscite tutte d'un fiato. Lui e Maria si guardarono, attoniti dall'enormità di quelle parole.

"Non mi conosce! E io non so chi sia!"

"Per questo te ne parlo. Sai chi è. Siamo imparentati indirettamente, sua sorella ha sposato il fratello di tua madre. È più vecchio di tua madre, ma la differenza tra te e lui è minore di quella tra me e tua madre... Quando ci sposammo... lei aveva quattordici anni e io avevo già passato i quaranta." Ignazio, incorreggibile romantico, ebbe un accenno di commozione al ricordo di Titina ragazza. "Ti vuole in moglie," ripeté.

"Che cosa devo fare?" Maria era confusa. "Mamà cosa ne pensa?"

"Tua madre e io la pensiamo allo stesso modo. Permettimi di darti una visione generale del tutto. Pietro Sala rappresenta un ottimo partito dalle nostre parti. Suo padre anni fa acquistò un feudo con la baronia, e la gente di paese li chiama baroni, anche se non gli spetta. Più che benestante, proprietario terriero e di miniere, è l'unico erede maschio del padre e dello zio scapolo. È stato educato a Napoli, viaggia, si gode la vita... Ama le arti ed è molto colto. Non credo che abbia interessi politici, e se li avesse sarebbero liberali – l'opposto dei miei. Vuole passare tempo a Camagni, e per questo comprerà Fuma Vecchia. Senza dubbio avrà avuto tante altre donne. Ma ora vuole te. Come moglie e madre dei suoi figli."

"Non può amarmi! Non mi conosce!"

"Un colpo di fulmine."

"Com'è un colpo di fulmine?" Maria si era impettita, aveva sollevato il capo e puntato gli occhi curiosi in quelli del padre.

"Illumina la vita, ti consuma." Lui, imbarazzato, sudava. "Brucia tutto quello che sta attorno a te: vedi soltanto la tua amata."

"A voi è mai successo?"

"Sì."

Maria esigeva altro dal padre. E quello, pudico, mormorò: "Non mi sono mai pentito di essermi innamorato di tua madre e di aver avuto te".

"E i fratelli..." lo corresse lei, tornata figlia e sorella protettiva.

"Allora Maria, rispondi!"

"Non lo conosco..."

"Lo conoscerai domani, al ricevimento dei Tummia a Fuma Nuova. Ti sarà presentato."

Maria si irrigidì, lo sguardo incupito.

"Ma non devi parlargli, se non ti piace," disse il padre, in fretta, e poi: "Soltanto se lo desideri. La scelta è tua. Puoi dire: 'Grazie no, non ho nient'altro da dirle o da ascoltare da lei, Signor Colpo di Fulmine'. Oppure: 'Vediamo come mi pare, questo Signor Colpo di Fulmine'". Tentava di dare alla conversazione un tono leggero e di farla sorridere.

Maria non raccolse. "Voi cosa mi suggerite?"

"Quello che ti suggerisce tua madre. Incontralo, ascoltalo, e dopo decidi. Questa rimarrà sempre casa tua!" Poi, sovrappensiero, aggiunse: "Non pensavamo proprio di maritarti, soprattutto in questo momento...".

"Per la dote?" chiese Maria con foga.

"Non ti capisco..."

"Giosuè si licenzierà quest'anno, Filippo tra due anni... costerà molto mantenerli fuori casa, all'università! Come potreste pagare anche la mia dote?" E sospirò, accorata: "Costerebbe più della mia scuola Normale!".

"Che ne sai tu di queste cose?"

"Le mura raccontano, gli occhi osservano... lo so che abbiamo pochi denari, e non me ne lamento!" Maria avrebbe voluto attutire il colpo al padre, che sicuramente non si aspettava che lei gli parlasse della situazione finanziaria della famiglia e della sua istruzione mancata. Cercò di atteggiare le labbra a un sorriso conciliante, ma non le riusciva. "Preferirei non prendere marito e far sì che i fratelli frequentino una buona università. Anch'io vorrei lavorare e guadagnare. E aiutare la famiglia."

"Pensi troppo, immagini quello che non esiste..." la canzonò il padre. "Ascolta. Ti consiglio di decidere prima di tutto se vuoi conoscere Pietro Sala. Del resto parleremo dopo. Da quello che mi ha detto, dote o non dote, lui ti vuole in moglie." La guardò in silenzio, poi prese commiato: "Io adesso vado al circolo. Pensaci e poi mi dici, bedda mia". E si abbracciarono, ambedue con occhi umidi e nessuna lagrima.

4.

Dopo ogni notte buia sorge il sole

Maria aveva fatto le scale di corsa, sentiva il bisogno di stare sola, al pianoforte. Approfittando della loro complicità era stata irrispettosa nei confronti del padre, e le cresceva contro se stessa una rabbia indefinibile che diventava angoscia. Se il padre, offeso, avesse messo fine alle loro chiacchierate dopo pranzo, davanti alla vetrata sul giardino?

Tirò fuori dal canterbury lo spartito del *Concerto in La minore* di Edvard Grieg. Giosuè glielo aveva regalato di recente, lei se n'era innamorata ma non l'aveva ancora mandato a memoria. Mise lo spartito sul leggio, non prima di averne carezzato la copertina. Prima di iniziare rivolse lo sguardo alla finestra. Il retro della casa dava sul versante settentrionale della collina, l'Addulurata, così chiamato dalla chiesa omonima, aspro e ripido – a differenza di quello meridionale, che digradava dolcemente sulla piana e sul quale erano stati costruiti i palazzi gentilizi e la monumentale Matrice – ma non per questo scarsamente costruito. Nel corso dei secoli alcune casupole erano diventate case vere e proprie, a due piani, formando a poco a poco compatte muraglie traforate da passaggi e vicoli ciechi, e inframmezzate da scale e stradine. Le case, secoli prima occupate da ebrei, erano abitate dai poveri del paese. Una parte era quasi abbandonata. L'abitato finiva bruscamente ai piedi della collina, dove iniziava la pianura di Camagni; piatta e verde come uno stagno, si stendeva verso l'orizzonte e, in lontananza, si increspava in onde di frumento sino alle pendici delle colline boscose che chiudevano il panorama. Dietro di loro, chiaro e luminoso, il cielo azzurro. Fuma Vecchia si trovava su una di quelle colline. Maria strizzò gli occhi per identificare la torre; sconfitta, ritornò allo spartito.

Aprì la finestra, come le aveva insegnato la madre, per il godimento di quanti vivevano lì sotto, vecchi e donne che raramente lasciavano casa. Talvolta il suo pubblico invisibile la chiamava, per suggerire una canzone nota o un brano d'opera. E lei li eseguiva.

Il sole bruciava e per strada non c'era anima viva. Maria aveva dei brutti presentimenti. Sarebbe andata via, lontano dal suo piccolo mondo tanto amato. Non avrebbe più goduto di quella vista. Addio speranze di studiare con Giosuè, prendere il diploma e poi insegnare! Le sarebbe mancato, Giosuè.

Un ricordo del passato.

Era una fredda notte di gennaio. Lei aveva tre anni. Era stata svegliata da un gran parlare di uomini, in casa. Sapeva in modo confuso delle malefatte dei briganti, dei sequestri di persona, delle visite notturne dei militari nelle case private, e temette il peggio. Cercò a tentoni il fratellino; Filippo, poco più di un anno, dormiva profondamente nel letto accanto al suo. Tornò nel proprio letto – ascoltava. Le bastò individuare la voce del padre per rasserenarsi. Si tirò su la coperta e prese il lenzuolo tra le dita; passandoselo sul labbro superiore, una deliziosa, leggerissima sensazione di solletico la faceva scivolare piano piano nel sonno.

L'indomani mattina, dopo una prima colazione che Maricchia aveva voluto rendere squisita aggiungendo chiodi di garofano e cannella alla poltiglia di latte caldo e pezzetti di pane raffermo, erano rimasti nell'anticucina. Filippo giocava con il gatto, tutto contento. Lei si trastullava arrotolando il filo attorno alla trottola e srotolandolo, senza lanciarla sul pavimento. Era tesa, e si era accucciata contro la porta che dava sull'ingresso, per ascoltare la gente che entrava e usciva e carpire qualche parola. Ma stavano zitti, o sussurravano. Poi, altri rumori, inspiegabili: colpi di martello, mobili spostati... Finalmente ven-

ne la mamma. Aveva occhiaie profonde e l'abito scuro era teso sul ventre gravido. Baciò Filippo, ma non si trattenne con lui. Si rivolse a lei, "vieni con me in salotto?", prendendola per mano. E lei l'aveva seguita fiduciosa. Erano davanti alla porta, la madre esitava. "Ieri è morto il padre di Giosuè. Lui ha passato qui tutta la notte, accanto alla bara. Giosuè si diverte a leggerti libri, ti vuole bene..." E, consapevole di assegnarle un compito che, a tre anni, la bambina avrebbe potuto eseguire ma forse non capire, continuò: "Cerca di persuaderlo a bere una tazza di latte nell'anticucina insieme a voi". E schiuse la porta, per farle vedere com'era stato trasformato il loro ridente salotto. Divani e poltrone, spostati contro le pareti, erano coperti di veli neri, come pure i quadri e gli specchi. Al centro, sotto il lampadario, era stato portato un catafalco coperto da un drappo rosso. Ai suoi piedi, uomini in ginocchio e a testa bassa mormoravano parole incomprensibili, poi si alzavano e altri prendevano il loro posto. Dietro, tanti altri uomini muti. In piedi, accanto alla salma, Giosuè. Solo. "Vai, Maria..." bisbigliò la madre, e la spinse nella stanza.

L'immagine di Giosuè a lato della bara si sovrapponeva alla vista dei tetti di Camagni. Maria rivedeva la scena come se fosse affacciata sul salotto di casa: la madre la accompagnava da Giosuè e poi la lasciava. Lei si accostava a lui e gli prendeva la mano; quindi, senza dire nulla, ligia agli ordini materni lo guidava attraverso la folla, la schiena dritta e a testa alta, conscia di essere taliata. Gli uomini si aprivano per farli passare, gli occhi su Giosuè che la seguiva. Lui non si accorgeva di loro, guardava soltanto lei, Maria lo sentiva, e a ogni passo si voltava per rassicurarlo.

Da allora, da più di dieci anni, Giosuè era diventato parte della loro famiglia.

Un altro ricordo.

In dicembre il padre era andato dal rettore del Convitto Nazionale per discutere del futuro di Giosuè, che si sarebbe licen-

ziato nel mese di giugno, alla vigilia dei diciannove anni. A tavola aveva annunciato che, secondo il rettore, Giosuè era l'allievo più brillante del Convitto – avrebbe potuto scegliere le migliori università d'Italia. Giosuè aveva cercato i suoi occhi. E lei aveva ricambiato quello sguardo pieno di felicità.

A fine pranzo, il padre le aveva chiesto di rimanere con lui. Sembrava imbarazzato. Iniziò ripetendo quello che lei sapeva già: la madre di Giosuè era inferma e lui, prima di andare a vivere in casa loro, era stato allevato ed educato dal padre, senza aiuto da altri. "Tonino mi aveva nominato tutore di Giosuè: desiderava affidarlo a me, e non alla sorellastra nata dal primo matrimonio della moglie, semmai lui fosse venuto a mancare: sapeva che avrei cercato di educarlo come lui avrebbe voluto. Ora sappiamo che Giosuè ha tutte le carte in regola per realizzare il sogno di suo padre. E questo sarà fatto a nostre spese." Piantò gli occhi in quelli della figlia. "Questo significa che ci saranno meno denari per voi, lo capisci?"

Maria annuì.

"Vorrei il tuo aiuto, se dovessi mancare anch'io. Giosuè certe volte è ingenuo, come suo padre. Non vede le brutture degli altri, non resiste alle richieste di aiuto. Non pensa alla sua salute, che non è buona; infatti, quando si è ammalato di tifo, durante la convalescenza ha voluto riprendere tutte le sue attività, e poi è stato talmente male che ha perso un anno di studi. Non si risparmia le fatiche. Soprattutto per aiutare gli altri. Come fece Tonino, quel 20 gennaio del 1893, quando l'ammazzarono!" Il padre esitò. "Devi sapere che la madre di Giosuè è ebrea. L'antisemitismo non scomparirà fino a quando i cristiani continueranno a predicarlo, come fanno ogni Venerdì Santo. Molti ebrei russi hanno cercato rifugio in altri paesi europei, e altri seguiranno il loro esempio. Stai vicino a Giosuè, stai attenta a quello che fa... dagli buoni consigli, lui ti ascolta. Tu, Maria, sei saggia." La guardò intensamente. Sembrava esausto. "Insomma, devi proteggerlo. Me lo prometti?"

Maria promise. Si abbassò per prendere la mano del padre e baciarla.

"Signorina Maria, pronta sono!" strillava la vecchia balia da giù. Era al suo posto nel teatro immaginario, seduta a gambe larghe davanti alla soglia di casa. Nel centro del grembiule blu, le lenticchie da munnare togliendo pietruzze e pagliette. Persa nei ricordi, Maria ripeté affannata: "Promesso! Promesso, 'gnura Annettina!", e si ritirò dal davanzale.

"Troppo gentile!" rispose quella, pizzuta, mentre le prime note scendevano dall'alto e riempivano la strada.

Le mani saltavano parallele sui tasti, da un'ottava all'altra; poi le note singole cadevano come gocce di pioggia sul davanzale e rimbalzavano piene di dolcezza. Un allegro moderato, limpidissimo. Altre gocce, e infine la melodia sbummicava nota dopo nota, la spirale si allargava in un andante maestoso e Maria era felice.

Erano le nove di sera, l'ora di prepararsi per la notte. Era stata, apparentemente, una giornata tranquilla come tante altre. I giovani avevano cenato nell'anticucina con Maricchia ed Egle, poi si erano ritirati nelle loro stanze. Il caldo era diventato afoso e le zanzare imperavano. Maria era scesa in giardino per riempirsi una ciotola di gelsomini: il loro profumo le avrebbe tenute lontane. La finestra della camera di Giosuè dava sul giardino, e lui spesso la raggiungeva. Insieme, annaffiavano le piante, chiacchieravano e commentavano la giornata appena conclusa. Maria gli raccontava cosa era successo in casa e le conversazioni degli adulti, mentre lui la teneva informata sulla stampa locale, che leggeva al Convitto Nazionale. Parlavano di cosa avrebbero fatto l'indomani, insieme o ciascuno per conto proprio. E ridevano: le imitazioni di Giosuè, spiritose e prive di qualunque malizia, erano irresistibili.

Annaffiavano le aiuole più assetate; l'acqua era scarsa, e ogni goccia contava il doppio, la notte. Giosuè elargiva la giusta quantità a ciascuna pianta. Maria lo seguiva con la coda dell'occhio. Curato nel vestire, di altezza media, bruno, capelli ricci, volto deciso dal profilo ben marcato e belle mani, era un giovane attraente. Lei avrebbe voluto abbracciarlo, dirgli che era stato bravissimo, che tutti a casa gli volevano bene, e che lei in particolare gli era grata per l'aiuto che dava al padre e a lei stessa.

Maria pensava al padre. Era, a detta di tutti, un ottimo avvocato dei diritti reali: proprietà, superficie, enfiteusi, usufrutto, usi, abitazione e servitù prediali. Ai tempi dei Fasci dei Lavoratori, quando lei era bambina, aveva sostenuto le rivendicazioni dei contadini per l'applicazione dei diritti d'uso e la distribuzione delle terre demaniali a loro destinate, inimicandosi lo Stato e i clienti, che si erano rivolti ad altri avvocati e ricorrevano a lui soltanto nei casi più complessi, di malavoglia. Uno alla volta, i giovani avvocati se n'erano andati: non c'era lavoro. Il padre aveva dovuto licenziare perfino il ragazzo di studio. Giosuè, a cui sarebbe piaciuto studiare Giurisprudenza, aveva cominciato a dormire in una stanza sullo stesso pianerottolo e faceva i compiti al tavolo del praticante, pronto ad aiutare in qualsiasi incombenza, e a imparare.

Con il beneplacito della madre, Giosuè aiutava anche Maria, negli studi. Quando i genitori le avevano comunicato che avrebbe lasciato la scuola all'età di quattordici anni, come le cugine, lei ne aveva sofferto. Era convinta che desiderassero che, come i fratelli, completasse un corso di studi professionale con l'obiettivo di lavorare, e che avrebbero fatto di tutto per avere denari a sufficienza. Giosuè allora le aveva fatto una proposta: avrebbe richiesto al provveditorato agli studi il programma per la Scuola Normale, i cui licenziati erano idonei all'insegnamento come maestri, e avrebbe studiato le materie per poi insegnarle a lei. Lo avrebbero detto al padre solo quando Maria avrebbe superato l'esame come candidata esterna. Giosuè, dunque, le assegnava i compiti e glieli correggeva con la matita rossa e blu.

Maria, di rimando, gli portava sciroppi e tisane quando stava male e gli passava riviste e giornali. Appena vedeva nell'anticucina la lavata asciutta, pronta per essere stirata, tirava fuori dalla cesta la sua biancheria e cercava buchini, scuciture e bottoni mancanti; poi, senza che gli altri se ne accorgessero, rammendava tutto. E, come una piccola mamma, lo confortava quando era triste o preoccupato.

Sarebbe finito tutto, se lei si fosse sposata?

"A che cosa pensi?" Giosuè la conosceva bene.

"Uno che non conosco ha chiesto di sposarmi. Mio padre mi consiglia di incontrarlo."

E lui: "Io ho un segreto".

"L'università ti ha accettato?" azzardò Maria. "Dove andrai?"

"Nel continente..."

Un velo scese sugli occhi di Maria. "Ci dimenticheremo."

"Impossibile!" Giosuè scosse la testa con enfasi. "Impossibile!" Si era piazzato davanti a lei, impedendole di continuare ad annaffiare. Maria ebbe paura, non lo aveva mai visto così alterato.

"Dimenticarci è impossibile! Noi due, Maria, abbiamo un rapporto di anime! Le nostre sono aggrovigliate come una trizza 'i fimmina!" Giosuè sembrava esasperato. "Meglio di fratelli, siamo! Più che fratelli! Capisci, Maria? Il nostro è un solo destino!" La guardava cupo. Poi continuò: "Siamo uniti dall'uccisione di mio padre, fosti tu a scuotermi, a farmi tornare la voglia di vivere, e di diventare uomo, degno di lui, a farmi realizzare i suoi desideri... Non lo dimentico... Trizza 'i fimmina, siamo! Dovunque ci porti la vita!". Tacque, sudato. Maria, pallida, fissava gli annaffiatoi vuoti – pendevano desolati dalle loro mani.

"Scusami," mormorò Giosuè.

"Di che? È tutto vero..." Lo guardava tranquilla. "Andiamo a dormire, va'..." E gli carezzò il braccio.

Maria si girava e rigirava sotto il lenzuolo, irrequieta. Suo padre intendeva sostenere tutte le spese dell'università di Giosuè. Avrebbe avuto abbastanza denari per mandare all'università anche Filippo? Si angosciava. Il matrimonio con Pietro Sala l'avrebbe facilitato – un posto a tavola in meno e una figlia con il futuro assicurato, senza doversi preoccupare della dote. "Dopo ogni notte buia sorge il sole," le diceva Maricchia quando la vedeva preoccupata. E se le fosse piaciuto, quel Pietro Sala?

Scostò la cottonina e prese la ciotola di gelsomini; inspirò profondamente il profumo oleoso. La lampada sul pianerottolo era ancora accesa, dunque il padre non era ancora ritornato dal circolo. Aprì la porta per avere luce, e prese un cartoncino:

Signor padre,

chiedo scusa per oggi, non mi aspettavo di avere suscitato tanta attenzione nel baronello Sala. Accetto il Vostro consiglio, e sono curiosa di conoscerlo domani.

Vostra devota e affezionata figlia

Maria

Era la prima volta che scriveva a suo padre; mise il cartoncino in una busta e lo fece scivolare sotto la porta della camera dei genitori.

Poi si accucciò sotto le coperte e piombò nel sonno, il lembo del lenzuolo sul labbro.

5.

Vuttara

Fronte aggrottata, labbra strette, Giosuè combatteva contro un ricordo che non era disposto ad accogliere, non ancora. Lo avvolgeva come una spirale, gli sfiorava i capelli, gli carezzava la pelle, gli solleticava le orecchie, rallentava sotto le narici nella speranza di penetrare dentro di lui. Ma lui non voleva, non era pronto; fissava la luce di fronte alla sua finestra, quella della lampada a petrolio sul pianerottolo delle stanze da letto dei Marra: l'unica, nel buio. Una figura biancovestita passò fugace davanti alla lampada; poi apparve Maria: andava verso la sua camera, lenta e serena, la treccia sulla spalla, il corpo nascosto dall'ampia camicia bianca dalla modesta scollatura. Come quando era bambina. Quella serenità sciolse le riserve di Giosuè, che si abbandonò al passato.

Era il 20 gennaio 1893, lui aveva sei anni. Figlio unico di genitori anziani e ferventi socialisti, era stato educato in casa ed eccelleva negli studi. Sembrava fin troppo maturo per la sua età – conosceva il mondo esterno soltanto attraverso gli amici e le attività politiche del padre, che lo portava con sé dappertutto, come fosse la sua ombra – ed era di casa dai Marra, essendo l'avvocato il miglior amico del padre.

Si erano alzati prima dell'alba: sarebbero andati con l'avvocato Marra a Vuttara, dove il Fascio dei Contadini intendeva mettere in atto la presa di possesso simbolica di un ex feudo di duecentocinquanta ettari di ottimi terreni, diventato demaniale e destinato a essere diviso e assegnato ai contadini di Vuttara. Quei terreni erano concupiti da altri, uomini potenti, che aspettavano il momento adatto per impadronirsene, seguendo la nota prassi: costringere il comune a rinviare la distribuzione dei terreni, mentre loro cercavano protettori e gente da corrompere negli uffici pertinenti; a quel punto, agire rapidamente, forzando l'assegnazione ai propri figli o a prestanome.

Avevano abbastanza cibo per loro e per gli amici che avrebbero incontrato a Vuttara – fette di pane, frittata avvolta nella carta oleata, arance, acqua, biscotti – e coperte per sedersi. "Ci sarà una bella mangiata, dovremmo essere in tanti!" gli diceva il padre mentre lasciavano Camagni addormentata. "Il comune non sembra contrario alla distribuzione dei terreni ai contadini, che marceranno disarmati. I Fasci dei Lavoratori hanno ottenuto delle vittorie." E ripeteva: "Sarà una bella giornata". La loro presenza era una dimostrazione di solidarietà agli amici del Fascio; rappresentava anche un atto di sfida simbolica dei due ultracinquantenni a Francesco Crispi, un tempo amico e collega garibaldino, passato dall'altra parte: intendeva schiacciare i Fasci. E durante il percorso, il padre continuava a ripetere, come se volesse persuadersene lui stesso: "Sarà una bella giornata".

Erano nell'entroterra: montagne, colline, valli e fiumi ingrossati dalle piogge invernali. I raggi obliqui del giovane sole colpivano le colonne di roccia che spuntavano superbe in cima alle montagne come grossi germogli – alcune alte come torri, altre semplici obelischi o schegge gigantesche – esaltandone colori e venature. A valle, le loro ombre disegnavano bizzarre figure sui campi seminati. Tra pietroni e palmette nane, sui fianchi ripidi delle montagne, mandorli selvatici sfoggiavano la fioritura precoce e da lontano sembravano batuffoli di cotone rosato. Le giumente si inerpicavano una dietro l'altra.

Non una casa, non un uomo, non una bestia, non un uccello sotto il cielo luminoso. Tutto era fermo. Giosuè inalava il profumo umido della terra, e serrava le braccia attorno al torso del padre: era completamente felice.

Negli ultimi mesi, suo padre era stato preso dall'urgenza di trasmettergli quel che sapeva e inculcargli i suoi princìpi di socialismo – alfabetizzazione universale, uguaglianza di uomini e donne, necessità di migliorare le condizioni dei lavoratori. Gli raccontava del feudalesimo, abolito poco prima dello sbarco di Garibaldi, e di come, a quei tempi, i baroni possedevano feudi che non potevano alienare: erano tenuti ad amministrarli, a garantire l'ordine nelle città feudali, impartire giustizia, mantenere le prigioni e fornire soldati all'esercito del re, se richiesto – detenevano il monopolio della violenza. "Sui terreni attorno ai comuni, invece, gli abitanti, chiamati comunisti, esercitavano quattro diritti, chiamati 'usi': fare legna, cavare pietra per costruzione, raccogliere erbe selvatiche e pascolare animali da soma. Per i poveri, beneficiare degli usi faceva la differenza tra dormire all'aperto e avere un tetto, tra il digiuno e una minestra in pancia." Si fermava e aggiungeva, severo: "Le rivendicazioni dei lavoratori che andremo a vedere sono antiche e modeste, ma importantissime!".

Poi tornava a sorridere: "Questa marcia di cinquecento contadini segna l'inizio di un futuro migliore per tutti. Sarà una bella giornata!".

Man mano che si avvicinavano al paese, suo padre e l'avvocato Marra avevano cambiato umore; scrutavano il panorama alla ricerca di amici socialisti e massoni che avevano promesso di venire, e di altri sostenitori dei Fasci, anche loro diretti a festeggiare la presa di possesso dei terreni demaniali. Ma non ve n'era traccia. Poi, un canto. Accelerarono il passo. Dalla cresta di una montagna scorsero i contadini riuniti sulla piana davanti al paese, pronti a marciare insieme verso la loro terra promessa, cantando a voce spiegata. Tutti e cinquecento.

"Impara, Giosuè." E il padre fece un largo gesto con il braccio verso il terreno a valle, davanti al paese. "Quelle terre sono parte del patrimonio comune: appartengono a tutti." E spronò la giumenta per imboccare il sentiero che scendeva verso l'abitato.

I capi parlavano fitto. Alcuni dimostranti fremevano impazienti, ma rimanevano fermi, in attesa di ordini. I canti risuonavano da un capo all'altro della piana. Le due giumente trotterellavano attorno ai dimostranti. Ignazio Marra e Tonino Sacerdoti salutavano amici ed erano salutati. Giosuè avrebbe desiderato scendere da cavallo e unirsi alla marcia. "Non è giusto, devono occupare da soli i terreni destinati a loro. Celebreremo insieme la vittoria quando l'occupazione sarà completa," disse il padre.

Li raggiunsero due amici massoni, un avvocato e il sindaco di Tilocca. I quattro decisero di fare uno spuntino, lontano dai dimostranti. Trovarono un'altura e scesero di sella. Mangiarono sotto un carrubo, bevendo il vino portato da quelli, gli occhi sui cinquecento. Discutevano animatamente di tutto: dello stato d'assedio, dei politici, della leva militare e delle condizioni dell'esercito, che Crispi intendeva mandare in Africa per rendere l'Italia una potenza coloniale. Giosuè si era appartato per mangiare: aveva messo la frittata su una fetta di pane, e ci aveva sparso sopra un poco del pepe portato in un cartoccio, infine l'aveva coperta con l'altra fetta. L'aveva pressata con la mano, forte. Poi aveva addentato: umido, saporito, una squisitezza. Faceva cadere mollichine per terra, sulle pietre, sulle foglie morte, e assisteva divertito alle marce e alle contromarce delle formiche che, avide, dovevano mettere a fuoco un obiettivo sempre diverso.

I due amici avevano raggiunto i dimostranti; il padre conservava i resti del pranzo nella bisaccia, pronto a seguirli.

"Vieni Giosuè, voglio parlarti." Gli mise le mani sulle spalle. "Tua madre e io ti abbiamo educato a essere buono, rispettoso, diligente e generoso. A non fare male a nessuno." Lo guardava con occhi dolci e severi. Si rendeva conto di giocare d'anticipo e di avere dinanzi un interlocutore sensibile ma ancora acerbo. Era tuttavia convinto di poter lasciare cadere dei semi nella sua mente e che le parole dette con passione tornano nel tempo ad accendere l'intelligenza delle cose. "Per avere una società civile e pacifica, lo Stato deve possedere il monopolio della violenza. La violenza deve appartenere soltanto allo Stato: non è condivisibile. Ricordatelo! Il monopolio della violenza spetta alle forze dell'ordine e all'esercito – violenza interna ed esterna. Se lo Stato non lo mantiene, perde il controllo della nazione: è la sua morte. Se ne abusa, perde la fiducia dei cittadini. Se lo usa male, confonde il popolo e ne perde il rispetto. Qui i governanti hanno delegato ogni responsabilità alla mafia. Stiamo diventando uno Stato dentro lo Stato. Non ci sono certezze, non c'è libertà, e non c'è giustizia."

Giosuè guardava, davanti a sé, gli occhi del padre, ma di tanto in tanto lo sguardo si spostava sulle formiche affamate.

"Ignazio, che ne dici?"

"Dico che hai ragione!"

"L'esercito regio è formato da coscritti riluttanti, restii a combattere e ignoranti."

"Gli ufficiali mancano di adeguata istruzione..."

"...e i generali dimostrano di non possedere buon senso."

"Come gli uomini al governo!"

Tonino si rivolse nuovamente al figlio: "Giosuè, dopo la scuola andrai all'Accademia Militare. Raggiungerai alti gradi, e allora dovrai saper portare nell'esercito efficienza e consapevolezza. Sii sempre al servizio del popolo".

"Bravo!" approvò l'avvocato.

"Se io non dovessi più esserci conto su di te, Ignazio, per farne il miglior generale d'Italia!" Tonino strinse forte il braccio dell'amico e con il poco vino rimasto brindarono all'esercito regio.

Si avviarono di nuovo verso il paese. Le giumente scendevano caute sulla terra brulla. Si era alzato il sole, l'aria era fresca e limpida. Vuttara, appoggiata ai fianchi di una montagna di pietra nuda, rosa striata di blu, sembrava ancora addormentata. Le finestre erano sbarrate e le strade deserte. Persino i cani sembravano scomparsi.

Altri avevano raggiunto i dimostranti, nessuno armato. Avrebbero voluto essere già in cammino, erano irrequieti, e cantavano. Tonino e Ignazio scesero da cavallo per salutare gli amici, poi risalirono in sella e rimasero in disparte a guardare: i capi parlavano con alcune persone, anche quelle non armate. Del sindaco, della giunta, nessuna traccia.

Poi iniziò la marcia. Compatta, unita, ordinata.

Un rumore di scarponi sull'acciottolato. Come la fiumara di un ruscello in piena, campieri, gabellotti e brutti ceffi uscivano da nascondigli sotterranei – cantine, cripte di chiese sconsacrate, magazzini. Torvi. Muti. Mandati per provocare.

I dimostranti si allontanavano dal paese, in ordine, come se non avessero notato e sentito. La fiumara giunse sulla piana e li seguì, a passo normale. Poi accelerò. I dimostranti aumentarono l'andatura cantando. Alcune teste si giravano indietro a guardare. Nessuno parlava.

All'improvviso la fiumara prese a correre, vuciando. Epiteti osceni, frasi provocatorie. Li sfidavano al confronto, uomo contro uomo.

"Hanno l'accento forastero. Sono venuti apposta, da paesi lontani. Tutti," osservò l'avvocato Marra.

"Non otterranno niente. I nostri ragazzi sono bravi, li ignoreranno. E se si comportano male la gente di Vuttara interverrà. Sono tutti disarmati. Non ti preoccupare," rispose Tonino. E sollevò un braccio in segno di saluto ai dimostranti, che lo avevano riconosciuto. Anche l'avvocato guardava, ma il suo volto era contratto, la bocca tirata sotto i folti baffi spioventi, lo sguardo cupo fisso su una collina che sorvegliava da un bel po'. Sulla cima apparvero decine e decine di soldati, in formazione, armati per il combattimento. A quel punto, i forasteri si lanciarono contro i dimostranti, cercando di coinvolgerli in uno scontro; quelli acceleravano e mantenevano la distanza.

Il paese sembrava sotto un incantesimo. Porte e finestre chiuse, non un'anima per strada.

A un ordine, i forasteri si calarono per raccattare le pietre dell'acciottolato con cui minacciavano i dimostranti. Le lanciavano verso di loro, ma non per colpirli. Era come se volessero guadagnare tempo.

"Brutta è messa," mormorò l'avvocato. Sgropparono e legarono le giumente a un ceppo. Giosuè fu nascosto lì vicino, sotto un mandorlo che cresceva dietro un masso, da cui avrebbe potuto osservare, protetto. I due si avvicinarono ai dimostranti. Un uomo era uscito dal gruppo per abbracciarli, poi aveva ripreso la marcia.

L'esercito regio avanzava compatto, sembravano centinaia. Sempre più vicini.

I forasteri diedero inizio al combattimento: ora tiravano pietre per colpire, e ci riuscivano. I dimostranti continuavano la marcia, i forasteri incalzavano. I colpiti cadevano e si rialzavano. Non un sasso fu tirato in risposta. Poi, a un tratto, tutto cambiò: miravano a uccidere. Il primo colpito fu proprio l'uomo che aveva salutato e abbracciato il padre di Giosuè, non lontano da loro. Era rimasto indietro e cadde a terra: una pietrata diretta alla testa era andata a segno. Sanguinava.

"Aiutatemi!" gridò.

"Pigliatelo tu, Giosuè, se non torno!" E Tonino si buttò nella mischia.

Inginocchiato accanto all'uomo steso a terra, cercava di pulire la ferita come poteva e di fermare il sangue. Accorse altra gente, Giosuè perse di vista il padre. Uno sparo – il primo. Poi altri colpi di fucile. Tutti dall'esercito. Una baraonda di uomini che scappavano, soccorrevano i feriti, gridavano.

La testa del corteo dei dimostranti avanzava ancora cantando.

I soldati, schierati sulla piana, sparavano. Urla. Spari. Urla. Spari. Le voci divennero più forti, poi scese il silenzio.

Giosuè ricordava poco altro di quel giorno a Vuttara, e di quello seguente. Gli era stato raccontato che il combattimento era stato interrotto per permettere ai paesani, usciti da casa ai primi spari, di soccorrere i feriti. Alcuni si erano diretti verso suo padre. Ricordava di non avere pianto. Ricordava che l'avvocato l'aveva fatto montare sulla sua giumenta: se l'era messo in sella, davanti a sé. Il cadavere del padre, avvolto in una coperta, li seguiva legato sull'altra giumenta. Ricordava che erano arrivati a Camagni di notte ed erano andati a casa Marra.

Nelle lunghe ore della veglia, gli appariva nitido lo sguardo sgomento dei soldati che assistevano, lontani, alla raccolta dei morti. Erano ragazzi impauriti. Gli rintronavano nella testa le parole del padre: *Dovrai saper portare nell'esercito efficienza e consapevolezza. Sii sempre al servizio del popolo.* Avrebbe seguito il destino tracciato per lui: la carriera militare.

Era rimasto dai Marra per necessità: la sorella aveva portato con sé la madre a Livorno e aveva accolto l'offerta di Ignazio di tenerlo con loro fino a quando lei e il marito non avessero organizzato scuola e casa per accogliere anche lui. Ma le cose erano andate per le lunghe e nel frattempo lui, sostenuto dall'affetto dei compagni e degli insegnanti del Convitto Nazionale – del quale il padre era stato rettore –, aveva espresso la volontà di rimanere a Camagni: non voleva lasciare gli studi e i Marra, ormai diventati "famiglia", per trasferirsi a Livorno e poi lavorare nella ditta di tessuti del cognato.

6.
Le tre industrie siciliane

I siciliani amavano incontrarsi nei circoli, tutti rigorosamente maschili. Oltre a giocare a carte e a scambiarsi informazioni, si discuteva di politica locale e anche di quella nazionale. Molti, soprattutto gli anziani, vi andavano semplicemente per non stare in casa. Nei piccoli centri, il circolo consisteva di una semplice stanza arredata sommariamente che si apriva sulla via principale; poteva appartenere a un'associazione operaia o contadina di mutuo soccorso (ne erano nate centinaia dopo l'annessione al Regno d'Italia), oppure a una confraternita religiosa, e si riconosceva dalle seggiole di legno disposte lungo il muro esterno, ai lati della porta, da cui i soci osservavano il passìo o su cui sonnecchiavano. Nei centri più grandi, uomini di idee politiche e censo simili si riunivano in circoli ricreativi dove erano serviti acqua e zammù, limonata e perfino caffè; tendevano a diventare consorterie e associazioni di categoria di lavoratori, quando non addirittura un vero e proprio partito politico.

La riforma del 1882 aveva allargato la base elettorale, raddoppiandola. Piccoli possidenti, artigiani e impiegati, divenuti elettori per capacità e non per censo, avevano creato circoli politici, in cui nascevano raggruppamenti politico-sindacali sotto le spoglie di società di mutuo soccorso e si formulavano rivendicazioni che avrebbero stravolto il vecchio assetto economico e sociale. Ignazio aveva partecipato alla fondazione di alcuni di questi circoli di impronta massonica e socialista.

Oltre al Circolo dei Nobili e al Circolo Garibaldi, politicamente opposti, Camagni aveva il Circolo Agrario, il Circolo di Mutuo Soccorso Quinzio Cincinnato, il Circolo della Conversazione, il Circolo Savoia e il Circolo degli Agricoltori. Ignazio frequentava il Circolo Garibaldi, nel corso omonimo, a Camagni Bassa, di cui era stato socio fondatore. Vi andava dopo pranzo, nei giorni feriali, per leggere i giornali, ascoltare cosa si diceva in giro e discuterne con gli amici.

Quel pomeriggio era uscito di casa turbato; Maria aveva sollevato argomenti mai affrontati prima, e disturbanti: il suo lavoro, la mancanza di risorse della famiglia e la questione dei suoi studi interrotti. Sovrappensiero, Ignazio aveva preso un'insolita scorciatoia per Camagni Bassa: scendeva lungo un vicolo deserto e desolato fiancheggiato da casupole e intersecato da viuzze e scale su cui anche gli asini avrebbero faticato a inerpicarsi. Assi inchiodate bloccavano le porte delle abitazioni lasciate intatte e vuote nella vana speranza di un ritorno. Le erbacce, dopo aver colonizzato davanzali, grondaie e tegole, erano penetrate all'interno attraverso le finestre sfondate.

Gonfio di rabbia per le condizioni che avevano spinto tanti suoi compaesani a dire addio alla patria, Ignazio dimenticò perfino la figlia. L'emigrazione era un fenomeno nuovo, causato dall'annessione all'Italia. "Eravamo i maggiori esportatori di grano, agrumi e zolfo d'Europa, e forse del mondo... l'erario Borbone era pieno di denari. I poveri c'erano, eccome, ma nessuno di loro era costretto ad andarsene per fame!" murmuriava tra sé. Anche nei tempi di carestia, era raro che si morisse di fame. Inoltre, gli enti religiosi si prendevano cura dei malati e degli indigenti, e offrivano posti di lavoro. Dopo l'unità d'Italia, pensava, tanti siciliani hanno scelto di andare via... che cosa hanno ottenuto, all'estero, questi puvirazzi?

Racimolati i denari per il viaggio e l'accoglienza, giovani uomini con o senza famiglia partivano per l'America, la meta preferita. All'approdo li aspettava l'"amico" che poi li affidava al "padrone", ambedue siciliani emigrati da tempo. A New York il sistema era simile allo schiavismo urbano; nei campi di cotone e nelle piantagioni di canna da zucchero del Sud i siciliani sostituivano gli schiavi, e venivano trattati come tali. Il sangue di Ignazio ribolliva sentendo storie di omicidi, linciaggi e soprusi imposti spesso dagli stessi compaesani che sfruttavano i nuovi venuti impunemente e senza pietà.

Che cosa ha fatto per loro, l'Italia?, rifletteva con amarezza.

Dall'oggi al domani lo Stato, arrogante e all'oscuro della realtà siciliana, aveva razziato l'erario del Regno Borbone e lo aveva utilizzato per pagare i debiti contratti per le guerre d'Indipendenza, per la modernizzazione delle industrie e per l'istruzione del popolo del Nord. Dopo la benigna dittatura di Garibaldi e il plebiscito per l'unione al Regno di Sardegna, il nuovo parlamento del Regno d'Italia aveva imposto alla Sicilia riforme dall'alto, estendendo le leggi, la burocrazia, il regime fiscale e la leva militare obbligatoria per cinque anni, con l'effetto di spingere i renitenti alla latitanza e rafforzare il brigantaggio. L'obbligo della lingua italiana, senza che nessuno si preoccupasse di insegnarla al popolo, aveva portato i siciliani a rifiutare quello che sempre più assumeva le sembianze di un regime coloniale da parte dei piemontesi. Le condizioni di vita, già grame, peggiorarono enormemente. A quel punto, l'isola divenne un regalo non voluto da gestire e sfruttare con il minimo sforzo.

E io? Io che cosa ho fatto?, si chiedeva Ignazio. Votavo per la sinistra, predicavo il socialismo, e non ho ottenuto niente. Dopo averci spremuti, il governo ha risolto di trattarci come una regione da sfruttare, umiliare e lasciare povera e analfabeta, abbandonata alla mafia e ai notabili, che manipolano le elezioni con l'assistenza dei vecchi nobili, diventati senatori del Regno e deputati.

Nel silenzio, un canto infantile, stridente. Di sfida.

"*Iu cca sugnu,*
e tu unni si'?
Nesci nesci,
ca mortu si'."

Erano due bambini di non più di quattro anni. Sbucati da un vicolo, camminavano abbracciati nella direzione opposta alla sua, cantando a squarciagola e scuotendo ritmicamente le spesse trizzi 'i fimmina, che cadevano sulle loro spalle. Erano nudi, magrissimi, lo stomaco dilatato con l'ombelico sporgente. Grotteschi. Da una strada laterale ne spuntarono altri due poco più grandi. Indossavano corte camicie a brandelli che lasciavano intravedere i piccoli peni. Anche loro pelle e ossa, ventri gonfi e con trizzi 'i fimmina. Si appiattirono contro il muro, gli occhi fissi sui due che continuavano la salita, cantando. "Amunì!" Al segnale partì una grandinata di pietruzze, ma non raggiunse i due, che accelerarono il passo e il ritmo dei "*Nesci nesci, ca mortu si'! Nesci nesci!*". Erano vicini. Il lancio di pietre adesso arrivava sui piedi, ma loro non si fermavano. Una pietra grossa colpì il ventre di un bambino, che traballò ma non cadde; si fecero più vicini, minacciosi, il canto rauco.

Ignazio si fermò poco più in là, guardandosi in giro. Il sole bruciava le basole. Era come se il paese fosse addormentato. Poi, il baccano: i bambini lottavano a calci, pugni e morsi, urlando, come quando i furetti aggrovigliati, in attesa di essere tirati fuori dalla gabbia per stanare i conigli, si abbandonano a un'orgia di morsi a sangue sotto gli occhi dei cacciatori.

Da una casa abbandonata, una vecchia affacciata alla finestra li osservava indifferente.

Come è stato possibile questo degrado, così in fretta?, si chiedeva Ignazio, inorridito. La schiena contro un portone sbarrato, seguiva la lotta; a un certo punto gli sembrò che uno dei piccoli mordesse il pene di un altro. Ricordava la delusione, negli anni dopo il plebiscito, quando si era aspettato che il nuovo Stato avrebbe considerato l'alfabetizzazione e l'insegnamento dell'italiano, la nuova lingua unitaria, come la priorità assoluta, mentre invece c'erano meno scuole, soprattutto per i poveri. Il governo italiano non aveva voluto finanziare le industrie e le attività artigianali necessarie alla nascita di una classe media, che avrebbero facilitato il passaggio dal feudalesimo al capitalismo. Infine, il colpo di grazia. Nel sesto anno dall'unità d'Italia, la miseria del popolo era aumentata all'improvviso a causa della scomparsa delle corporazioni religiose – le sole che offrivano ai poveri rudimenti di alfabetizzazione, posti di lavoro, assistenza medica e cibo –, sciolte senza che fosse creata una rete di sostegno alternativa. Ignazio, non credente, lo aveva deplorato, prevedendo l'aumento della ricchezza dei notabili e degli ex feudatari attraverso l'acquisto dei beni confiscati alla Chiesa, a scapito dei nullatenenti. Come di fatto era avvenuto.

"Andate!" gridò ai bambini. Nessuna reazione. "Itivinni!" E Ignazio affrettò il passo; i bambini si rintanarono velocissimi in un altro vicolo, insieme. Poi, silenzio.

C'erano tracce di sangue sulle balate. Ignazio le osservava. Ho lottato tutta la vita in politica per dare questo al mio popolo?, si domandava.

Era un fallito. Repubblicano, carbonaro garibaldino e massone, aveva ottenuto poco e niente per Camagni e per la sua isola. Cercava di rincuorarsi: godeva del rispetto della gente della provincia, era un bravo professionista, aiutava i non abbienti ed era considerato generoso e probo, un padre equanime. Equanime. Ignazio sbatté le palpebre: *un padre equanime*. Gli apparvero gli occhi di Maria, mentre le parlava di Pietro Sala.

Che cosa aveva fatto a sua figlia?

Aveva lo sguardo spento, la sua adorata Maria, come quello di Rosalie Montmasson, l'ultima volta che si erano incontrati per caso in una strada di Roma, nel lontano 1879. Erano stati molto amici. Lei era l'ombra di se stessa; nulla disse del marito e dell'onta subita. Rosalie, la sola donna tra i Mille, era partita al seguito del marito, Ciccio Crispi, conosciuto in esilio a Marsiglia nel 1848 e sposato poi a Malta. Lo aveva mantenuto con il lavoro di lavandaia e domestica nei lunghi anni di esilio. Nel 1878 Crispi, diventato ministro degli Interni, pur essendo sposato aveva contratto matrimonio a Napoli con un'altra donna, da cui aveva avuto una figlia. "Il Piccolo" di Napoli aveva riportato la notizia e la chiara volontà del ministro di abbandonare la prima moglie, divenuta un ostacolo alla sua ascesa sociale. Crispi, invelenito, aveva reagito attaccando: la storia con "quella donna" era stata "un simulacro di matrimonio", e in ogni caso "i nuziali maltesi erano nulli per vizio di forma". Il pubblico ministero aveva archiviato la causa. Mesi dopo, Crispi era tornato al governo ed era stato eletto presidente del Consiglio dei ministri: tutto dimenticato.

Maria e Rosalie avevano una caratteristica in comune: la lealtà. Come la francese, schifiata e umiliata dall'uomo che ancora amava, non riusciva nonostante tutto a parlarne male e si era rifugiata nella dignità di un generoso silenzio, così Maria accettava senza desiderio di rivalsa di essere trattata dal padre da inferiore ai figli maschi. Senza rancore.

Preferirei non prendere marito e far sì che i fratelli frequentino una buona università, aveva detto, pronta a immolarsi come Rosalie, e a sostenere i maschi di casa. Ignazio si disprezzava come padre. *Vorrei lavorare e guadagnare*. Maria era una ragazza moderna, merito della madre. Ma l'isola rimaneva antica. Le donne restavano confinate nel ghetto dei lavori domestici e dell'insegnamento. *E aiutare la famiglia*, aveva detto Maria. I legami familiari erano potenti, tra i siciliani, nella solidarietà come nelle sciarre.

Il campanile dell'Addolorata batteva l'ora, in lontananza. Ignazio affrettò il passo diretto al circolo. Era quasi deserto. Prese un giornale, ma non lo lesse.

Non aveva visto realizzati i suoi due sogni di gioventù e della maturità: lottizzare i terreni feudali diventati demaniali sotto il Borbone e quelli confiscati alla Chiesa dai Savoia per distribuirli ai contadini, venderli a imprenditori agricoli e dar loro la possibilità di unirsi in cooperative e piccole industrie, insomma di modernizzarsi. E poi alfabetizzare i siciliani per formare una classe media di operai e imprenditori, insegnanti, impiegati statali.

Abbandonata dallo Stato sin dai moti del 1866, la Sicilia era diventata terra di banditi e latitanti. Il vuoto istituzionale aveva portato un'imprevedibile rivoluzione sociale: l'aristocrazia degli ex feudatari si era appattata con gli ex gabellotti mafiosi, l'una e gli altri alla ricerca di potere e denari. La mafia si era infiltrata nel ceto medio e nelle professioni, assumendo le caratteristiche industriali della borghesia: ordine, previdenza, circospezione. E perbenismo. Con i notabili condivideva il monopolio dell'ordine, della violenza e del lavoro. Il risultato era che i contadini finivano per essere schiacciati due volte, dai proprietari terrieri e dai mafiosi.

Ignazio aveva cercato di fare qualcosa. Sosteneva i diritti del popolo e diffondeva il credo socialista nella speranza che attecchisse nella classe media o che addirittura la formasse. Non era avvenuto. Mancava la fiducia del popolo nello Stato e nelle regole. L'alfabetizzazione andava a rilento. Lo Stato era determinato a concentrare le risorse sulle regioni del Nord, fortemente industrializzate, e privilegiava le scuole di quell'area. Al Sud la mortalità infantile aumentava. Il popolo si impoveriva. Emigrava. A Riesi, Grotte, Sutera e Modica, Ignazio e il suo amico Giovanni Prosio avevano sostenuto la Chiesa valdese, che incoraggiava la nascita di scuole per adulti, per far sì che contadini e operai potessero sostenere le loro rivendicazioni.

C'era un fermento socialista nella Sicilia orientale, e tante speranze. Alla fine degli anni ottanta Ignazio aveva sperato che finalmente – grazie alla crescita delle associazioni di operai e artigiani e delle piccole banche – la classe media potesse rafforzarsi. A quel tempo era un uomo vigoroso, aveva da poco passato i quaranta. La sua famiglia era imparentata con la piccola nobiltà di Camagni, che lui continuava a frequentare. Titina, sorella tredicenne di Peppino Tummia, era sbocciata in una ragazzina formosa, capelli chiari e occhi castani, curiosa e determinata. Lui sapeva spiegarle il socialismo, i Fasci, la politica; le parlava dei suoi sogni, della giustizia, di un futuro roseo per tutti, e lei pendeva dalle sue labbra. Faceva domande e pretendeva risposte esaurienti. Lo aveva sedotto con la freschezza dell'adolescenza e l'inesauribile curiosità. Mentre lui era ospite dei Tummia a Fuma Nuova, una notte Titina era entrata nella sua camera. Gli si era offerta, acerba, carnale e convinta di quello che stava facendo. Al suo rifiuto aveva affettato un pianto e si era disposta a dar fiato ad alti singhiozzi, conscia che avrebbe svegliato gli altri. Lui aveva ceduto. Così era nata Maria, alla quale Titina aveva voluto dare il nome della propria madre; piccola e dagli occhi profondi come quelli della mamma, quella neonata gli era sembrata un oggetto prezioso, un miracolo, una speranza, un angelo. Ignazio aveva amato intensamente Titina, nonostante le altre donne, e lei non era mai stata gelosa: sapeva di avere un rapporto privilegiato con lui, basato sulla fiducia e su un'intesa sessuale che non si era mai spenta.

Ora, Maria voleva immolarsi per la famiglia. Il giornale languiva sulle ginocchia di Ignazio, e lui fissava le mattonelle opache del pavimento. Maria voleva immolarsi, nella sua mente aveva usato proprio questa parola.

Il circolo si riempiva dei soci che tornavano dopo il riposo pomeridiano, pieni di energie. Un ex compagno di scuola, Alfonso, che aveva studiato Ingegneria a Torino, aveva invitato al circolo l'ingegner Manfrinato, un collega veneto diventato ispettore del ministero che aveva il compito di controllare il porto di Girgenti. Seduti vicino alla poltrona di Ignazio, parlavano degli sprechi di denaro pubblico in Sicilia. Manfrinato ricordava che sin dal 1862, quando erano iniziati i lavori per il porto di Messina, erano stati sperperati milioni per più di un decennio: il luogo prescelto era palesemente inadatto, il bacino di carenaggio avevano dovuto rifarlo altrove. Per il porto di Girgenti erano stati stanziati ben sei milioni. Esauriti quelli, ne erano stati richiesti e concessi altri quattro. Alla fine era stato abbandonato tutto per seguire un altro progetto.

"Perché questi sprechi? Non possono essere dovuti soltanto a incompetenza."

Ignazio alzò gli occhi, il veneto fissava Alfonso che ricambiava lo sguardo, imbarazzato.

"Così è qui." Poi, soffiando fuori il fumo, aggiunse: "Sono cose di cui non si può parlare. La classe politica lo sa e ci guadagna".

"Capisco," disse l'altro. "Ma il popolo non si lamenta? Cosa dicono i pescatori, gli imprenditori, i portuali... e quel poco che avete di Marina commerciale, che potrebbe intensificare i traffici se le strutture del porto fossero più efficienti?" Non ebbe risposta. Sconfitto, anche lui riprese a fumare.

Lentamente, Alfonso ricominciò: "Tu l'hai vista Palermo, sai del successo dell'Esposizione Nazionale del 1891, conosci anche Catania e Messina. Sono città che hanno raddoppiato la loro popolazione, sono belle: lì vedi i palazzi dei nuovi ricchi, le ville in stile Liberty, il teatro Massimo di Palermo e quello di Catania, gli edifici pubblici, monumentali... Sono città dalla borghesia in piena crescita, meta delle crociere di personaggi celebri, di membri delle famiglie reali europee. Questo vedono i siciliani, e questo vede il popolo delle città. I poveri dimenticano la mancanza di fognature, dimenticano di vivere in catoi... tanto ci sono abituati, è come se fossero ammaliati dalla bellezza e dal lusso degli altri".

Manfrinato ebbe buon gioco a rincarare la dose: "Ma qui da voi si muore di epidemie di tifo e di colera! Ho visto, viaggiando con scomodità indegne della nostra epoca, su strade appena carrabili, campagne abbandonate, bambini nudi, contadini e zolfatari emaciati... Da voi la gente emigra per fame! Perché non reagite e create delle industrie?".

Alfonso si era guardato intorno, i tre erano soli. "Non è così, Manfrinato," rispose. "Noi abbiamo tre industrie, Ignazio le conosce e mi dirà se mi sbaglio. Sul fronte economico, i nobili e i loro ex gabellotti si sono uniti nell'industria del sopruso: attività losche mirate a evitare l'assegnazione dei terreni ex feudali, passati ai comuni con l'obbligo di distribuirli ai contadini. O semplicemente sfruttamento illegale della popolazione attraverso l'usura, patti agrari a loro favore e contratti di mezzadria illegali."

"E la mafia lo permette?" intervenne il giovane veneto, sul cui incarnato pallido spiccavano le macchie porporine della rabbia.

Alfonso sembrò sorpreso: "Scusa, va da sé che non c'è industria – inclusa l'estrazione dello zolfo – che possa fiorire senza il permesso della mafia! In questo caso, la collaborazione è stata piena". La seconda industria, spiegò, quella della violenza, non era totalmente controllata dalla mafia. I banditi sulle montagne ne riconoscevano l'esistenza e l'autorità, ma nella loro illegalità erano rimasti il solo baluardo di indipendenza dei siciliani nei riguardi delle istituzioni di cui la mafia era una colonna. Patteggiare con loro era impossibile. Le comunicazioni all'interno dell'isola erano rimaste primitive appunto per quello. Si viaggiava con l'aiuto dei mafiosi, che non sempre era efficace, e la protezione dei propri impiegati armati di tutto punto. Contemporaneamente, la crescita urbana e le poche nascenti industrie sovvenzionate dallo Stato davano l'impressione di un paese che si stava modernizzando e nascondevano ai visitatori la realtà: miseria, violenza e analfabetismo. La gente continuava a emigrare in massa.

"Ma non esiste anche un solo comune, una sola amministrazione, che sia indipendente?"

"Se esiste, da queste parti, nella Sicilia occidentale, non lo conosciamo," rispose pronto Alfonso. "La terza è un'industria che avete anche voi: la corruzione. Da noi è molto sviluppata. Comprende le concessioni statali, il voto comprato; è nella polizia, in tutte le attività civili. Guai a chi resiste o denuncia. Non soltanto la mano della mafia e del notabile, ma anche quella del prefetto, poggia pesante sulla spalla di chi osa denunciare. La pena va dall'allontanamento all'esclusione dalla società civile, anche quella che circonda il rappresentante dello Stato. Poi si inasprisce nel sequestro, nei danni ai familiari e nella morte esemplare." Alfonso si voltò a guardare Ignazio per cercare una conferma. Ma Ignazio non si era mosso, sembrava addormentato, le gambe distese davanti a sé. Solo la fronte aggrottata tradiva la sua angoscia.

Diego Margiotta, cugino primo di Ignazio, era entrato nel circolo insieme ad altri. Parlavano allegramente. Al loro ingresso, Alfonso e l'ingegnere veneto si alzarono per andare via.

In piedi davanti a Ignazio, Diego lo apostrofò: "Cugino,

lo so che non dormi... svegliati, voglio congratularmi per le belle notizie".

Gli occhi di Ignazio bruciavano di dispetto. "Quali belle notizie? Io non ne ho nessuna."

"Non fingere, lo sappiamo tutti che è in cantiere un gran matrimonio per tua figlia!"

"Tu parli assai e capisci poco."

L'altro rispose: "Bene, se la metti così... Credevo che invecchiando il tuo malo carattere fosse migliorato, soprattutto con una notizia del genere. Diventerai il suocero di uno dei più grandi proprietari di miniere della provincia. Certo che sarà un cambiamento per te... ora dovrai sostenere la posizione dei padroni".

Ignazio non rispose, e si girò. Diego, rivolto agli altri, rise: "Siamo cugini e ci vogliamo bene: abbiamo sempre battibecchi, ma le buone notizie ci uniscono. Io dico sempre che gli zolfatari sono fortunati. Hanno il loro lavoro qui, non hanno bisogno di emigrare. Ora, quelli dei Sala avranno anche una padrona dal cuore dolce".

Ignazio mandò un ragazzo ad avvisare la moglie che non avrebbe cenato. Lasciò il circolo di malumore: aveva bisogno di riposo, e si incamminò verso il casino di donna Assunta. Erano ormai amici, da lungo tempo. Da lei avrebbe ricevuto vino e comprensione.

Nottetempo, Ignazio ritornò a casa esausto. Titina, in vestaglia, leggeva. Lo aspettava. La puzza di vino le rivelò dov'era stato.

"Vuoi aiuto per spogliarti?" gli chiese.

"Grazie, Titina mia."

E mentre lei gli toglieva le scarpe, Ignazio biascicava: "Non la voglio dare a questo, no... no...".

"Aspetta, c'è una busta per terra, accanto alla porta." Titina la raccattò. "È per te."

7.
La farfalla

Nel penultimo decennio dell'Ottocento, una favorevole congiuntura internazionale, il progresso scientifico e industriale del Nord Italia, la fine della guerra doganale con la Francia e le notevoli rimesse degli emigrati avevano portato un certo benessere alla Sicilia. Non dovuto alla volontà dei governanti, il benessere aveva raggiunto Camagni, paese marcatamente imprenditoriale e, nel contesto, moderno. La borghesia si era costruita belle case di villeggiatura nello stile moderno che imperava a Palermo, sulle pendici di una collina boscosa non lontano dal paese; la villa dei Tummia a Fuma Nuova era una di queste. In pietra color miele, la facciata decorata da fasce di mattonelle di ceramica a disegno floreale, ricca di terrazzini e con una torretta belvedere con ringhiera e gazebo di ferro battuto, godeva di un ampio giardino rigoglioso di palme e agavi. Una volta l'anno, a fine maggio, i Tummia vi davano un ricevimento; prima del pranzo, gli invitati passeggiavano lungo i viali guardando e facendosi guardare, diretti verso le serre e, più in là, all'inizio del bosco di Fuma, verso la ménagerie di animali pomposamente chiamata "lo zoo".

Peppino Tummia amava sorprendere i suoi ospiti con nuove e costose acquisizioni di piante rare, provenienti da vivai del Nord Italia o dall'estero, e di animali esotici. Quell'anno aveva importato dall'Argentina tre scimmie Cappuccine, mandategli da un ex mezzadro che era emigrato negli anni settanta e aveva fatto fortuna. A distanza, le scimmie sudamericane ricordavano davvero dei frati: il pelo bianco su muso, gola e petto contrastava con il colore scuro del corpo. Gli invitati andavano in massa verso lo zoo, anche per vedere la gabbia costruita per ospitare le Cappuccine; si diceva che fosse grande quanto una cappella gentilizia del nuovo cimitero. Era altissima: incorporava un ulivo maturo dal tronco contorto e un albero di fichi, tra i cui rami le scimmie si rincantucciavano per dormire.

Distante dagli altri e lento, Ignazio Marra passeggiava con moglie e figlia al braccio, seguito dai figli maggiori, Filippo e Nicola.

"Se non ti piace non te lo devi prendere, hai capito?" bisbigliava alla figlia.

"Lo so, papà, me lo diceste ieri."

"Ricordatelo!"

Avvenne come se fosse stato puramente casuale. Peppino e Pietro, di ritorno dalla visita alle scimmie, camminavano disinvolti verso i Marra. Dopo le presentazioni, Peppino suggerì di visitare la serra per mostrare agli ospiti alcune specie di farfalle africane che aveva introdotto tra le piante tropicali. Prese la nipote a braccetto e imboccò il sentiero verso le serre, gli altri al seguito. Maria, impassibile, ascoltava attenta le spiegazioni. Pietro, visibilmente emozionato, li seguiva a distanza di un passo; poi accelerò e le si mise a fianco. Maria fece finta di non accorgersene; annusava i fiori, indugiava sulle foglie con le dita, come se le carezzasse, osservava le farfalle che si posavano sulle piante e le seguiva nei loro voli senza spiccicare parola. I grandi occhi scuri guizzavano, evitando accuratamente di incrociare quelli di Pietro.

Un grosso cespuglio era interamente coperto da una colonia di farfalle dalle ali arabescate bianche e nere, che al loro arrivo si alzarono in volo tutte insieme, rivelando il fogliame di un verde brillante; poi, anziché allontanarsi, formarono una nuvola scura al cui interno svolazzavano in agitato disordine. Una, più debole, si abbassò e finì per attaccarsi ai capelli impomatati di Peppino, sbattendo disperatamente le ali. Infastidito, lui lasciò il braccio della nipote e con un colpo secco se la tolse di dosso. Pietro fu svelto a chinarsi e a raccoglierla nel palmo della mano. Zio e nipote si fermarono: Peppino, sudato, si lisciava i capelli in disordine con le dita grosse; Maria, dritta, guardava Pietro curiosa. Ancora chino sulla farfalla, la incoraggiava con tocchi leggeri a riprendere il volo. "Vai, vai," bisbigliava. Nel frattempo, Peppino si era ricomposto; aveva fatto un passo indietro, poi un altro e infine se n'era andato a raggiungere gli altri, lasciandoli soli. "Vai vai, vai vai," sussurrava Pietro; e sollevò la mano, aspettando che la farfalla prendesse coraggio. Un fremito, timidi battiti d'ali, poi con uno scatto faticoso la farfalla si staccò dalla mano di Pietro, ma solo per ricadere subito sul palmo aperto, pronto ad accoglierla. Dopo un paio di false partenze la farfalla cominciò a svolazzare, come fosse incerta sulla direzione da prendere. Finché si rinsaldò, acquistò velocità e raggiunse le altre che volavano aprendo e chiudendo le ali ognuna secondo il proprio ritmo, e a ogni battito mostravano in tutta la sua bellezza l'intricato disegno bianco e nero.

Maria le seguiva incantata, gli occhi ridenti.

Ormai in piedi e accanto a lei, Pietro mormorava frasi di scusa per non averle ancora rivolto la parola.

"Non dovete chiedermi scusa, avete aiutato questa meravigliosa creatura di Dio a riprendere la via e insieme a ritrovare la propria vita." Maria parlava svelta e a bassa voce, lo sguardo ancora rivolto verso l'alto.

"Ahimè, signorina! Mentre avrei dovuto persuadere un'altra creatura di Dio, altrettanto meravigliosa, a decidere di cambiare la propria via e di passare la propria vita al mio fianco... Come mia moglie."

Maria sbiancò, poi divenne tutta rossa. Abbassò il capo. Sembrava vacillare. Una manina nella sua. Roberto, il fratello minore, le era accanto. "La farfalla vola di nuovo! Sei stata tu, Mimì?" La guardava fiducioso. Lei gli sorrise. "Non io... questo signore..." E finalmente guardò dritto in faccia Pietro. Dietro di loro, nel giardino, alcuni giovanotti riuniti sotto il glicine, bicchiere di vino in mano, ridacchiavano. Uno, un po' discosto e pallidissimo, non staccava gli occhi da Maria.

Dopo questo episodio, Pietro Sala non fu più visto al ricevimento dei Tummia, causando inquietudine e pettegolezzi. Perché era andato via così presto e senza salutare?

Si diceva che fosse interessato alla figlia dell'avvocato Marra: che quella scema lo avesse rifiutato?

O gli era venuto un attasso?

C'era chi giurava di averlo visto nella serra delle farfalle, con una farfalla bianca e nera in mano. A lungo. Capace che era velenosa, con quelle bestie esotiche dei Tummia non si poteva mai sapere.

O forse aveva ricevuto un messaggio dalla Friulana, una sua vecchia amante, che soggiornava nel casino di Ponente e alla quale non mancava mai di rendere visita quando andava a Camagni.

I Marra erano ritornati a casa nel primo pomeriggio. Ignazio non amava i ricevimenti, e in particolare quelli dei Tummia, ai quali rimproverava l'ostentazione del casato – uno degli ultimi titoli concessi dal sovrano Borbone prima dell'arrivo dei Mille – e le spese eccessive, come la ménagerie. Peraltro, i Tummia non avevano mai accettato il suo matrimonio con Titina. Rimpiangeva di aver acconsentito troppo facilmente alla richiesta del Sala, ed era tormentato dai sensi di colpa nei riguardi della figlia. Decise di andare al circolo.

Dopo i saluti ai soci prese un giornale e sprofondò in una poltrona. Non riusciva a concentrarsi. Tornava a Pietro Sala e alla sua famiglia: la presenza della Isotta Fraschini in paese era stata un avvenimento e i soci non si stancavano di parlarne, con parole di ammirazione per l'automobile e di invidia per la ricchezza dei Sala, venate da una sfumatura di sdegno.

"Dovrebbero proibirne l'ingresso in paese, ferma il traffico! Basta una distrazione e ammazza bestie e cristiani!" diceva uno; e poi aggiunse, saccente: "Pare che il cocchiere del baronello Sala ha dovuto sostenere un esame e ha il patentino per guidare!".

"Non ci posso credere! Leonardo Ingrascia ignorantazzu è, e pure 'nalfabeta!" dichiarò un notabile.

Un altro scosse la testa: "Ci ammazzerà tutti... basta sollevare una leva o premere un tasto e non si ferma più!".

Uno dei soci più giovani, studente di Medicina, asserì che il fumo che usciva dal tubo di scappamento delle automobili era molto tossico e aveva causato bruciore agli occhi ai braccianti che ritornavano in paese lungo la strada.

Un uomo che aveva la moglie ricoverata aveva saputo da fonte sicura che un poveraccio, dopo aver inalato a lungo il fumo, era finito all'ospedale e non ne era ancora uscito.

"Mezz'ora fa, mentre tornava a Camagni dalla strada da Fara, investì due cani, uno dopo l'altro, proprio alle porte del paese. Io c'ero pure!" si fece avanti un altro.

"Vero è," confermò il vicino, "c'era mio cognato. Morti scrafazzati. Ma lui si fermò, dispiaciuto assai. Aspettò che il padrone si facesse avanti, e siccome era un cacciatore gli diede denari per comprarsi due cani da caccia."

"Bravo!"

"Così si fa!"

Altri approvarono: "Fossero tutti coscienziosi come lui!".

"E ricchi," murmuriò uno che si teneva in disparte.

Quel viaggio pomeridiano a Fara era rimasto un enigma. Pietro aveva lasciato il ricevimento del cognato prima di pranzo, era andato a Fara ed era ritornato a Camagni prima di cena, guidando lui stesso quella macchina infernale. Un cavallo ci avrebbe messo una decina di ore, lui ne aveva impiegate quasi la metà. Certo, a un costo: mietendo vittime tra lepri e conigli, e soprattutto tra cani – si parlava di una decina finiti sotto le ruote, numero che raddoppiava nei racconti resi più grandiosi dal vino.

Perché quell'andare e venire? Il direttore della filiale della Banca Sicula era uomo di poche parole: "*Cosa* deve essere successa". E poi tacque per tutta la serata.

Passarono ai Tummia. Si murmuriava di un mancamento della sorella Giuseppina Tummia o della figlia di lei, Carolina, che era stata male anche il giorno precedente: Pietro Sala, che era molto legato alla sorella, avrebbe dovuto rimanere accanto a lei. E poi, avrebbe potuto informare il padre tramite il telegrafo: sapevano tutti che il vecchio Sala aveva un collegamento telegrafico privato tra casa e le miniere di zolfo di sua proprietà, una delle quali non era distante da Camagni.

Oppure Pietro era andato a Fara per una questione urgente e delicata. Era ben noto che il barone Tummia si era indebitato per l'incauto investimento nella ormai dismessa fabbrica di ghiaccio, e altro, di cui era meglio non parlare. C'era una causa in corso contro di lui, per pagare gli operai e persino lo stipendio del direttore. Che Pietro fosse andato dal padre a pietire un prestito per il cognato e fosse tornato con il denaro?

Si parlò di Pietro come di uomo dedito ai piaceri. Ognuno aveva da raccontare la sua. "Quello che vede e vuole, deve essere suo," disse uno che si considerava suo amico. I soci concordarono che si godeva la vita in pieno tra Roma, Parigi e Montecarlo, ignorando il suo dovere primario – dare un nipote al padre.

Eppure, nonostante tutto, Pietro era benvoluto per i modi cordiali, la conversazione brillante e la generosità.

"Non ha mai fatto male a nessuno."

"Pietro Sala è ricco e viziato, ma si assume la responsabilità delle proprie azioni."

"È il primo a correre da un amico malato o in difficoltà."

8.
Un frutto mai assaggiato

Il tavolone dell'anticucina di casa Marra aveva diverse funzioni: vi si stendeva la pasta fatta in casa, le cameriere vi stiravano le pezze grandi – lenzuola, coperte, tovaglie, asciugamani, tende – e i figli minori vi mangiavano nei giorni feriali, tranne quando erano invitati alla tavola dei genitori. Maricchia ed Egle vi prendevano i pasti ogni giorno.

Al ritorno da Fuma Nuova, nonostante si fossero rimpinzati, i ragazzi cedettero alla golosità e fecero onore alla merenda preparata da Maricchia: fette di pane scuro con sopra un sottile strato di cotognata e limonata a volontà. Parlavano della gita; Nicola esaltava la Isotta Fraschini, parcheggiata a distanza dalle carrozze e dai calessi, meta di pellegrinaggi ammirati di giovani e anziani. Maria era silenziosa. Avrebbe desiderato stare sola e suonare, ma il suo orario era passato: avrebbe cucito con Egle e Maricchia.

Sedute alla finestra per carpire l'ultima luce prima del tramonto, Egle e Maria sostituivano i colli e i polsini lisi delle camicie dei ragazzi – un lavoro di precisione: scucirli e toglierli con garbo, facendo attenzione a non rovinare il tessuto, e poi sostituirli con quelli di ricambio, facendo passare la punta dell'ago esattamente nei minuscoli buchini lasciati dalla cucitura appena tolta. Maria imbastiva paziente i colletti già appattati e canticchiava *Ascoltami Lucia...* un'aria dalla *Lucia di Lammermoor*, seguita dal mormorio di Egle.

Era triste. I genitori non le avevano fino ad allora palesato la possibilità di un matrimonio prima dei diciotto anni. Anzi, inizialmente l'avevano incoraggiata a frequentare il Collegio di Maria, la sua terza scelta; la prima, il Regio Conservatorio di Musica a Palermo, era stata esclusa a priori per la distanza e i costi, anche se avrebbe potuto alloggiare presso zia Elena, l'unica sorella del padre; anche la scuola Normale di Camagni si era rivelata troppo costosa. Maria avrebbe voluto cercare lavoro, come istitutrice o insegnante di musica. Ma alla fine i genitori le avevano chiesto di aspettare e stare a casa.

Sposando Pietro, avrebbe lasciato Camagni immediatamente e per sempre. Con uno sconosciuto di cui non era innamorata – non ce n'era stato il tempo. Maria pensava anche ai lati positivi. Quel poco che conosceva di lui non glielo rendeva malaccetto: amava gli animali, le sembrava di buon cuore, i suoi modi erano impeccabili e, pur non essendo un bell'uomo, aveva fascino. Era anche zio materno dei cugini Tummia. Già tanto. Maria si sentiva privilegiata: il padre l'aveva rassicurata che non avrebbe acconsentito al matrimonio senza la sua approvazione, mentre le sue parenti e amiche andavano spose a sconosciuti scelti e imposti dai genitori. Che Pietro fosse ricco non le interessava. Dal padre e da Giosuè aveva preso quel tanto di socialismo che non le faceva desiderare la ricchezza, nonostante avesse paura della povertà.

Passarono a ricamare tovaglioli; il ricamo sull'angolo era un rametto di ciliegie a punto raso e punto erba. Maria infilò nella cruna il filo di seta rosso vermiglio, poi prese tra indice e pollice l'estremità della gugliata per fare un nodino.

"Come può piacermi un frutto che non ho mai assaggiato?"

Maricchia aveva sollevato la palpebra sdillabrata e osservava muta le dita agili di Maria, che avevano appuntato il filo e ripreso il ricamo.

Roberto era venuto di corsa a chiamare la sorella; in salotto c'erano gli zii Tummia e il padre desiderava che lei li raggiungesse. Maria tirò un sospiro sommesso e si scusò con le altre; poi seguì il fratellino.

I Tummia erano scoppati a casa Marra contemporaneamente a Ignazio di ritorno dal circolo. Non avevano avuto nemmeno il tempo di riposare, dopo il ricevimento. Nell'ingresso di casa li aspettava Pietro: assatanato come un prigioniero, camminava a braccia conserte attorno al tavolone centrale. Subito dopo l'incontro con Maria aveva lasciato Fuma Nuova per andare a Fara, dal padre, che aveva approvato il matrimonio – cinque ore di automobile su strada pessima –, e, pazzo d'amore, aveva implorato la sorella e il cognato di porre fine alla sua angoscia andando immediatamente dai Marra per dare la buona novella e chiedere se Maria acconsentiva alle nozze.

"Per questo siamo qui," disse Giuseppina. "Mio padre è disposto a venire domani stesso, per chiedere la mano di Maria e concordare formalmente il matrimonio. Mio fratello vuole sposarsi al più presto."

"E la dote?" chiese Ignazio: voleva conferma che non fosse richiesta, come Pietro gli aveva dato a intendere. Il cognato lo rassicurò.

"Nuda e cruda, la vuole mio fratello..." Il commento di Giuseppina non passò inascoltato.

"Parleremo con Maria e vi faremo sapere," ribatté Titina, scontrosa.

"Potresti chiederglielo ora, Titina, e portarci la sua risposta. Ricordati, nessuna dote."

Le parole del fratello ottennero il risultato opposto. "Preferisco non maritarla mai, piuttosto che venderla!" strillò Titina.

"Calmati, Titina mia." Ignazio le posò la mano sulla spalla. "Non possiamo escludere che Pietro sia piaciuto a Maria... non lo sappiamo! Dovremmo chiederlo a lei."

"Vai, chiamala tu allora!" Titina era fuori di sé. "Pietro Sala vuole tutto e subito! Non mi piace per niente! Ha costretto mio fratello a portarci quest'ambasciata offensiva!

Non siamo morti di fame! Mi sembra un pazzo, pazzo come sua..." La taliata di Peppino la ammutolì.

Giuseppina dovette incassare l'offesa, impassibile, tradita solo dal tremore delle mani.

"Chiamiamo nostra figlia: sentiremo da lei!" tagliò corto Ignazio.

Nella fretta di obbedire alla chiamata del padre, Maria dimenticò di togliere l'ago appuntato sulla pettorina. Lo zio si era alzato, cerimonioso, e le spiegava che era venuto con la moglie per conto dei Sala. Pietro si era innamorato di lei e la voleva in moglie. "Il barone Sala, nonché mio suocero, è pronto a concludere il fidanzamento." I Sala l'avrebbero accolta a braccia aperte e le avrebbero garantito una vita ricca, se non addirittura opulenta. "Ricca... capisci, Maria? Spensierata! Tu e i tuoi figli!"

Un tuppulìo alla porta. "Oddio... che quello non si presenti qui, di persona!" mormorò Titina, gli occhi cupi.

Spuntò la testa di Giosuè, sorridente. "Scusatemi..." Non voleva andar via. "Posso disturbarvi? È arrivata la posta..." disse rivolto a Ignazio.

"Poi ne parliamo!" rispose quello, brusco.

"Maria," incalzava lo zio, "frequenterai i migliori salotti, nel continente e all'estero, conoscerai il meglio dell'aristocrazia, incontrerai artisti, musicisti, scrittori e politici!" Pietro prometteva di garantirle un reddito, non chiedeva dote e le avrebbe dato completa libertà di arredare e dirigere la casa dove avrebbero vissuto, nel palazzo di Girgenti. Sarebbe stata padrona anche dell'appartamento di Palermo e della casa di Fara.

Più lo zio dipingeva il roseo futuro che la aspettava, più Maria si imbarazzava. Finché, stordita, smise di ascoltarlo. Notava soltanto il disagio della madre e la tensione del padre e se ne sentiva responsabile. Alla prima opportunità disse la sua, la voce chiara, il cuore tremante: "Se i miei genitori me lo consigliassero, non mi opporrei al matrimonio con Pietro Sala. Ma, prima di promettere di essere sua moglie, vorrei parlare con lui a quattr'occhi. E vorrei che nessuno, nel frattempo, sapesse della sua proposta di matrimonio. Scusatemi," aggiunse poi dopo una lieve esitazione, "ma ho dei lavori di cucito da completare, prima che diventi buio".

Costretta a portare al fratello l'umiliante messaggio della quindicenne squattrinata, Giuseppina – che mai aveva avuto in simpatia Titina – concepì per Maria una feroce e invincibile antipatia, che trasmise alle sorelle maggiori e che si tramutò in odio.

Quando i Tummia si furono accomiatati, Titina andò a prendere Maria nella stanza del cucito e la portò dal padre. L'avvocato era accasciato nella poltrona. Dimostrava tutti i suoi anni. "Dimmi, figlia mia, che cosa c'è nel tuo cuore?"

Maria parlò seria e con una vena di tristezza. "So che se non sposerò Pietro Sala, o un altro, sarò un peso per voi. Questo lo so bene, e so anche che potrei lavorare, trovare un lavoro..."

Il padre trasecolò, non sapeva cosa rispondere. Fu Titina a prendere la parola: "Maria, ascoltami! Non osare mai più pensare di essere un peso per i tuoi genitori! Mai! Questa è casa tua, tanto quanto lo è mia, e lo sarà sempre!". Poi abbassò la voce, decisa. "Noi vogliamo che tu scelga da sola, senza fretta, l'uomo che sposerai. Scegliere significa frequentarlo, conoscerlo. Uno che ti piaccia come persona e che ti senti pronta ad amare come uomo, un uomo con cui condividerai il letto. Il letto, capisci? Da cui vuoi dei figli. Al momento, non hai frequentato Pietro Sala e non puoi sapere se ti piacerà. Se tu decidessi di sposarlo per altri motivi, a cominciare dalla dote non richiesta, avrei fallito come donna e come madre. Mi capisci, Maria? Sei saggia e mi fido del tuo giudizio."

"Mamà, voi che lo conoscete... ditemi che cosa pensate di lui."

"Te lo dico: preferisco che non te lo pigli, ricco, bravo, colto e fascinoso che sia. Non mi piace la sua famiglia, e dato che da vent'anni ho sua sorella come cognata, ne so qualcosa dei Sala. Resta qui, Maria, e aspetta l'uomo giusto, uno che ti vuole bene e ti corteggia... senza fretta."

"E voi..." Maria si era rivolta al padre.

"Figlia, tua madre ha parlato bene." E gli si arruppò la voce. "Vai, e pensaci. Hai il sacrosanto diritto di goderti la vita. Sempre. Di cercare la tua contentezza."

Era quasi notte. Una pallida luna spuntava dal tetto. Maria era andata in giardino per una boccata d'aria prima di ritirarsi nella sua camera. Si sentiva svuotata. Era nel gazebo, le braccia abbandonate lungo i fianchi, desolate. Si guardò intorno, poi sollevò lo sguardo stanco, che vagando andò a finire sulla finestra di Giosuè, accanto a quella dello studio del padre, di fronte alla sua. La lampada sulla scrivania era ancora accesa. Maria vide la testa di lui china sui libri e lo chiamò.

Lo aspettava in piedi. Le rose rampicanti, annaffiate, sbummicavano di profumo. Giosuè la raggiunse in un baleno.

"Ora posso svelarti il segreto!"

Era raggiante. Aveva ricevuto la lettera tanto attesa dalla Regia Accademia Militare di Modena, la migliore del Regno. "So che non avrei dovuto interrompere la vostra conversazione con gli zii. Ho bussato e sono entrato senza pensarci. Volevo dirlo a tuo padre: siamo in trenta, su un totale di duemila richieste! Diventerò un regio ufficiale!"

Non seppe continuare. Si sedette sul sedile di pietra, le mani sulle ginocchia, gli occhi bassi. Muto. Maria gli si mise accanto, non capiva. Giosuè piangeva in silenzio. Non sapendo che altro fare, lei gli porse il fazzoletto. Lui si asciugò il viso, la testa calata.

Venne da piangere anche a Maria. Tutto cambiava, nella sua vita. Giosuè se ne sarebbe andato, forse per sempre. Avrebbe sposato un'italiana del Nord, si sarebbe stabilito nel continente, forse vicino a Livorno, accanto a sua madre. E lei? Probabilmente avrebbe lasciato casa prima di lui. Un pensiero orribile. Maria non voleva lasciare la famiglia. Giosuè continuava a piangere, sommesso.

"Non piangere... è una bellissima notizia, proprio quello che desideravi," gli disse.

"Non mi sento un militare, preferisco la letteratura, la poesia... Tuo padre mi ha sempre incoraggiato, ha perfino pagato la retta che è altissima... Ha voluto realizzare il desiderio di mio padre, che voleva per me la carriera militare."

"Perché? Lui che è socialista..." Maria non capiva.

Giosuè parlava e Maria sentiva calarle dentro una sorta di sollievo: sapeva cosa fare. Sposando Pietro, avrebbe dato al padre i mezzi per eseguire le volontà del suo migliore amico e anche per mandare Filippo a studiare Ingegneria all'Università di Catania. La divina Provvidenza. Era grata a Pietro del suo amore, e pronta a fare del proprio meglio per ricambiarlo. Sua madre si sarebbe abituata ad averlo come genero. Come Giosuè accettava che il dovere di un figlio consiste nel realizzare i desideri del padre, così avrebbe fatto lei. Avrebbe cercato di amare Pietro e avrebbe creato la propria felicità accanto a lui.

"Facciamo un giro del giardino e andiamo a dormire." Poi, con un sorrisetto, aggiunse: "A noi basta sapere che saremo sempre amici".

Il sollievo si tinse di malinconia e malinconico era anche il passo di Giosuè mentre procedevano, uno accanto all'altra, fra le ombre del giardino.

I coniugi Marra andarono a letto mogi mogi. Su Maria e Pietro Sala dissero poco e niente. Faceva insolitamente fresco e tirarono su la cottonina che anche in estate rimaneva piegata ai piedi del letto. Titina si era rincantucciata dal suo lato, dando le spalle a Ignazio. Il marito, come al solito, le cinse la vita. Titina non si mosse. La mano di lui cercava l'abbottonatura della camicia da notte. Riuscì ad arrivare al seno, piccolo e sodo, prendendolo nel cavo della mano. Titina era bella, e giovane: non aveva ancora compiuto trent'anni. Ignazio respirava l'odore intossicante dei suoi capelli grassi e quello pungente delle ascelle brune, che scappava dal varco nella camicia. Titina non si mosse. Ignazio non osava tormentare il capezzolo già duro.

"Perché questo matrimonio è così importante per te?" Non c'era traccia di sonno nella voce di lei. "Potrei vendere i gioielli dotali, non ci tengo!" Titina incalzava.

"Quelli non si toccano! Sono l'ultima risorsa!"

"Neanche per i figli?"

"Per loro sì, in extremis, ma non per Giosuè."

"Che c'entra lui?"

"Promisi a Tonino in punto di morte di prendermelo in casa e mandarlo alla Regia Accademia Militare di Modena. Oggi Giosuè ha ricevuto un'offerta."

"Ma lui ha una madre. Noi lo abbiamo mantenuto per dodici anni. Chiedi a lei, non fa certo la fame a Livorno!"

"Ho promesso!"

Titina tolse la mano del marito dal seno. Poi si sbottonò tutta e si girò verso di lui, la camicia tirata su fino alle ascelle.

9.

Un inconsueto accordo prematrimoniale

La moglie del portiere di casa Marra passava lo straccio sulle balate della scala. Tentava di allungare il collo per controllare se nel cortile, come tutti ancora chiamavano il giardino, c'era qualcuno. Vedeva soltanto Maricchia, nel suo posticino sotto il banano.

Dei passi; Giosuè ritornava dal Convitto Nazionale dove era andato di capomatina, per dare la buona nuova ai professori. Entrava nell'androne, baldanzoso.

"Fermatevi, le scale sono bagnate!" gli urlò la portinaia, ma lui la zittì: "L'avvocato mi ha mandato a chiamare: mi aspetta".

E per tutta concessione fece le scale a due a due.

"Un lavoro urgente," gli spiegò Ignazio, "Giosuè, non farmi domande. Dobbiamo preparare un contratto di matrimonio." Fece spazio sulla scrivania tra volumi e faldoni e si concentrò sulle carte, un occhio alla strada. "Stanno arrivando e il salottino non è ancora a posto!" Pietro Sala e Peppino Tummia erano già nella piazzetta antistante casa Marra e avanzavano a grandi passi. L'avvocato si rivolse a Giosuè: "Talè, vai in casa e chiama Maria. Anzi, accompagnala tu qui; falla aspettare nel mio studio, mentre io parlo con quelli".

Maria era nella camera di Titina, c'era anche Egle. Indossava un abito blu scuro con una pistagnina austera, maniche a sbuffo strette sotto il gomito, corpetto aderente, gonna attillata con dietro una piega profonda che terminava in una ruche. Le era stato passato dalla "zia" Matilde Sacco, la cugina preferita della nonna materna, una zitella dedita alle opere pie che aveva la figura di una giovanetta.

Con il ferro rovente le avevano lisciato i firrichioccoli che le scappavano sulle tempie e dietro le orecchie e raccolto i capelli in una grossa treccia che, piegata, formava una coroncina e le dava un'aria molto adulta. Titina diede un'ultima rassettata all'abito; poi attraversarono il cortile insieme, madre e figlia, impettite, con una sorta di maestà che appariva troppo formale, perfino eccessiva. Maricchia e Giosuè andavano loro incontro.

"Vedete quant'è sapurita mia figlia!" Titina se ne gloriava. Ma non ebbe risposta.

"Maria, sono venuto a portarti da tuo padre," disse Giosuè, compunto.

Lei lo guardò, interdetta. Si sistemò la cintura, in cui era ficcato un foglietto piegato, e lo seguì a testa alta.

Attraversarono il giardino. "L'uomo che ha chiesto di sposarmi è Pietro Sala. Lo sapevi già?" disse lei, a bruciapelo; non osava guardare Giosuè. Lui calò la testa. Maria mantenne lo sguardo fisso davanti a sé e continuarono il cammino, uno accanto all'altra. Il profumo pungente dei gelsomini sapeva di amaro.

Tutto avvenne velocemente. Il padre accompagnò Maria nel salottino: "Eccola". E si ritirò. Pietro la aspettava, appoggiato di spalle alla ringhiera del balcone, gli occhi sulla porta. Non un saluto. Si mossero all'unisono verso il tavolo rotondo al centro della stanza.

Faccia a faccia, in piedi, appoggiati al ripiano di marmo, si guardavano. Fu Maria a parlare per prima.

"Mi hanno detto che vostro padre approva il vostro desiderio di sposarmi." Fece una pausa. "Ne sono grata a voi e a vostro padre." Tirò il fiato e continuò: "Prima di decidere, però, vorrei farmi conoscere da voi e spiegarvi come sono io, e cosa significa avermi come moglie".

"Conosco bene da mia sorella Giuseppina e mio cognato le vostre virtù! Maria! Mia adorata Maria! La parola moglie mi commuove..." Spiazzato, Pietro aveva tentato di far leva sul sentimento; si era fatto mieloso, ed era risultato goffo.

Maria continuò imperterrita. "Prima ascoltate le mie condizioni." E strinse il foglietto che teneva in mano. Parlò senza guardarlo, lentamente, come se ogni parola le pesasse.

"La prima: amo moltissimo la mia famiglia e voglio vederli spesso, ospitarli in casa mia e andare ospite da loro. La seconda: obbedirò a mio marito, ma gli farò tutte le osservazioni che crederò opportune e mi aspetto che lui le prenda in considerazione. La terza: decideremo insieme tutto ciò che concerne i figli, come fanno i miei genitori. La quarta: farò del mio meglio per essere una brava padrona di casa, e sono pronta a imparare. Riceverò nel migliore dei modi gli ospiti di mio marito; ma se qualcuno mi offende, non vorrò mai più vederlo in casa. La quinta: devo essere libera di comprare e leggere tutti i libri e i giornali che voglio."

Pietro ascoltava appena, era disattento. La divorava con gli occhi e non vedeva l'ora di toccarla, certo che Maria avrebbe ceduto. Lei abbassò lo sguardo sul foglietto. "Scusatemi, dimenticavo l'ultima condizione, la sesta: non sono una donna di società. Mi piace stare in casa, ma seguirò mio marito nei suoi viaggi. Purché, dovunque io sia, possa suonare ogni giorno il pianoforte. La musica non deve mancarmi mai." Esitava, la fronte imperlata di sudore. "Vorrei dire... è la mia passione." E dopo una pausa. "Avrei voluto insegnare pianoforte, se non mi fossi sposata."

Se non mi fossi sposata... Pietro esultava. "Allora mi volete per marito?" E sollevò la mano per toccarle il braccio. Maria si irrigidì, le mani puntate sul bordo del tavolo.

"Promettete di rispettare le mie condizioni?"

"Promesso!"

Pietro le prese le mani e le sollevò, palme in alto; le dita di Maria si erano piegate formando due conchette, Pietro si chinò come se volesse bere e le riempì di piccolissimi baci, quasi impercettibili. Lei non oppose resistenza. I baci diventarono intensi, umidi e affannati.

Un formicolio mai provato saliva attraverso le mani e scendeva dentro Maria, che vi si abbandonò fiduciosa.

Il padre bussava alla porta: don Totò, il portinaio di palazzo Tummia era venuto per consegnare a Pietro un pacchetto urgente arrivato da Palermo.

Padre e figlia si guardarono, imbarazzati. Pietro, invece, finalmente in controllo della situazione, lasciò andare le mani della fidanzata e aprì il pacchetto davanti a tutti: era un astuccio di marocchino. "Il primo regalo alla mia futura sposa!" esclamò lui, e fece scattare la molla.

Maria sgranò gli occhi: sul velluto verde luccicava una spilla di smalto e brillanti a forma di farfalla, bianca e nera. Era una riproduzione minuziosa, e magnifica. Lasciò che Pietro gliela appuntasse sul corpetto: "Di Giuliani," disse lui, "un orafo che ha avuto fortuna in tutta Europa".

In quel momento Giosuè usciva dallo studio dell'avvocato; non poté non guardare nel salottino – la porta era rimasta spalancata – e si avviò verso l'ingresso.

"Vieni, Giosuè," Maria lo chiamava, "vieni a conoscere il mio fidanzato..." E a Pietro: "Giosuè Sacerdoti vive con noi: lo considero un fratello maggiore... anzi, di più".

Ci furono congratulazioni e abbracci. Nell'emozione, Ignazio abbracciò prima Giosuè e dopo i due fidanzati.

10.
Nuda e cruda

I fidanzamenti brevi erano la norma nei matrimoni combinati. Quello di Pietro e Maria avrebbe dovuto esserlo particolarmente, su richiesta dei Sala: otto settimane. Il padre di Pietro si era dichiarato pronto ad accoglierla al ritorno dal viaggio di nozze nel palazzo di Fara, in attesa che fossero completati i lavori per ridecorare il secondo piano della casa di Girgenti, dove gli sposi avrebbero vissuto. Dai Marra si aspettavano un dignitoso corredo personale per la figlia e null'altro, in quanto Pietro aveva espresso l'intenzione di portare la sua sposa alla sartoria Montorsi a Roma e dalla sarta dei reali a Bologna perché scegliesse i capi che più le aggradavano. Alle cerimonie nuziali – una civile in municipio e l'altra religiosa – erano stati invitati in pochi, intimissimi, per non far notare l'assenza della madre dello sposo, malata da anni.

Le uniche visite previste erano quelle dei fidanzati ai parenti stretti di ognuna delle due famiglie. Durante queste visite l'attrazione principale non era il nuovo membro della famiglia, ma l'anello di fidanzamento, esaminato da tutti, uomini e donne. Quello sì che la diceva lunga sul matrimonio! Secondo tradizione, l'anello passava dalla futura suocera alla fidanzata del figlio maggiore. Le eccezioni celavano storie segrete. Maria ricevette un brillante da cinque carati – il peso normale nei fidanzamenti delle famiglie benestanti –, purissimo, che Pietro dichiarò di aver comprato anni prima, nell'attesa di conoscere la donna della sua vita. Pochi gli credettero. L'anello divenne il tema principale dei pettegolezzi e delle illazioni sui Sala. Si arrivò a sostenere che era destinato alla Bella Otero, di cui Pietro era stato innamorato e da cui era stato piantato per il primo dei due arciduchi russi che la fascinosa spagnola annoverava tra i suoi amanti; si disse poi che lo aveva comprato suo zio, Giovannino Sala, scapolo inveterato in quanto si murmuriava che frequentasse solo maschi; per l'occasione, del poverino si disse che aveva avuto un innamoramento pazzo per una gentildonna francese, morta, ahimè, di tisi prima del fidanzamento ufficiale; secondo altri, l'anello faceva parte del tesoro di gioielli accumulati dal nonno di Pietro, che aveva messo da parte una fortuna con l'usura – oltre che con le miniere di zolfo – e che in riscatto di debiti accettava gioielli di famiglia da nobili sfasolati. Queste e altre voci giunsero alle orecchie di Ignazio Marra, che se ne adombrò e decise, contro il parere della moglie, di limitare la durata delle visite a una mezz'ora. Ottenne però l'approvazione della figlia e di Pietro, che ai salotti della buona società di Camagni preferiva il gazebo nel giardino dei Marra: lì, seduto accanto a Maria, mano manuzza, le raccontava storie vere e inventate e la faceva ridere, sotto lo sguardo lontano dello chaperon del momento.

Ignazio non ottenne quello che voleva: i pettegolezzi crebbero a dismisura e questa volta fu lui a esserne l'oggetto. Si parlò ancora una volta della sua brillante mente giuridica tarata di arroganza intellettuale; si commiserarono con un certo compiacimento le sue scelte sbagliate: giovanissimo carbonaro ai tempi del sovrano Borbone, mazziniano ai tempi dello sbarco dei Mille, contrario ai termini del referendum sull'unione con il Piemonte, era tuttora afflitto dal male del secolo, il socialismo, come dimostrato dal fatto che in tarda età era diventato simpatizzante dei Fasci siciliani. I pochi che lo dichiaravano lungimirante e precursore del pensiero futuro si univano ai tanti che lo biasimavano per essersi schierato a favore degli eretici piemontesi sbarcati con Garibaldi, al punto da incoraggiarli a stabilirsi nel vicino comune di Grotte e da ospitarne alcuni in casa. La sua pecca più grave, descritta mirabilmente dalla baronessa Tummia, riempì i salotti di Camagni: "Questo mio cognato è il più intelligente e il meglio preparato avvocato del paese, e il solo che non è diventato ricco. Può permettersi di fare il socialista grazie all'eredità lasciata a sua madre da un parente acquisito, marito di sua zia Carlotta". Poi sussurrava, ma in modo da essere udita anche dai più lontani, che al contrario suo zio Luigi Margiotta, un usuraio molto bigotto che aveva saputo tenersi cari tutti i clienti – mafiosi e gente perbene, nobili e popolani –, aveva fatto affari acquistando alle aste, truccate a suo favore, immobili e terreni della Santa Madre Chiesa confiscati dai Savoia. Successivamente aveva diseredato suo figlio Diego per avere sposato una donna di fede greco-ortodossa, e con i suoi denari aveva fondato un ospedale: era stato ricompensato con la nomina a senatore del Regno. "Di quello, che di cose torte ne fece assai e non fu buon padre, i paesani venerano la memoria come se fosse un santo, mentre di Ignazio Marra, che non ha mai commesso una disonestà in vita sua e adora i figli – i suoi e quelli altrui che si è messo in casa –, si ricorderanno soltanto le amanti... e non con tanta benevolenza!"

In privato, Giuseppina Tummia era più velenosa: i Marra avevano gravi problemi finanziari. Contando sull'infatuazione di Pietro, Ignazio aveva ribadito che non avrebbe fornito la figlia di alcuna dote. E lei ripeteva, con voluttuosa malizia: "Nuda e cruda la manda a mio fratello!".

Ignara di quanto si diceva in giro, Maria viveva intense giornate di emozioni contrastanti. Apprezzava la conversazione di Pietro, dotta e leggera allo stesso tempo, le sue frequenti lettere e il tocco sapiente delle sue mani. Ma non si sentiva innamorata, nonostante lui facesse di tutto per dimostrarle il suo amore e accenderlo in lei. La copriva di regali scelti con cura: una sciarpa del giallo intenso delle margherite che avevano raccolto insieme un pomeriggio in campagna, seguiti da Leonardo e da Filippo; uno squisito servizio da scrivania in marocchino con lo stesso fregio dorato del libriccino sul quale lei prendeva appunti e che teneva sempre con sé; una raccolta di poesie di D'Annunzio, la cui opera era bandita in casa Marra. Maria avrebbe desiderato condividere con Pietro l'attrazione fisica, che era sempre accesa in lui. Anche quando le scriveva scherzose e dettagliate descrizioni dei gioielli che lo appassionavano, corredate da disegni a china di suo pugno, Pietro riusciva con una parola, uno schizzo, un verso, a far trapelare un'allusione alla completa felicità che gli avrebbe arrecato la loro unione carnale. Quella sensualità affascinava e incuriosiva Maria, ma lei aveva, ancora, un'istintiva resistenza a ricambiarla.

Pietro le apriva le porte di un mondo in cui regnavano la bellezza e la cultura. Lei, che non era mai stata fuori dalla Sicilia, che di arte sapeva poco e che era totalmente ignorante dell'oreficeria della Magna Grecia e romana di cui i Sala erano collezionisti, lo ascoltava incantata dalla sua eloquenza e dagli oggetti che lui le mostrava sui libri.

Per Pietro era un modo per stare vicino alla fidanzata e sentire la prossimità del suo corpo. Le portava volumi con riproduzioni di capolavori del Rinascimento e cataloghi delle opere di artisti contemporanei – una novità assoluta – e li sfogliava con lei. Maria, il volto inumidito di pudico sudore, era inconsapevole del respiro accelerato e del desiderio scatenato da quel connubio di arte e sensualità. Altre volte invece "sentiva" che l'attrazione da lei suscitata in Pietro era potentissima, e non le dispiaceva. Credeva di essere pronta a ricambiarla. Che cosa doveva fare? Forse in lei c'era qualcosa che non andava? Non aveva nessuno con cui parlarne, e dunque le pesava; era diventato un pensiero quasi costante, che si rincantucciava in un angolo della sua mente, pronto a prendere il sopravvento nei momenti di solitudine. Solo la musica riusciva ad allontanarlo, null'altro ora che Giosuè era andato – pochi giorni dopo il fidanzamento – dalla madre a Livorno per festeggiare l'ammissione alla Regia Accademia di Modena e a mettere a posto delle faccende familiari. Si scrivevano. Giosuè continuava a darle compiti e poi a correggerli – Maria li eseguiva diligente, determinata a completare gli studi una volta sposata. Quello era il loro segreto, condiviso soltanto con la madre.

Tutti in casa Marra erano fieri del fidanzamento – il matrimonio era il traguardo di ogni ragazza –, ma con un velo di tristezza: Maria avrebbe lasciato Camagni per sempre. Si era parlato, agli inizi, dell'acquisto della torre di Fuma Vecchia – poi, non più. Maria non osava chiedere cosa fosse successo. Le sembrava indiscreto, ma era quella la domanda che le affiorava alle labbra più spesso, quando era sola con il padre. La certezza di avere una casa sua a Camagni le avrebbe reso più dolce il distacco.

11.

Biscotti all'anice

Il fidanzamento durò molto più a lungo del previsto, ben quattro mesi, perché i lavori nella casa di Girgenti andavano per le lunghe. Elena, la sorella di Ignazio, e suo marito Tommaso Savoca – un ingegnere che aveva fatto carriera lavorando con Damiani Almeyda alla costruzione del teatro Politeama di Palermo, dove vivevano ormai in pianta stabile – erano venuti a Camagni con grande anticipo per passare l'estate con i Marra; Giosuè era ritornato da pochissimi giorni. La famiglia lo aveva trattenuto a Livorno oltre il previsto ed era andato direttamente a Modena.

Mancava soltanto Pietro: era nel continente per far visita ai fornitori dei tappeti, dei lampadari e dei mobili che stavano realizzando su misura per le camere da letto; continuava a scrivere a Maria due o tre lettere alla settimana, anche se brevi, ma alla casa di Fuma Vecchia non faceva alcun accenno. A parlarne a Maria fu la cugina Leonora Margiotta: erano da Carolina Tummia, sceglievano dei nastri blu da inserire nel bordo delle mantelline all'uncinetto che ciascuna di loro stava facendo. Il matrimonio era alle porte, quella mantellina celebrava l'addio di Maria alla vita da nubile e la fine di un'epoca fatta di lavoretti all'uncinetto "da ragazza". Maria, più giovane delle altre due di un paio d'anni, non aveva molto in comune con le cugine, a cui era legata dalla familiarità: passavano molto tempo insieme. Leonora era una ragazza alta dalle forme mature e dalla carnagione scura, una bellezza. Sempre bendisposta, allegra e generosa, i maschi la mangiavano con gli occhi e le femmine la invidiavano. Aveva un progetto, e non lo teneva celato: trovare un marito ricco. Diego, suo padre, era un uomo irascibile e sfortunato: dopo essere stato diseredato per via di quel matrimonio malvisto dal padre, la moglie se n'era tornata al suo paese lasciandogli i figli, che lui manteneva con lo stipendio di segretario comunale e il poco di rendita delle campagne ereditate dalla madre. Si murmuriava che, da quando se n'era andata da casa, la moglie non avesse più visto i figli. Nessuno accennava a lei, si faceva finta che non fosse mai esistita. A Maria Leonora faceva una gran pena perché non aveva madre.

Leonora, frugando nella scatola dei nastri di seta, ne aveva trovato uno blu scuro. "Mi ricorda gli occhi di qualcuno..." squittì agitando il nastro. Gli occhi erano di un avvenente giovanotto di origine messinese, figlio di un generale e ottimo partito, molto conteso alle feste.

"Il tenente Caravano! Dove lo hai visto?" volle sapere Carolina, sensibile al fascino dell'uniforme.

"Era a casa nostra, in visita a mio padre, con il generale," rispose vaga Leonora. Poi, guardando Maria, aggiunse: "Volevano sapere se Fuma Vecchia è stata davvero venduta al tuo fidanzato... Pare che la volessero comprare loro...". E si coprì la bocca con il ventaglio, gli occhi canzonatori fissi sulla cugina.

"Tu che sai?" chiese Carolina a Maria.

"Niente... proprio niente." Maria sembrava appartenere a un altro mondo e invece di quel gioco da damine da operetta portava una dignità senza schermi. "Di recente non se n'è parlato."

Leonora la interruppe: "Ve lo racconto io cosa è successo: dopo il colpo di fulmine, il tuo caro fidanzato non si è interessato più a quell'acquisto. Lo sappiamo tutti che Pietro Sala è volubile. Di certo, so che il compromesso non è ancora stato firmato. È così di sicuro, perché Giosuè lo ha confermato a mio padre".

Proprio in quel momento arrivò Caterina con un vassoio carico di biscotti a dito, appena sfornati, coperti da un velo di zucchero con uno spruzzo di anice.

Leonora agitò la mano con cui aveva preso il biscotto, senza morderlo, e apostrofò imperiosa la cameriera: "Diglielo tu, che eri al servizio dei Sala e sei persona loro, che il 'baronello' ora vuole una cosa e ora un'altra!".

La vecchia scosse il capo, facendo tremare cuffia e merletti; posò sul tavolino il vassoio dei biscotti e fece dietrofront senza dire una parola.

Il profumo di anice riempiva la stanza e le ragazze se ne servirono avide.

Maria perdonava l'indelicatezza di Leonora, a cui era abituata. E si sentiva in colpa: Pietro veniva spesso a Camagni per vederla e stava tutto il tempo con lei. Quando erano lontani, girava negozi e gallerie d'arte per comprare nuovi regali e mobili per la casa. Era lei che lo distoglieva dagli affari. Poi, presa dal gusto della pasta dolce e croccante, senza alcuno scrupolo si nascose in tasca un biscotto per il fratellino goloso. E quando le fu detto che Filippo era in portineria per riportarla a casa, ne prese altri due.

Prima di fidanzarsi, Maria usciva accompagnata da Maricchia, o perfino da Egle; dopo il fidanzamento, oltre ai genitori soltanto Filippo, il maggiore dei fratelli, era considerato adatto a proteggere la sua reputazione fuori di casa. Camminare insieme piaceva a entrambi: nati a distanza di diciotto mesi l'uno dall'altra, erano molto legati. Affrettarono il passo perché nuvoloni neri avevano occupato il cielo, proprio attorno alla collina, oscurando le strade del paese.

"Sai niente dell'acquisto di Fuma Vecchia?" chiese Maria a bruciapelo. Filippo non ne sapeva nulla: studiava per gli esami di fine anno e si interessava ben poco di altro, in casa. La sua passione – non condivisa apertamente con la sorella – era andare al bordello, a cui era stato iniziato da poche settimane da Luigi, il fratello maggiore di Leonora, e da Carlo, il fratello di Carolina; erano i suoi "padrini" della conoscenza carnale delle femmine.

Entrarono nell'androne di casa e presero la porticina che dava sul giardino interno: la loro scorciatoia. Nello stesso momento Giosuè, bello ed elegante nell'uniforme di cadetto, attraversava il giardino diretto alla sala da pranzo. In mano teneva un pacchetto che aveva l'aria di essere stato aperto e poi riconfezionato alla meglio, con una carta di un giallo intenso che era quella dei regali di Pietro.

"Giosuè, aspettaci! È per me!" Maria lo aveva raggiunto di corsa, davanti al gazebo.

"Rassettavo le carte nello studio, c'è una montagna di posta aperta da mettere in ordine, e tanta ancora da aprire! Questo era indirizzato a tuo padre, c'erano delle carte per lui," spiegò Giosuè, "l'ho richiuso meglio che potevo... non tanto bene."

Accaldata, Maria tirò fuori dalla tasca le forbicine da ricamo e tagliò l'umile spago che legava quella carta raffinatissima. Dentro, un volume di poesie in francese. "*Une saison à l'enfer* di Rimbaud! Ne abbiamo parlato pochi giorni fa!" E per ringraziare Giosuè, gli offrì i biscotti destinati a Roberto. Filippo, attento a non sprecare nulla, si fece dare carta e spago e afferrò il suo biscotto. "Lo mangio dopo." E li lasciò.

Maria masticava lenta lenta, scrutando Giosuè; era un gran lavoratore. Anche quando era lontano continuava ad assegnarle compiti e a correggerli. Sembrava più alto e più maturo. Si era fatto vedere poco, da lei, dopo il suo ritorno. Forse, nel tempo libero anche lui accompagnava Filippo nelle visite al bordello, considerate non soltanto normali ma anche, a quell'età, rassicurante segno di mascolinità. Il rumore sordo dei denti che rompevano la crosta del biscotto all'anice si mescolava al cri-cri di un grillo solitario, ospite a sorpresa, rimasto in un cesto di verdura. Maria moriva dalla voglia di chiedere a Giosuè se era vero che Pietro non aveva concluso le trattative per Fuma Vecchia. Ma si tratteneva. Che diritto ho di chiedere a Giosuè degli affari del mio fidanzato? Gli sembrerebbe una domanda sleale nei confronti di Pietro? Perderei la sua stima? Oppure capirebbe la mia ansia? Meditabonda, respirava l'intenso profumo delle rose rinvigorite dalle prime piogge di fine agosto, senza staccare gli occhi da lui.

Come se le avesse letto nel pensiero, Giosuè le disse che Pietro aveva scritto a suo padre per dirgli che doveva assentarsi per qualche giorno; voleva che andasse a Fuma Vecchia a fare un inventario della mobilia rimasta nella torre, e un secondo sopralluogo. Al più presto. Poi la guardò fisso: "Desidera che ci vada anche tu, per scegliere i mobili che ti piacciono. Anche quelli sono in vendita".

Maria si illuminò. Carezzava la copertina del libro e dal gonfiore delle pagine pensò che Giosuè vi avesse riposto una lettera per lei: il compito del giorno prima già corretto. "Grazie, Giosuè!" mormorò, e aprì subito la busta. Invece era una lettera di due pagine, di Pietro! Non aveva dimenticato Fuma Vecchia: Carolina e Leonora si erano sbagliate. Maria la lesse avidamente, le labbra increspate in un sorriso. Giosuè, discreto, guardava altrove.

Un tuono. Poi uno scroscio di pioggia li fece correre al riparo in casa. Contemplavano il temporale estivo. Un turbine, un fracasso, una sequela di scrosci. Sarebbe finito presto, e così avvenne: il sole era tornato, le nubi scomparse trascinate altrove dal vento. "Io sono pronta ad andare a Fuma Vecchia immediatamente," dichiarò Maria. "Vieni anche tu?"

12.

Lo specchio rotto

"Traditora!" sbottò l'avvocato Marra all'ennesima scossa.

La stradella privata di Fuma Vecchia, abbandonata da decenni come la torre, si era ridotta a una pista dissestata che serpeggiava nel bosco di querce. Negli slarghi, dove penetrava il sole, prosperavano piante selvatiche di tutti i tipi e folte colonie di margherite gialle che coprivano sassi e buche. La carrozza attraversava una radura invasa di paparina – robusti papaveri giganti dalle foglie verdastre e oblunghe, alti più di un metro, viola, arancio e amaranto, dai cui semi secchi si otteneva una bevanda oppiacea – e procedeva sobbalzando. I tre passeggeri erano sballottati dentro l'abitacolo.

Stipata tra il padre e Giosuè, Maria non faceva caso agli scossoni. Pensava a Pietro. Con le dita batteva sulle ginocchia la musica della sua contentezza. *Tap tap*, e Maria celebrava l'addio alla vita di ragazza prima di entrare in quella di sposa e futura madre, lo celebrava insieme ai due uomini che l'avevano aiutata a crescere, suo padre e Giosuè, e che, ne era certa, l'avrebbero sostenuta anche in quel passaggio. *Tap tap tap*, e Maria esultava perché il fidanzato, accusato dalle malelingue di essere inaffidabile, le aveva smentite: il suo Pietro aveva mantenuto la parola. Maria arrossì al chiamarlo "suo", non aveva ancora mai pensato a lui in quei termini. Le sembrava quasi indecente, così presto! Eppure le era piaciuto, quel "suo". Pietro le apparteneva! *Oho oho oho*, e i polpastrelli di Maria volavano sul ginocchio, seguendo la musica del *Don Giovanni* di Mozart. Lei sorrideva, fiduciosa. Poi, un altro scossone, forte.

"Maledetta strada traditora!" rummuliava di nuovo il padre. "Maledetta!" Non era soltanto la stradella a metterlo di malumore. Maria sapeva che, come la madre, aveva delle riserve su Pietro, le cui pecche – a quanto capiva – erano tre: era viziato, amava la vita di società e viaggiava molto; rappresentava insomma quel tipo di benessere godereccio che in casa Marra non era visto di buon occhio. Ma i genitori avevano approvato il fidanzamento e lei era disposta ad amare Pietro e a godere la vita che lui le offriva. Palpava la lettera infilata nel nastro che le cingeva la vita; era come se le sue dita ora leggessero le parole scritte, lette e rilette nella sua camera, mentre aspettava la chiamata del padre. *Tu sarai la mia musa e compagna, non una moglie sottomessa e passiva. Fuma Vecchia apparterrà a te. A te soltanto.* Avrebbe fatto come voleva lui: avrebbe ispezionato ogni angolo della torre, sarebbe entrata in ogni stanza, aprendo armadi e cassetti, e avrebbe scelto ciò che le piaceva; avrebbe sostato davanti alla torre e soltanto allora avrebbe capito se voleva crearvi la sua casa di villeggiatura. Fiera della fiducia e dell'amore del fidanzato, Maria cercò lo sguardo del padre, ma lui guardava fuori dal finestrino. Si girò verso Giosuè. Era diventato davvero un adulto: a capo chino, leggeva le carte che si era portato in una grande busta. "In fondo, nella vita, quando si desidera compagnia si è sempre soli," soleva dire Maricchia. E Maria sorrise.

All'ultima curva la stradella si allargava a imbuto; in fondo, la facciata di Fuma Vecchia. La torre di tufo giallo, alta tre piani e con una vistosa merlatura, aveva mantenuto le finestre a bifora dell'ultimo piano, mentre i piani bassi, ristrutturati circa un secolo prima, avevano finestre ottocentesche. Il cocchiere fermò la carrozza e scese per aprire la portiera: non poteva andare oltre, il temporale aveva creato un pantano. Bisognava continuare a piedi sullo stretto sentiero di balate – originariamente disposte in un disegno geometrico perfetto, ora disordinate – che portava all'ingresso della torre. Maria camminava al braccio del padre, attenta a dove metteva i piedi. Giosuè li seguiva. Dal terriccio molle saliva un odore denso di umido. Tra le balate crescevano ciuffi di acetoselle – foglioline trilobate, fiori giallo smaltato, a calice, su gambi turgidi di succo limonoso. Il padre inciampò. Maria impallidì, ma Giosuè fu veloce a sorreggerlo. "Grazie," mormorò lei, e gli accarezzò la spalla. Giosuè non ci fece caso, era troppo intento a prendersi cura dell'avvocato, e dopo averlo rimesso in piedi, ancora ansante, gli offrì il braccio. Ai lati dell'arco d'ingresso, contro le mura, due lastroni servivano per montare a cavallo e da sedile. "Vi aspetto qui," disse l'avvocato porgendo le chiavi a Giosuè. "Io sono stanco. Andate voi due: Giosuè, tu controllerai le condizioni dei mobili e scriverai la lista di quello che Maria vuole prendere."

CAV. EMANUELE MANOLO FECIT 1816 era scritto in lettere chiare sul portale. Dentro, il sentore di chiuso e di umidità pungeva occhi e narici. Dal legno sconquassato della finestra, la luce cadeva come una lama sul tavolo al centro della stanza per poi passare sul pavimento. Giosuè cercò di aprire gli scuri. Invano: il legno gonfio era incastrato nell'intelaiatura. Tirò con forza, ripetutamente e quasi con rabbia, finendo per strappare lo scuro dai cardini. La luce rivelò una stanza esagonale con al centro un tavolo e sei sedie accostate, bianco e oro, in stile Impero. Dalle sbarre di ottone annerito sopra le finestre pendevano brandelli di tende color crema. L'intonaco delle pareti macchiate era decorato a stampo con mazzetti di fiori gialli e amaranto. Maria si guardava attorno, delusa. I mobili erano in cattive condizioni e di fattura grossolana. *Tu sarai la mia musa e compagna, non una moglie sottomessa e passiva*, le aveva scritto Pietro, e lei, grata, era pronta a dimostrargli che avrebbe fatto come lui voleva. In una specie di trance, seguiva Giosuè che, armato di carta e matita, ligio alle raccomandazioni ricevute apriva cassetti, sollevava sedie, toccava le sedute dei divani imbottiti, scuoteva i letti. Suppellettili, lampade e mobili erano danneggiati dall'umidità e dallo sterco degli uccelli che erano riusciti a entrare in casa e a nidificare. Non c'era nulla di desiderabile. E Maria fu pronta a sentenziare: "Niente da prendere!".

In quegli interni fatiscenti Giosuè e Maria, che da soli erano tutti un chiacchiericcio, parlavano appena. Giosuè si limitava agli "aspetta", "vado io per primo", "attenta agli scalini", intervallati dal ricorrente "che cosa ti piace?", a cui Maria rispondeva ogni volta: "Niente da prendere!".

Erano nella camera da letto padronale, al secondo piano; molto ampia, godeva di tre aperture: due finestre ottocentesche rettangolari, una accanto all'altra, sbarrate, e, sulla parete opposta, una feritoia medioevale. A differenza delle altre camere della torre, dove i materassi erano piegati e coperti da teli, il letto era conzato con un copriletto di broccato ben teso, e sembrava pronto per accogliere i padroni di casa. Maria ci aveva passato sopra la mano – il tessuto era intatto. Di fronte al letto, sul muro, uno specchio dalla ricca cornice dorata pendeva dalla parete con una lieve inclinazione; da sdraiati, ci si poteva vedere riflessi. Maria arrossì. Le piaceva quel letto, e anche la stanza. Le sarebbe piaciuto dormire lì, con Pietro. Sì, le sarebbe piaciuto. Inalava l'aria stantia, aveva qualcosa di denso e inebriante. Maria provava sensazioni che credeva di non dover provare, non ancora. Non riusciva a cacciarle via. Le venne una strana arsura, poi sopraggiunse il respiro breve, la mancanza d'aria. Soffocava. Chiese a Giosuè di aprire le finestre. Il profumo del bosco invase la stanza. Un groviglio di rami e fogliame creava una fitta rete verde che bloccava i raggi del sole, come se la torre fosse stata inglobata nel bosco. Negli anni di abbandono, le querce avevano allargato le chiome e i rami si erano spinti contro le finestre, per piegare poi verso l'alto. Curiosa, Maria posò le mani sul davanzale; le sembrava che i rametti giovani, lucidi e bagnati dalla pioggia, volessero entrare cauti dentro la stanza. Negli angoli, nidi di uccello abbandonati. Maria guardava, sentiva, odorava. Così facendo, riprese a poco a poco il controllo di sé.

"Tuo padre ci aspetta. Devi decidere; mi sembra che non

ti piaccia niente." Giosuè aveva il tono da fratello maggiore. Maria non rispose, scrutava quell'ammasso di rami e foglie. Attorno al tronco e ai rami principali intravedeva numerosi rami secchi carichi di foglie morte; vicino alla finestra, piume, foglie e rametti erano intrappolati nel groviglio di fronde vive che toccavano mura e vetro. All'esterno e lungo il muro della torre, in alto, la quercia era un trionfo di verde scuro. Maria udiva ma non vedeva lo stormo di corvi che andavano e venivano dall'albero – ali che battevano, rami che ondeggiavano, e il ciarmulio degli uccelli, il loro chiarissimo cra-cra. Forse i corvi si erano rifugiati lì durante il temporale e vi erano rimasti.

"Ricordati che questo è il desiderio del tuo fidanzato," incalzava Giosuè.

Maria si scostò dalla finestra; tornò a fermarsi davanti a ogni oggetto, quadro, mobile. "Aiutami tu a scegliere."

"Non posso, questa sarà casa tua e di tuo marito," rispose lui, secco.

Lei vagava per la stanza, senza decidere. Guardava il grande specchio ovale, la cornice decorata con stucchi di fiori, ma non era sicura di volerlo. Poi si girò e gli diede le spalle. Da lì osservava il letto. Si ripeteva le qualità di Pietro. *Generoso, buono. Mi vuole bene. Sono fortunata. Gli sono grata del suo amore.* E le vennero di nuovo le lagrime, non sapeva perché. Non riusciva a fermarle. Come la manna dei frassini delle Madonie, colavano lente e inarrestabili. *Pietro è buono, tanto...* E lagrimando Maria guardava Giosuè, a lato del letto. "Giosuè... grazie anche a te, sei un vero amico," mormorò.

Improvvisamente un fruscio, poi come il rullare di un tamburo, battiti frenetici di ali, gridi acuti e sgraziati. Alcuni corvi, sconcertati dalle finestre aperte o semplicemente curiosi, avevano sfondato il reticolo di rami e foglie e svolazzavano in giro per la stanza, neri e spaventosi nel loro piumaggio metallico: non sapendo come uscire, giravano a spirale, salivano e scendevano, radenti ora il soffitto, ora il pavimento, rauchi di disperazione. Gli altri corvi, dall'albero, rispondevano con pari intensità in un crescendo che sembrava scuotere le fronde e la terra. Il pavimento di legno cominciò a vibrare e lo specchio si staccò dalla parete rovinando a terra. La cornice rimase intera, ma la lastra si frantumò in mille schegge che finirono anche sui capelli e sull'abito di Maria. I corvi, scioccati, trovarono finalmente la via della finestra, riuscirono a impertusarsi nelle fronde e a raggiungere i compagni.

"Ferma! Aspetta!" Con un balzo Giosuè fu davanti a lei. "Stai bene?! Non muoverti. Sei piena di schegge, dietro. Alza le braccia, te le tolgo."

Maria sollevò le braccia e cominciò a girare su stessa, come in una lenta pirouette, mentre Giosuè le toglieva le schegge dai capelli, dalle spalle, ora dal corpetto, ora dalle pieghe della gonna, attento a non toccarla. Non sempre era possibile evitarlo, e a Maria non dispiaceva. I pezzi di vetro erano grossi, molto taglienti, ma non si era fatta male. "Stai ferma." Giosuè si abbassò per controllarle le scarpe, prima una e poi l'altra. Maria era immobile, silenziosa. "Stai bene?" ripeté lui, e si levò in piedi.

Lei non rispose, né si mosse. "Ho paura!" disse, e gli passò le braccia attorno al collo.

"Non è nulla," sussurrò Giosuè, cingendole la vita. Maria si aggrappò a lui e scoppiò in un pianto dirotto. Lui la carezzava e la stringeva a sé. Maria aveva smesso di piangere. Giosuè aumentò la stretta. Lei avvertì l'urgere del desiderio di lui, ma non lo respingeva.

"Tuo padre sarà preoccupato! Andiamo!" Giosuè sciolse l'abbraccio e si scostò da lei senza lasciarle andare le mani. Fece per portarsele alle labbra e baciarle: soltanto allora Maria si accorse che quelle di Giosuè erano coperte di minuscoli tagli sanguinanti.

13.
Maria lo piglia amaro

Le visite ai parenti stretti dei Sala erano state lasciate per ultime, per volontà di Pietro. Lo aveva anche spiegato a Maria, in totale onestà, e lei aveva apprezzato. Un pomeriggio erano seduti nel gazebo; c'era stato un viavai di persone in giardino: i fratelli avevano giocato con il cerchio lungo il vialetto, poi avevano bisticciato. Maricchia si era trattenuta sotto i banani e li osservava senza alcun imbarazzo, Egle stendeva la tovaglia e i tovaglioli appena ricamati e lavati, e due serve sedute accanto alla porta della cucina toglievano le pietruzze dalle lenticchie.

"In casa vostra vivono e lavorano belle persone. Discrete. Ognuno si fa i fatti propri. Da me non è mai stato così. Ci si impiccia dei fatti altrui, si origlia, si critica. Ci sono invidie. Sarà stato il male di mia madre, ma non è una spiegazione sufficiente. Mi sono allontanato da casa quasi senza accorgermene, per salvarmi. E ti sposo per garantire una vita sana ai nostri figli. Sarai tu la loro salvezza. Presentarti alle mie sorelle mi pesa... preferisco aspettare che tu mi voglia almeno un po' di bene, altrimenti ho paura di farti disamorare, e di perderti. Me lo concedi?" Pietro aveva un modo di porgersi molto delicato; era impossibile dirgli di no, pensava Maria. E si scioglieva.

La prima visita, a Naro, antica capitale di comarca, fu al palazzo del conte Giacomo di Altomonte, marito di Sistina, la sorella maggiore di Pietro. I genitori di Maria non la accompagnarono: il padre era a Palermo e Titina accusò un mal di testa. Giuseppina Tummia, in quanto zia della fidanzata da parte di madre e sorella del fidanzato, ne fece le veci.

I naresi non vedevano di buon occhio il successo e la crescente importanza di Camagni come centro agricolo e snodo ferroviario: a Naro, arroccata su una montagna, per raggiungere il palazzo non c'era una strada adatta alle automobili. La visita, dunque, avvenne in carrozza; Pietro, approfittando dell'assenza di Titina, aveva cinto la vita della fidanzata con la scusa di proteggerla dalle scosse. Maria lo lasciava fare, serena. Si era convinta che l'intesa fisica tra loro sarebbe stata il collante del matrimonio, come lo era tuttora, visibilmente, tra i suoi genitori. In più, le carezze di Pietro le procuravano deliziosi brividi.

Come tutti i familiari, Sistina aveva il naso aquilino; l'età però le aveva addolcito i lineamenti, dando l'impressione che fosse stata perfino leggiadra, da giovane. Le due sorelle iniziarono subito a pizzuliarsi: Sistina addirittura dal pianerottolo, davanti alla porta di casa, mentre loro salivano le scale. "Ci voleva un fidanzamento per farti venire da me!" apostrofò Giuseppina. E poi, dato che la sorella era corpulenta e arrancava: "Fai presto, non vedi che ti aspetto?". Dopo i baci di rigore, la trattenne fra le braccia per una bella taliata: "Quanto sì fatta laida!". Al che Giuseppina rispose: "Mai quanto te! Anche se, più vecchia diventi, e meglio sembri... le rughe cummogghianu tutti i difetti". Pietro si era dispiaciuto. "Giuseppina, smettila!" ingiunse alla sorella; poi fece largo a Maria e la presentò a Sistina.

Una volta in casa, furono raggiunti da Giacomo Altomonte, magro e silenzioso, dal figlio maggiore Paolo e dalla moglie di lui, incinta, Maria Immacolata, e dalla figlia minore, Erminia. Il salone, come l'intero piano nobile, era stato ridecorato agli inizi del secolo precedente nello stile neoclassico francese: pareti con stucchi dorati, specchi alti in cornici leggere, caminetti di marmo bianco venato di grigio e vasi dall'imboccatura lunga e stretta, con manici a forma di collo di cigno. Anche il legno dei mobili era dorato; il broccato dei divani e delle poltrone era chiaro, con leggeri disegni floreali. Maria era incantata da tanta eleganza e leggerezza. Carolina, che aveva accompagnato la madre e i fidanzati, si era appartata nel vano della finestra insieme a Erminia, lasciando Maria con gli adulti.

Il cameriere aveva posato su un tavolino il vassoio con caffè e biscotti, che Sistina avrebbe servito agli ospiti. Maria non aveva mai visto un servizio da caffè come quello: le tazzine di porcellana, squisitamente dipinte a mano, avevano la forma di un tulipano a cinque petali. Erano ognuna diversa dall'altra e parevano tutte scomodissime: le sembrava impossibile bere senza sbrodolarsi.

I battibecchi tra sorelle avevano ceduto il passo alle battute rivolte ai giovani. Alla nipote incinta, Giuseppina diceva: "Maria Immacolata, speriamo che questa volta ce la fai a dare il maschio agli Altomonte, dopo tre femmine!", e a Erminia, decisamente bassina: "Mai cresci! Non facciamo che vieni nana?", e a Paolo: "Mi dissero che il conte di Laschi è stato fatto senatore! Che fa, Paoli', tu pure conte sei... a te non ti hanno voluto?".

E ce n'era anche per Pietro. "Te la sei scelta tra i parenti dei Tummia... speriamo bene!" gli disse Sistina. E poi: "Dopo averci fatto patire per anni, finalmente ti sei deciso; che ti fece 'sta carusa per farti innamorare?".

Maria si sentiva a disagio, arrossiva a ogni frase e perfino alle taliate più benigne.

Nel frattempo, Sistina serviva il caffè. Porse la tazzina a Maria e subito dopo si girò verso la nuora: "Per te niente, fa male al picciriddu," e passò a versarlo per Giuseppina: "Tre di zucchero, è vero? Così diventi proprio una vacca". Sistina servì Pietro, offrendo lo zucchero anche a lui, poi il marito e il figlio. Maria, rassegnata, appoggiò le labbra sul bordo ondulato: il caffè era amarissimo. Fece finta di niente e lo bevve tutto, a piccoli sorsi, attenta a non sporcarsi.

Al momento di porgere i biscotti, Sistina si sovvenne di non avere offerto lo zucchero a Maria.

"Scusami, lo volevi?"
"Grazie, va bene così..."
Giuseppina Tummia le osservava. Sapeva che Maria amava le bevande zuccherate. Se lo meritava il caffè amaro, quella pupidda, per giunta senza dote, che aveva ammaliato Pietro togliendolo a sua figlia Carolina.

Alla visita seguente, a Girgenti, Maria fu presentata a Graziella, la secondogenita delle sorelle Sala. Graziella aveva sposato Riccardo, un ufficiale più giovane di lei da cui non aveva avuto figli; vivevano in uno degli appartamenti del primo piano del palazzo di famiglia, di cui Pietro e Maria avrebbero occupato l'intero secondo piano. I due viaggiavano molto ed erano appassionati di opera. Al momento di servire il caffè, Giuseppina fu veloce a raccomandare: "Maria lo piglia amaro!", e poi passò in rivista, trionfante, i volti degli altri.
Pietro guardò Maria, e lei gli fece cenno di lasciar correre. Titina avrebbe voluto dire la sua, ma tacque. "Lo sapevo già, niente zucchero per Maria!" rispose piccata Graziella. "Sistina me lo aveva scritto!" Poi, esauriti i convenevoli, passò all'interrogatorio di Maria. Quanti anni aveva? Era mai stata nel continente? Quali strumenti suonava? Cosa ne pensava di Puccini? E di Bizet? Che genere di musica le piaceva? Preferiva il crochet o il ricamo? Sapeva dipingere?
Tornati a casa, Titina chiese alla figlia perché non avesse chiesto lo zucchero. "Non l'ho fatto da Sistina perché mi pareva male fare notare la sua manchevolezza. Mi ci abituerò," rispose Maria.
"Attenta!" la ammonì la madre. "I Sala sono prepotenti. La prossima volta chiedilo, lo zucchero! Quando sarai sposata e a casa tua, ricordati che la padrona sei tu, e tu sola, non le tue cognate."

14.
Gli acquisti del corredo

Le nozze si avvicinavano. Dopo aver firmato il compromesso per l'acquisto di Fuma Vecchia, Pietro era partito senza comunicare una data di ritorno. I malevoli, incluso Peppino Tummia, dicevano che era andato al casinò di Venezia: gli mancava la roulette. Altri dicevano che girava l'Italia per congedarsi dalle sue amanti. Ignara dei pettegolezzi, Maria si godeva la famiglia ed era paga di ricevere dal fidanzato lettere e piccoli regali. Titina invece era turbata: Maria non era ancora stata presentata alla futura suocera e a Giacomina, la zia paterna di Pietro, monaca di casa; inoltre, nell'incertezza della data di questa visita, loro non erano ancora andate a Palermo per completare gli acquisti del corredo, a cui lei teneva moltissimo.

Da quando la ferrovia aveva reso possibili i collegamenti tra l'interno e la costa, i professionisti e la borghesia danarosa di Camagni avevano messo su casa a Palermo, per motivi di lavoro e d'inserimento sociale, per gli studi dei figli – l'università, fondata agli inizi dell'Ottocento e ampliata di recente, cercava di fare concorrenza a quella pluricentenaria di Catania – e per svago. Lo sviluppo dell'edilizia, delle industrie chimiche e dei cantieri navali alimentava la speranza di una crescita industriale nell'isola nonostante la lontananza dal cuore culturale e industriale dell'Europa. Palermo era diventata una grande città italiana. Negli ultimi trent'anni aveva acquisito un magnifico teatro d'opera, il Massimo, costruito sventrando quattro monasteri, il Politeama – sala da concerto, teatro per operetta e anfiteatro – e diversi teatri di prosa. Ed era ricca di sale da tè, pasticcerie, ristoranti e grandi alberghi. Ma l'attrazione principale era Palermo stessa. L'architettura della Belle Époque aveva impreziosito città e dintorni; la trasformazione edilizia era culminata nell'Esposizione Nazionale del 1891, quando, per la prima volta in cinque secoli, i confini della città erano stati spostati oltre Porta Maqueda. Bellissima e indolente, Palermo – golosa, piena di negozi raffinati e meravigliosi empori in cui si trovava il meglio di tutto – era una città superlativamente elegante.

Due settimane prima del matrimonio, Titina volle portare Maria a Palermo dai cognati, Elena e Tommaso Savoca – che abitavano in una villa con un grande giardino interno, in fondo al piazzale del teatro Politeama –, per completare gli acquisti del corredo e presentarla in società: voleva che conoscesse e apprezzasse la città attraverso gli occhi e i valori della sua famiglia, non quelli dei Sala. Elena e Tommaso erano ben introdotti e avrebbero fatto da guida alla nipote. Inoltre Titina aveva un'ambizione, voleva comprare il *suo* regalo di nozze per la figlia: una dignitosa spilla di diamanti che facesse figura accanto ai gioielli ben più costosi dei Sala. "Inutile orgoglio dei poveri," aveva murmuriato Ignazio quando gliene aveva parlato, ma non l'aveva dissuasa.

Maria accettò di buon grado. Qualche giorno prima di partire, chiese al padre se poteva portare con sé Egle: desiderava stare con lei e conoscere insieme Palermo, un po' come dirsi addio. Lui acconsentì; questo mandò in fumo il sogno di Titina di presentare la figlia alla nobiltà palermitana: Maria non sarebbe mai andata ai ricevimenti senza Egle.

Le due ragazze erano entusiaste della libertà di cui godevano nella grande città: zia Elena aveva persuaso la cognata a lasciarle uscire sole, la mattina presto, senza chaperon. Percorrevano via Maqueda, a quell'ora deserta, tutta un'infilata di palazzi eleganti, e ai Quattro Canti prendevano per il Cassaro, dirette – attraverso Porta Felice – alla Marina, il lungomare ricco di caffè e gelaterie. Sedute ai tavolini di ghisa, assaggiavano i gelati, ogni giorno uno diverso – i pezzi duri, lo spongato di limone, la granita di caffè, i semifreddi, la bomba con il cuore di panna –, e ammiravano l'inizio del passìo di carrozzelle e delle prime automobili sullo sfondo del Tirreno, color cobalto. Tornando a casa se la prendevano comoda: cambiavano tragitto ogni giorno e non temevano di infilarsi in vicoli e straduzze. Quando via Maqueda era affollata si divertivano a guardare la gente che passeggiava lenta, sguardo molle e abiti eleganti, per essere ammirata. Visitarono la Cappella Palatina, all'interno del Palazzo Reale, e rimasero abbagliate dalla ricchezza dei mosaici e dal tetto di stalattiti dorate. Andarono anche al tempio dei valdesi: Egle aveva l'indirizzo. Era una stanza rettangolare priva di statue e ornamenti, ricavata all'interno di una casa privata. Pregarono insieme, a lungo e con fervore. Proprio lì, all'uscita, Egle, che tutti si aspettavano avrebbe seguito Maria una volta sposata, le confessò di non voler lasciare Maricchia: sarebbe stato un grande dolore per la zia, che non lo meritava. Maria ne fu sollevata: Pietro non voleva Egle in casa – "Sarebbe sbagliato. Dobbiamo abituarci a vivere insieme. Quando avrai figli, soltanto allora, forse potrebbe esserti di aiuto".

Maria apprezzò la saggezza del fidanzato e la discrezione dell'amica.

Madre e figlia andarono da sole per l'acquisto della camicia da notte mariage, da Madame Richter, un'austriaca trapiantata a Palermo da anni. Si diceva che fosse stata l'amante di un nobile, che nel congedarla le aveva dato abbastanza denari per mettere su quell'attività commerciale. Come quelli delle sarte e delle modiste di lusso, l'atelier di Madame era in un bell'appartamento, al primo piano di un elegante palazzo del centro. Una cameriera in abito nero, grembiule e crestina di pizzo accompagnò Titina e Maria nella stanza in cui Madame le aspettava; un salotto con sedie, poltroncine e un divanetto. Lungo le pareti, armadi dalle ante di specchio; in un angolo, tre manichini con indosso sottovesti e camicie da notte, e un quarto, su un piedistallo, con una sontuosa vestaglia di broccato verde smeraldo con disegni stilizzati neri e argento, in stile giapponese, annodata da una cintura di raso double-face, nera e argento anche quella.

Madame offrì una limonata, quindi prese da parte Maria e la portò davanti a quel manichino. "Le camicie da notte mariage fanno parte di una parure che comprende vestaglia e liseuse." E con un gesto teatrale tolse la vestaglia dal manichino rivelando una camicia di seta lucida, verde chiaro, lunga fino ai piedi e con un corto strascico, bordata di merletto argentato screziato di verde smeraldo. "Il corpetto dev'essere scollato e aderente; la stoffa: seta, battista o georgette, secondo i gusti, e così decorazioni di pizzo, plissé, ricami e riporti in tutte le combinazioni immaginabili." E passò la mano sotto il seno del manichino, da cui partiva uno spacco bordato da un pizzo che si allargava sulla seta; Madame aprì lo spacco e palpò l'orlo, anch'esso bordato di pizzo; poi lo lasciò ricadere. Quindi portò madre e figlia davanti agli armadi; aprì un'anta dopo l'altra, rivelando decine di parure in tutti i colori. "Contrariamente a quanto si pensa, la camicia mariage non dev'essere bianca!" Madame le tirava fuori una alla volta; tenendo alta la stampella, come uno stendardo, con un colpetto faceva muovere il tessuto mettendo in evidenza lo spacco. Incoraggiata da Madame Richter e dalla madre, dopo aver provato e toccato tante camicie, Maria scelse la prima che aveva visto, quella sotto la vestaglia di broccato. "Una scelta audace!" commentò Madame. "Mi congratulo! Ora proviamola." E Maria si sentì sprofondare. Non volle la madre nel camerino. Si guardava allo specchio – il corpetto seguiva la forma dei seni, la gonna lambiva appena il pavimento – e si piacque. Allora tirò la tenda.

"Sembra una dea!" esclamò Madame, e poi: "Serviranno pantofole a mezzo tacco, per il resto cade benissimo".

"Bella sei, Maria mia," mormorò la madre. E le passò la mano veloce sui fianchi. Madame Richter le chiese di sedersi nella poltroncina. Maria, di nuovo timida, vi si rincantucciò, la schiena contro la spalliera, le ginocchia strette e le mani sulla sottana, per tenerla chiusa. Madame le impartì una piccola e indimenticabile lezione sull'arte della seduzione, con l'approvazione di Titina che ora guardava con un sorriso complice. Madame dava ordini, e Maria obbediva. E fu allora che desiderò Pietro.

Titina, Maria e zia Elena erano uscite insieme per l'acquisto della spilla. "Voglio che ti piaccia," disse Titina, "quello che costa, costa." Entrarono in una famosa gioielleria di via Maqueda. Il gioielliere mostrò tutto quello che aveva, ma a Maria non piaceva niente. Visitarono altre gioiellerie, ma rincasarono per pranzo a mani vuote. Ne parlarono a tavola, insieme a Ignazio che doveva discutere una causa al Tribunale di Palermo. Maria era riversa: i disegni moderni Art Nouveau non erano di suo gusto, e nemmeno quelli ottocenteschi classici, simmetrici. Le montature in oro non le piacevano, quelle in platino neanche. La zia diede altri suggerimenti. Maria la scrutava, cercava di farle intendere che si sentiva estranea a quella caccia all'acquisto. Era stanca di scegliere, di provare abiti e biancheria, di comprare. Il suo unico desiderio era stare sola e sedersi al pianoforte, non c'era posto dentro di lei per una spilla. E tuttavia, se l'avesse detto avrebbe addolorato la madre. Il padre sembrò capirla. "Titina, posso suggerirti di portarla dalla signora Daneu? Sa del fidanzamento," disse con un certo imbarazzo. "Ha belle cose. E se Maria non trova nulla che le piace neppure da lei, lasciamo perdere. Le compreremo un bel gioiello per la nascita del primo nipotino!"

L'indomani, madre e figlia presero la carrozzella per il Cassaro. Entrarono nell'androne di un palazzo antico di fronte alla Cattedrale e salirono al primo piano. Un giovane pallido le condusse in un salone dal soffitto a volta affrescato con scene mitologiche. Sulle pareti, una quadreria imponente: dipinti di scene belliche, paesaggi e rovine classiche, un folto contingente di sante – Rosalia, Rita, Agata –, pochissime madonne e numerosi san Giuseppe barbuti, san Sebastiano sensuali ed eremiti scarmigliati. Lungo le pareti e al centro, tavoli coperti di velluto scuro, fitti di candelabri, argenteria, cristalli e ceramiche. "Siamo nella sala di esposizione dell'antiquario più noto di Palermo," disse Titina, e aggiunse a voce bassa: "Una famiglia ebrea di Trieste, molto famosa". E tirò un sospiro.

La signora Daneu era una donna robusta di mezza età, dalla carnagione olivastra, senza nemmeno un velo di cipria; i capelli corvini erano raccolti in un tuppo. Indossava una gonna di tela, una camicetta bianca ricamata, e una giacca di lana leggera dello stesso blu della gonna; come unico ornamento, una spilla. Le fece accomodare nel suo studio, dove troneggiavano due casseforti di metallo smaltato nero e verde da cui trasse una quantità di scatole e astucci. Titina e la signora Daneu si conoscevano da tempo: la signora dava del tu a Titina, che le rispondeva con il voi dovuto agli anziani di rispetto, e intanto mostrava spille d'oro, di platino, di smalto, di pietre semipreziose e preziose, a forma di fiori, di animali o modellate secondo raffinati disegni geometrici – una sequenza di squisita oreficeria artigiana. Maria le avrebbe volute tutte. E nessuna. Indecisa, guardava l'antiquaria in muta richiesta di consiglio; e a ogni taliata le cadeva lo sguardo sulla spilla che questa portava appuntata sul risvolto della giacca, la più bella: un disegno rinascimentale di un rametto che culminava in un fiore a cinque petali e in una foglia oblunga, entrambi tempestati di diamanti. Era ariosa, leggera. "C'è qualcosa che ti piace?" chiese la signora Daneu. "Di tutto quello che vedi, basta dirlo."

Maria prese coraggio e indicò il fiore con il dito. "Quella..." mormorò.

"È un tralcio di diamanti del Settecento. Mi è stato regalato." Poi, in silenzio, si tolse la spilla e l'appuntò sul seno di Maria. "È tua!"

Titina, gradevolmente sorpresa, si dispose ad avviare la negoziazione.

"Non mi dovete nulla."

"Non possiamo accettare!" esclamò Titina irritata.

"Non mi dovete nulla," ripeté la signora Daneu. "È il mio regalo di nozze a una giovane donna dagli occhi vellutati."

Il viaggio a Palermo fu un totale successo per Maria. Non così per sua madre.

15.
La madre di Pietro

La terza e ultima visita di fidanzamento alla famiglia di Pietro avvenne appena prima delle nozze, al palazzo di Fara, l'antica dimora dei Sala, dove abitavano i tre fratelli: Vito, il futuro suocero di Maria, Giovannino e Giacomina, nonché la madre di Pietro, Anna, malata di nervi, che da anni viveva reclusa nelle proprie stanze, accudita da monache infermiere dell'ordine di San Vincenzo. Per accentuare la solennità della visita, erano stati convocati figlie e generi dei Sala; Maria era accompagnata da ambedue i genitori.

Il palazzo sarebbe sembrato modesto – a un solo piano, con cinque balconi – se non fosse stato in perfetto ordine. La pietra della facciata era pulita come se fosse stata spazzolata. Dalle ringhiere dei balconi a petto d'oca, così lucide e prive di polvere da sembrare appena pittate, pendevano tralci rigogliosi di gelsomini invasati. Le persiane e il portone, verniciati di blu scuro e senza tracce di screpolature, erano chiusi. Eppure, palazzo Sala aveva un'aria triste, che si maritava bene con gli uomini malvestiti dal volto scuro e lo sguardo tetro che oziavano ai lati e di fronte, gli occhi puntati come tizzoni ardenti sul portone. Negli anni novanta del secolo precedente, le rivendicazioni dei Fasci di Fara erano state portate avanti da un principe che si era finto amico dei minatori ma che in realtà non li aveva per niente a cuore e aveva presentato richieste annacquate, con il risultato che poco o nulla era stato fatto per migliorare le loro condizioni. Quegli avvenimenti avevano lasciato un'eredità di miseria e malevolenza nei riguardi dei Sala, proprietari della miniera Ciotta, poco distante dal paese.

All'avvicinarsi della carrozza, le ante del portone si aprirono come se ci fosse stato qualcuno di guardia. Mentre il portiere e due inservienti le spalancavano, gli uomini di fuori si spostavano muti e lenti per lasciar entrare la carrozza. In fondo al cortile, ai piedi della scala centrale a tenaglia, Pietro aspettava sorridente la fidanzata. La prese per mano e salirono insieme, seguiti da sguardi curiosi dietro i vetri. Nella sala d'ingresso, Sistina, Graziella e Giuseppina li aspettavano in fila come scolarette. In disparte, anche lei in piedi, era pronta ad accoglierli Giacomina Sala, la zia monaca di casa, vestita sobriamente di grigio e con una grossa croce di smalto e brillanti al collo. Fu lei ad avvicinarsi a Maria e a darle il benvenuto. E fu lei ad accompagnarla nel salone, Pietro a lato.

In gioventù, prima di diventare monaca di casa, Giacomina aveva viaggiato con Giovannino, anche all'estero, e aveva fatto vita mondana. Poi, per motivi mai resi noti, aveva deciso di intanarsi nella casa di Fara e di dedicarsi alle opere pie. Dirigeva la casa dei due fratelli, vista l'incapacità di Anna, e frequentava il convento delle benedettine, alle quali elargiva denaro e mandava i prodotti delle sue campagne. Aveva anche istituito un sorteggio per le famiglie povere che volevano monacare le figlie ma non potevano pagare la dote: a ciascuna attribuiva un numero che veniva conservato in un sacchetto e, una volta all'anno, ne estraeva uno. La dote della fortunata veniva fornita per intero da lei.

All'acchianata a Camagni, Maria aveva conosciuto il padre di Pietro, Vito, e zio Giovannino. Si aspettava di trovare in salotto la madre di Pietro, la persona che era venuta a onorare, ma di Anna Sala non c'era traccia, e nemmeno si parlava. Dopo le frasi di circostanza, si formarono vari gruppi di conversazione. Zio Giovannino si era appartato con Ignazio e Peppino Tummia, e li aggiornava sul recente disastro in una delle loro miniere: era crollato un ponteggio sotterraneo, uccidendo due carusi. I socialisti sostenevano che l'incidente era dovuto all'assenza di manutenzione, e che gli aiuti erano arrivati in ritardo. "I soliti problemi," disse il barone Tummia, "e quelli soffiano sul fuoco; fanno il loro mestiere. Noi dobbiamo fare il nostro. Passerà."

"La situazione è peggiorata," commentò zio Giovannino, "bisogna stare sull'avviso. Avete visto gli uomini fuori dal portone?"

"Forse," disse Ignazio con intenzione, "i carusi non si dovrebbero mandare giù!" E girò sui tacchi.

Con la fidanzata a lato, Pietro raccontava a Titina la storia dei suoi cani da caccia, due bracchi, innamorati della stessa cirneca, e del corteggiamento serrato di ciascuno... mentre la cirneca era sensibile solo alle attenzioni di un pastore tedesco. Pietro era un gran raconteur, e gli altri facevano capannello attorno a lui. Vito Sala si era inserito nel gruppo e stava vicino a Maria. Le offrì il braccio. "Andiamo, vorrei mostrarti le miniature di famiglia." E la portò con sé verso la vetrina in cui erano esposte, in cornici ovali di filigrana d'oro, le miniature delle figlie e di Pietro da bambini, nonché la sua e quella della moglie, una donna dalla carnagione chiara e dai capelli biondi. "Questa è la mia povera Anna..." e la guardava, perplesso, "sarà un peso sulle tue spalle, quando io non ci sarò più."

"Non è un peso ma un privilegio, poter assistere la madre di mio marito," sussurrò lei. Poi, decisa: "Vorrei conoscerla".

Pietro, accortosi che Maria si era allontanata con suo padre, aveva terminato velocemente il racconto e li aveva raggiunti. "Se proprio ci tieni, ti porto io da mamà..." E le offrì a sua volta il braccio. Maria non ne volle sapere. Non lasciò andare quello del suocero, anzi lo strinse, chiedendo con un sorriso: "Mi fareste la cortesia di accompagnarmi voi stesso da vostra moglie?". E si appoggiò a lui.

Si incamminarono lenti verso le stanze riservate alla famiglia. Giacomina avanzava dietro al fratello e a Maria; stringeva forte la croce e murmuriava una giaculatoria, strascicando i piedi. Giovannino e i Marra erano dietro di lei. Seguivano le sorelle, a passi esitanti, e i loro mariti, in incerta processione. I camerieri aprivano le porte per lasciarli passare.

Il corteo silenzioso si snodò attraverso le stanze di passaggio, con Maria e il suocero sempre in testa. Due cameriere avevano fatto a due a due i gradini della scala di servizio per informare le monache della visita imminente. Il vecchio e la giovane presero la scala nascosta da un tendone. Il secondo piano, invisibile dalla facciata, aveva finestre e balconi che davano sui cortili interni. Le stanze erano tutte un fruscio di sottane, di passi leggeri, di mani invisibili, di porte che si chiudevano e di altre che si aprivano. I due avanzavano in stanze vuote e corridoi deserti. Infine, una camera priva di quadri e soprammobili, con poltrone e cesti di lana; alle finestre, tende di tulle. Contro la parete, due monache sedevano ai lati di Anna Sala, vestita di grigio come zia Giacomina; lavoravano all'uncinetto riquadri colorati. Un'altra, in disparte, stava formando un gomitolo da una matassa di lana arruffata. Anna aveva un grosso uncinetto di legno con la punta smussata intorno al quale avvolgeva e cincischiava la lana; le altre due andavano svelte.

"Sta per arrivare la fidanzata del baronello Pietro," le sussurrò una.

"Pietro. Pietro, mio figlio." Poi Anna chiese: "È mio figlio?". Posò l'uncinetto in grembo. "Pietro! Dov'è?" E sollevò gli occhi vacui su Maria e il suo accompagnatore. Poi lo sguardo si fermò sul marito: "Vito... Nooo!".

L'urlo aveva riempito la casa. Piegata in avanti, Anna si nascondeva il volto tra le braccia. Non voleva vedere e neppure essere vista. Ripeté il gesto, veloce, come se le braccia fossero lame di un gigantesco paio di forbici. "Via, via, via! Non lo voglio!"

"Ti presento Maria Marra, la fidanzata di Pietro! Sposerà nostro figlio, e ti vuole salutare," disse lui, la voce senza emozione.

"Via, via!" urlava lei.

"È stata Maria stessa a chiedermi di accompagnarla da te."

"Via, via! Via, via, via..." Le lame si aprivano e si chiudevano frenetiche, incrociandosi. "Via! Via, via..." Finché Anna balzò dalla poltrona come una giovanetta e fece per scagliarsi contro il marito. Una monaca le afferrò le braccia, gliele piegò e gliele tenne ferme dietro la schiena. Le cameriere, accorse al primo grido, appiattite contro la parete e quasi invisibili nell'ombra, scivolarono verso la porta d'ingresso; indietreggiando e mantenendo il volto verso la padrona, chiudevano la porta in faccia agli altri familiari che si erano avvicinati.

Maria era tutta tesa, cercava di capire il comportamento della madre di Pietro. In piedi, le braccia bloccate dietro la schiena, quella rantolava. "Scruscio di chiavi di ferro! Scruscio di catene! Porte chiuse! Chiudono le porte! Prigioniera! Incatenata! Su ordine dei Sala! Lui, lui entra, per lui le porte si aprono, lui mi vuole. Mi vuole, mi vuole, vuole Anna!" E si dimenava; alla fine riuscì a liberare un braccio. Aveva l'affanno, non riusciva a parlare. Gli occhi roteavano, poi si fissavano sul marito. Con il braccio libero si alzò la sottana. Mostrò le brache di batista ricamata con i volant alle caviglie e un nastro annodato in vita. Cercava di sciogliere il nodo e non ci riusciva. Ansante, la mano scorreva sull'apertura davanti. "Ecco, ecco barone, pronta! Pronta!" Con una mossa veloce si abbassò le brache e rivelò il sesso, scuotendo il corpo avanti e indietro, sghignazzando. "Il barone! Questo vuole il barone! Il barone! Figli! Figli da Anna!"

Nel silenzio, la voce limpida di Maria. "Sono la fidanzata di Pietro, vostro figlio." Si avvicinò. "Nessuno vuol farvi del male. Mi chiamo Maria..."

Anna la guardava, confusa. "Disgraziata, io sono! Disgraziata! Disgraziata!" Poi, con voce potente. "Disgraziata... fate presto!" E rivolta a Maria: "Ma tu cu sì? Cu ti ci purta cca? Disgraziata sei tu! Via da questa casa!". Con uno sforzo si liberò dalla morsa delle monache, e si buttò sulla poltrona, le gambe spalancate, la gonna ancora sollevata. "Via, via, via!" continuava, come se fosse una litania, la gola arsa, la voce rauca e ancora alta, stremata.

Le serve la puntellavano contro la spalliera tenendola da dietro, mentre le monache calarono su di lei, le ali bianche agitate come gabbiani, le vesti ondeggianti come un mare scuro, e la immobilizzarono. "Via, via..." faceva la voce sempre più fievole. Le monache adesso formavano una muraglia attorno a lei, le spalle rivolte a Maria e a Vito. Una quarta monaca, spuntata da una porticina interna, si avvicinò e li accompagnò nel vestibolo, chiudendo la porta dietro le loro spalle.

"Mi dispiace, figlia mia. Non sa quello che fa. È pazza. Perdonami," mormorava il barone.

"Non è colpa vostra, la poverina non capisce..." Maria strinse il braccio del vecchio e ritornarono verso il salotto, seguiti dagli altri.

Dietro la porta, Pietro tremava.

Il giorno dopo la visita, Pietro mandò un biglietto a Ignazio Marra: chiedeva di parlare urgentemente con lui, sua moglie e Maria.

"Che ne capisci, di 'stu biglietto?" chiese Ignazio a Titina.

"Sa che storia ci vuole contare. Basta che non ha in mente di mettersela in casa con tutte quelle monache, Maria impazzirebbe!" concluse la moglie.

Maria, quando seppe della richiesta, rimase imperturbabile.

Pietro era patetico. Batteva le ciglia in continuazione, come un tic. Spiegò che, nell'opinione dei medici che avevano visitato sua madre, la malattia mentale di cui soffriva non era ereditaria. Aveva iniziato a star male di nervi prima della sua nascita e non si era mai ripresa. Da allora, nutriva un'avversione contro il marito, che nessuno riusciva a spiegare. Pietro era certo che l'incontro del giorno precedente era stato orribile per Maria. Non l'avrebbe biasimata, se non avesse voluto più sposarlo e se si fosse rifiutata di prendersi cura della suocera, dopo la morte del suocero. Nessuna delle sorelle se la sarebbe presa in casa e lui si sentiva in dovere, con gli aiuti necessari, di badarle. "Madre mai fu, nel senso comune della parola: non sono mai stato in braccio a lei, o semplicemente solo con lei nella stessa stanza." Pietro aggiunse che, se Maria avesse voluto, nonostante tutto, prenderlo come marito, lui avrebbe chiesto ai suoceri di dargli due stanze in casa loro, da arredare per lui e Maria a sue spese, così che avrebbero potuto alloggiare dai Marra, anziché a palazzo Sala, per le visite alla famiglia.

Fu Maria a rispondergli per prima. "Sapevo della malattia di tua madre da Carolina. Me ne aveva parlato prima che ci conoscessimo, e anche dopo. Dunque non ho alcun desiderio di chiederti di lasciarmi libera di sposare un altro. Anzi! E sarei felice se potessimo avere una stanza tutta per noi nella casa dei miei genitori."

La data delle nozze fu mantenuta.

16.

Pizzo di Bruxelles

Quando Titina aveva sette anni, sua madre Maria si era ammalata di difterite; era stato quello a ucciderla, e non il grumo che le causava dolore a una mammella. Prima di morire, aveva chiesto alla cugina del cuore, Matilde, di prendersi cura della bambina. Matilde aveva promesso; era molto vicina a Titina e l'aveva sostenuta nel difficile periodo prima del matrimonio con Ignazio Marra. Titina le era molto affezionata e andava a trovarla ogni giorno, da sola o con Maria, o con il figlio minore, Roberto.

Dopo il fidanzamento di Maria e Pietro, con una scusa o l'altra Leonora trascorreva più tempo dai Marra e non mancava di accodarsi a Titina e Maria quando facevano visita a zia Matilde. Maria pensava che Leonora si sentisse sola. Le faceva più pena che mai da quando il padre le aveva raccontato la sua storia.

Si era attardato in sala da pranzo, mentre Maddalena sparecchiava, lenta. "Maria vieni, devo dirti una cosa." Aveva aspettato che Maddalena se ne andasse, e poi aveva cominciato, con un certo riserbo e a bassa voce. "Vedo che Leonora ti è vicina. Stai attenta, non è una ragazza di cui ci si può fidare. Non è colpa sua, ma della situazione in cui è cresciuta. Ora che stai per maritarti, devi imparare a conoscere anche il lato brutto delle persone. A cominciare dai parenti." Aveva fatto una pausa. "Che sono i peggiori."

Le aveva raccontato che Diego, il padre di Leonora, suo cugino primo, anziché essere grato del posto di segretario comunale aspirava all'incarico di prefetto. E mosso da quell'ambizione aveva sposato Nike, un'albanese di Palazzo Adriano che non amava ma che era parente di Francesco Crispi, nella speranza – rivelatasi poi vana – di ricevere aiuto politico dal ministro. Ma Crispi aveva girato le spalle alla Sicilia e alla sua gente e dopo la sua morte, avvenuta quattro anni prima, i rapporti tra i coniugi erano peggiorati; correva voce che Nike avesse tradito Diego con un cugino albanese. Lui la costrinse a lasciare casa e figli, lei se ne tornò da sola a Palazzo Adriano. Non si sapeva se Leonora e Luigi mantenessero i contatti con la madre. A Camagni si diceva che Nike era una poco di buono e che Diego, nonostante fosse di malo carattere, era da compiangere e ammirare per l'abnegazione con cui si dedicava ai figli, ma ben presto la gente aveva cominciato a nutrire delle perplessità sul suo conto. Si era tenuto in casa una romagnola, Albertina, che Nike aveva portato con sé da Palazzo Adriano perché badasse ai figli; ma poi si era diffusa la voce che fosse la sua amante da lungo tempo e che mal tollerasse Leonora e Luigi. Il padre di Diego odiava Crispi, che considerava un traditore della Sicilia nonché un bigamo: dopo che il figlio aveva insistito per sposare Nike contro il suo volere e lui lo aveva diseredato, si era candidato per la destra liberale, vincendo. Alla sua morte, aveva lasciato tutto a enti di beneficenza. "Pietosi che siano, Leonora e Luigi hanno avuto cattivi esempi in famiglia, e nessun buon principio. Tua madre è buona, e permette che Leonora venga da noi quando vuole. Ma tu devi stare attenta!"

"Che cosa devo fare?" Maria era preoccupata.

"Devi stare in guardia, con Leonora. Non darle troppa confidenza!" aveva concluso il padre.

Leonora aveva continuato a frequentare casa Marra e ad accompagnare Titina e Maria da zia Matilde, che abitava nel palazzo accanto a quello dei Tummia. Un pomeriggio si parlava dell'abito che Maria avrebbe indossato al matrimonio religioso: Titina aveva un velo di pizzo molto corto, ma di ottima fattura, sarebbe stato adatto? Quatta quatta, zia Matilde si allontanò e ritornò con una grande scatola di cartone. Rifiutando l'aiuto delle altre, la aprì e poi, con delicatezza, tirò fuori il velo di pizzo di Bruxelles appartenuto a sua madre: era stato conservato nella carta velina, con delle foglie secche di alloro per proteggerlo dall'umidità, ed era rimasto intatto. Le donne restarono a bocca aperta: era lungo e leggero, con un motivo di festoni di fiori e puttini. Leonora ne prese un lembo tra le mani e sospirò, poi guardò la zia con occhi pietosi: "Mi piacerebbe tanto avere un velo come questo, ma nessuno vorrà sposarmi perché mio padre non può darmi una buona dote!".

Nessuna commentò; zia Matilde ripose con cura il velo nella carta velina e poi invitò Titina a raggiungerla nella sua camera, lasciando le ragazze sole. Leonora, imbarazzata, anziché tacere, continuò a pizzicare Maria. Chiacchierando stillava veleno, e quasi non si aspettava che Maria reagisse. Era abile a lasciar cadere qua e là accenni alle abitudini di Pietro: "Si sa che le camagnine gli sono sempre piaciute!", "La moglie del sindaco, che lo conosce bene, dice che è un bravissimo ballerino, e che la invita sempre a ballare il valzer! Te ne ha parlato, Pietro?", "Si dice che la cosa che gli piace di più è giocare a carte! A te che ti dice?". Maria impallidiva, ma non rispondeva. Sul gioco Leonora si diffondeva generosamente, e lei non capiva: giocare a carte le sembrava un passatempo innocente. Quando giunse il momento di tornare alle rispettive case, Leonora tirò fuori un libro dalla borsetta e lo diede a Maria: era per Filippo. Tra le pagine c'era un biglietto. Titina, che se n'era accorta, fece un sospiro profondo.

Per strada, a braccetto con la madre, Maria pensò che Leonora non le voleva bene. Era tagliente e non perdeva occasione di punzecchiarla sul suo fidanzamento. A casa, le lagrime agli occhi, si sfogò con Maricchia. Le raccontò tutto: Leonora insinuava che Pietro avesse centomila debolezze e che le sarebbe stato infedele; in più, la considerava incapace di essere la moglie di un uomo ricco, colto e con conoscenze importanti.

"Non ho il coraggio di fare come mi dice mio padre, di escluderla dalla mia vita, di non esserle più amica."

"Ascoltami, Mimì." Maricchia l'aveva chiamata con il diminutivo che ormai usavano soltanto la madre e Roberto. Le prese le mani. "Incontrerai molte persone invidiose che cercheranno di farti del male e di renderti infelice. Tu sei intelligente e curiosa: imparerai a vivere accanto a tuo marito e a conoscere il suo mondo. Non permettere a gente come Leonora di toglierti la tua dignità, il tuo valore e, infine, la felicità. Tutto questo è dentro di te: viene dal sentirti nel giusto. Cerca di fare del bene agli altri e prendi ispirazione direttamente da Cristo."

"Sono una ragazza di paese, come farò a diventare una moglie adeguata per Pietro?" Maria era sgomenta.

Maricchia aggrottò la fronte. "Lui non mi sembra preoccupato. Ci riuscirai, con il suo aiuto."

Maria non sembrava rassicurata. Aveva calato gli occhi e guardava fisso il pavimento.

"Ho un'idea!" La voce di Maricchia adesso era squillante. "Giosuè, all'Accademia Militare, incontrerà giovani di ottima famiglia, avrà opportunità di fare conoscenze altolocate e leggerà giornali e riviste. Lui ti insegna già per diventare maestra, chiedigli di scriverti e di raccontarti quello che succede in Italia e di cosa si discute all'Accademia e tra i suoi amici!"

Maria si rincuorò. E Giosuè, quando glielo chiese, fu ben lieto di aggiungere quel compito a quello di insegnante.

17.

Il matrimonio

La presa di Roma del 28 ottobre 1870, ferita profonda nel cuore dell'Italia cattolica, era stata aggravata una ventina d'anni dopo dal decreto di Crispi che aveva elevato quel giorno a festa nazionale. I matrimoni prevedevano due cerimonie separate, che si svolgevano in giorni diversi. La prima era quella religiosa, seguita dai festeggiamenti tradizionali, in cui la sposa, velata, vestiva di chiaro, mentre al matrimonio civile, in municipio, indossava un abito sobrio ed elegante, spesso nero – colore riservato esclusivamente alle donne maritate e alle vergini in lutto. L'abito nero, aderente e decorato di paillette, era per alcuni anche un'eloquente dimostrazione dell'avvenuta consumazione dello sposalizio, l'equivalente delle lenzuola nuziali stese in bella vista; rafforzava lo stato di donna maritata agli occhi di Dio e del popolo e aveva inoltre una forte valenza simbolica: la giovane sposa si presentava vestita a lutto alle autorità dello Stato che aveva offeso la Santa Madre Chiesa.

Fedele alla promessa, Pietro aveva ricavato a sue spese dai tetti morti di casa Marra un appartamentino che non volle far vedere a Maria: sarebbe stata una sorpresa. Con discrezione, aveva anche riparato i tetti, che erano malandati. L'acquisto di Fuma Vecchia era stato completato e Pietro ne era il solo proprietario. Ignazio aveva dignitosamente rifiutato che la proprietà fosse intestata soltanto alla figlia, come avrebbe voluto Pietro, e aveva resistito anche alla richiesta che almeno ne fossero proprietari ambedue i coniugi. Pietro aveva iniziato immediatamente i lavori per rifare la stradella.

Maria era indaffarata e serena. Anche se i lavori procedevano a rilento, Pietro la coinvolgeva nei preparativi della casa di Girgenti. Era il momento di scegliere le stoffe per tende e pareti, i mobili e i servizi da tavola, e poi c'erano delle novità assolute: acqua corrente calda e fredda, l'energia elettrica e il riscaldamento centrale per mezzo di tubi pieni di acqua calda. Per i bagni avrebbero adottato il rivoluzionario sistema di sciacquo dalla fabbrica inglese Crapper. Bisognava inoltre scegliere i nuovi lampadari e decidere dove posizionare le applique. Pietro ascoltava attento i commenti di Maria e la rispettava. Era chiaro, però, che l'attrazione principale era per lui quella dei sensi. Talvolta, mentre Maria suonava il pianoforte, Pietro sedeva alle sue spalle. Un pomeriggio Egle – che aveva assunto il ruolo di chaperon, quando i fidanzati erano in casa – era stata chiamata in cucina ed erano rimasti soli. Maria, che aveva continuato a suonare, dopo un po' credette di sentire il respiro pesante di Pietro, ma presto si lasciò nuovamente trasportare dall'andante di *Libiam nei lieti calici* della *Traviata*. Quando finì e lasciò le mani sospese nell'aria, come per scaricare l'energia, di nuovo sentì il respiro di lui, questa volta vicinissimo: Pietro le aveva cinto la vita e le copriva di baci il poco di spalla che emergeva dalla scollatura dell'abito estivo. Lei cercò di scostarsi, senza offenderlo; provò ad alzarsi; lui allentò la presa e spinse il sedile di lato col piede. Poi la strinse forte e le depose una scia di baci umidi dal collo verso la nuca. Maria provò un languido solletico; Pietro insisteva con la lingua sulla nuca in un moto circolare e lento, e così facendo le accendeva brividi deliziosi che la eccitavano tutta. Avrebbe voluto che lui continuasse all'infinito. Ma Pietro fu troppo impulsivo; la fece girare e le baciò le labbra, leggermente, poi con più passione: cercava un varco. Maria dovette provare a respingerlo. Lui reagì stringendola ancora più forte, e premendo contro il suo ventre. Anche quello le piacque.

Maria era rimasta delusa dalla cerimonia e dal ricevimento nuziale, avvenuti nella tarda mattinata nella cappella e poi nei saloni di palazzo Tummia. Gli ospiti, in tutto una sessantina di parenti stretti, non si amalgamavano tra loro. Le sorelle Sala erano vestite in pompa magna e bardate di brillanti, come se volessero sottolineare la differenza di censo e di condizione sociale con i Marra. I complimenti di rigore alla sposa, per il bel vestito di mussola bianca ricamato con tralci di roselline dai colori tenui e per il collier di perle mandatole da Pietro la mattina stessa, suonavano falsi. Carolina e Leonora non contenevano l'invidia. Le era sembrato che soltanto la sua famiglia e le persone di casa, incluso Giosuè – elegantissimo nella bella uniforme nera da allievo ufficiale, con collo e polsi amaranto, e tanto di spadino –, fossero felici per lei e sinceri nel farle gli auguri.

Pietro non era riuscito a trattenere la commozione durante la messa, ma per il resto fu, stranamente, un matrimonio senza lagrime. Maria aveva attribuito il pianto di Pietro all'assenza di sua madre e gli aveva preso la mano, stringendola forte. Durante il ricevimento lui la guardava avidamente e lei, finalmente sposa, fu libera di ricambiare quello sguardo.

Tornarono a casa Marra appena prima del tramonto. Pietro prese il controllo della situazione e rifiutò l'invito a cena di Titina: "Leonardo e sua moglie hanno pensato a noi; ci ritiriamo, a domattina". E portò Maria con sé su per le scale. Leonardo e Rosalia avevano preparato le loro stanze e li aspettavano sulla soglia; se ne andarono dopo aver fatto gli auguri alla nuova padrona.

Maria divenne ansiosa ed esitò prima di entrare. Sapeva che le donne di casa avevano trasferito tutte le sue cose nell'appartamento, ed era preoccupata: dove le avevano riposte? Come le avrebbe trovate? Pietro le teneva la porta aperta e lei finalmente oltrepassò la soglia; adesso lui la guidava nello spogliatoio: arredato con armadi, specchiera, tavolino, due poltrone e un sommier, sembrava un salottino; dalla porta vetrata sulla terrazza entravano fiotti di luce. Pietro le indicò la stanza da bagno, ma non la fece entrare: era impaziente, voleva mostrarle la camera da letto. Le prime luci del tramonto – di un giallo zafferano che incupiva in rosso vermiglio – filtravano di taglio attraverso il merletto delle tende e cadevano sul copriletto bianco riproducendo sul cotone damascato il motivo, deformato, del pizzo di Cantù. C'era un che di sontuosamente teatrale in quella stanza. Maria notò che al centro del pizzo c'erano gli stessi puttini abbracciati del suo copriletto da ragazza. "Guardati attorno!" la incoraggiava Pietro; cingendole la vita, la condusse ad ammirare i quadri, le fotografie incorniciate, i mobili della sua vecchia camera da letto, le due poltroncine nuove accanto al tavolino rotondo, un armadio grande per Pietro e i due comodini. Il trasloco era stato fatto proprio mentre si sposavano. Commossa, Maria si girò verso di lui e azzardò la prima carezza. Pietro le fermò la mano. "Aspetta!" E poi: "Hai fame?".

Maria annuì: la mattina non aveva toccato cibo, e al ricevimento aveva a malapena assaggiato la torta nuziale. Pietro la portò sulla terrazza: circondata da mura alte, sembrava una camera con il cielo per soffitto. Su un tavolo, c'era un pasto imbandito e protetto da un velo di garza. Maria fece per avvicinarsi, ma Pietro la fermò di nuovo prendendola per un braccio: "Non ancora, prima dammi una vasata come si deve". La spinse contro il muro e le coprì la bocca con la sua. Fu lunga, quella vasata; si interrompeva e poi riprendeva, a volte appassionatamente, come se volessero lacerarsi, altre volte delicatamente, per piccole pause di reciproca scoperta attraverso bacini umidi su volto, orecchie e collo. Finché Pietro si staccò da Maria e in fretta e furia si tolse giacca, cravatta, camicia, rimanendo a torso nudo. Le aveva già sbottonato il corpetto dell'abito, ma le bretelle della sottoveste erano rimaste saldamente al loro posto, mentre le maniche dell'abito nuziale erano scivolate a metà braccio, rivelando le spalle piene e l'attaccatura dei seni. Maria era tutta un fuoco, lo voleva, e non sapeva come prenderlo. Lo sentiva contro il ventre, ma non osava toccarlo. Pietro si staccò da lei e raccolse in fretta la sua roba sparsa per terra. "Andiamo a spogliarci."

"Dove?" Maria, confusa e vergognosa, si guardava attorno.

"Nel bagno troverai le tue cose..." E Pietro si infilò in camera da letto lasciandola sulla terrazza.

La vestaglia verde a ramage di Madame Richter l'aspettava appesa al gancio accanto al lavabo. Maria la tolse dalla stampella, certa che sotto ci fosse la parure mariage comprata con la madre. Ma non c'era nulla. Guardò nella cassettiera: era piena di asciugamani. Poi capì.

Il velo era stato tolto dalla tavola. Pietro la aspettava, sorseggiando lo champagne. Indossava una veste da camera a disegni cachemire nei toni del marrone e del verde, molto maschile.

"Come sapevi..." chiese Maria, bellissima, avvolta nella vestaglia verde smeraldo, la cinta stretta in vita.

"Madame Richter è una vecchia amica..." rispose lui vago. E poi: "Brinderemo a vasate! Comincio io!". Bevve, poi disse: "Sulla bocca!". E le diede un bacio schioccante sulle labbra, per niente sensuale. Maria rideva. Bevve anche lei, e disse: "Sul mento!". Poi lui: "Sulla gola!". E lei: "Sul naso!". E gli baciò il nasone. Pietro riempiva la coppa di champagne. "Il tuo naso è perfettamente classico... Mia moglie ha il profilo di una dea!" Prese la coppa dalle mani di Maria e le posò un bacio delicato sulla punta del naso.

"Dovremmo mangiare. La sera si avvicina, guarda!" Il cielo in alto era chiarissimo, quasi bianco. Lontano, dietro le cime delle colline, cominciava a levarsi una sequenza di strisce luminose alternate ad altre nerissime, stendardo della notte. Pietro porgeva a Maria il cibo imbandito, tutto da prendere con le mani. Le passò un vol-au-vent ripieno di béchamel, un bastoncino di pasta frolla piccante, olive ripiene, tartine di foie gras e di caviale. Mangiavano e pasteggiavano con lo champagne. Finché Pietro si alzò. "Fammi sentire se di una dea hai anche i seni!" E calò la mano dentro la vestaglia di lei.

"Non qui!" In un sussulto di pudore, Maria gliela scippò dalla vestaglia.

Lui non se ne ebbe a male. Bevvero ancora. Sprofondati nelle poltroncine, prendevano acini di uva fragola, tonda, piccola, la buccia amaranto leggermente profumata. "L'aria non ha occhi...” disse Pietro, e si spogliò. “Slacciati la cintura...”

E Maria si mostrò, lasciando scivolare piano la vestaglia insieme alla reticenza. In piedi. Seduti. Adagiati sul divano. Mantenendo i corpi distanti. Era un gioco di occhi e di mani, di fugace conoscenza tattile reciproca. Pietro era accovacciato a terra. “Ora fammi vedere dentro di te.” Maria guardava la vestaglia, gettata su una sedia, sopra quella di lui. Pietro le allargò le gambe. Avvicinò la bocca. La baciò. Insinuò la lingua e ci giocò a lungo.

La svegliò la luna. Era sola, nel letto, la bocca impastata di vino. Si palpò tutta. Guardava le lenzuola, sembravano pulite. Cosa era successo? Pietro dov'era? Le mancava. Lo trovò, nello spogliatoio, placidamente addormentato sul sommier, uno scialle indiano per coperta. Maria si rincantucciò contro di lui. Pietro aprì le braccia per cingerla, nel dormiveglia. “Ti aspettavo,” mormorò.

18.

Maricchia pensa

Maricchia era insonne. Seduta sul letto, pregava impettita. Era il suo modo di rispettare Dio: l'età e la sciatica non le permettevano di inginocchiarsi, come avrebbe dovuto.

Ora che Maria era andata sposa, dei Marra rimaneva Giosuè nei suoi pensieri. E Maricchia pregava per il suo futuro. Era scontato che, una volta lasciata Camagni per il continente, il giovane sarebbe ritornato dalla sua gente e in Sicilia non sarebbe più venuto. Era un bravo ragazzo, generoso, allegro. Lei vedeva poco e lui le leggeva l'Antico e il Nuovo Testamento quasi ogni sera, tanto che aveva imparato a memoria i Salmi e la maggior parte dei Vangeli. Poteva passare per cristiano, tanto sapeva.

Giosuè era desideroso di godersi la vita. Maricchia era sicura che dai quattordici anni lui e Carlo Tummia, il fratello maggiore di Carolina, frequentavano il casino di Camagni Bassa. Giosuè guadagnava denari lavorando nel tempo libero per il rettore del Convitto Nazionale: inizialmente trascriveva in bella copia le sue lettere, poi, avendo dimostrato abilità e dedizione, era diventato quasi un segretario. Inoltre aiutava Ignazio, che lo pagava soltanto quando riceveva denari dai clienti, cioè raramente. Giosuè affidava a lei i suoi risparmi: "Altrimenti," spiegava imbarazzato, "li spenderei tutti in stupidaggini". Parte di quei denari erano destinati alle donne di facili costumi: lei lo capiva quando, prima di uscire tutto allicchettato, le chiedeva la stessa somma, il volto contrito e gli occhi cupidi in cui brillava l'anticipazione del piacere. Maricchia non sapeva immaginarlo, il piacere del sesso, nemmeno quello di toccarsi in basso, come facevano le ragazze del convento. Era contenta di essere vergine e di vivere dai Marra, dove si sentiva parte della famiglia, protetta e libera di seguire la propria religione.

Tonino Sacerdoti, Ignazio Marra e Carlin Malon – il fratello maggiore di Maricchia – erano legati da una profonda amicizia, nata ai tempi dello sbarco di Garibaldi a Marsala. Carlin e Tonino avevano fatto parte dei Mille e avevano conosciuto Ignazio in Sicilia. Carlin era rimasto a Palermo per assistere il pastore Giorgio Appia, che aveva ricevuto dal moderatore della Tavola Valdese l'incarico di fondare una missione a Palermo. Intendevano mettere su una scuola, e per questo lei, appena diplomata, e altre tre maestre di Torre Pellice erano venute in Sicilia. Ignazio si era occupato di ottenere i permessi per aprire la scuola; Tonino, insegnante di ginnasio, li aveva aiutati a preparare il corso di studi e, grazie a un cugino antiquario, aveva trovato locali sufficientemente grandi dove allestire la scuola, la loro abitazione e una stanza adatta al culto.

La scuola valdese aveva avuto successo: si insegnava in italiano, la lingua del nuovo Regno, ignota alla maggioranza dei siciliani. I bambini imparavano velocemente ed erano contenti; presto anche le mamme vollero prendere lezioni di italiano, che Maricchia impartiva loro nel pomeriggio, senza perdere l'opportunità di menzionare con discrezione anche il credo di Valdo. Palermo a quel tempo era aperta a tutto, incluse le fedi cristiane non cattoliche. Nel 1871 salì sul pulpito della Tavola Valdese di Palermo un loro parente, Teofilo Malon. Carlin, che aveva preso moglie, si trasferì a Grotte, un paese dell'entroterra non lontano da Camagni dove si erano già stabiliti altri valdesi su invito dell'ex prete Stefano Dimino, diventato seguace di Valdo. Maricchia lo seguì: badava ai nipotini e continuava a insegnare. In quel periodo don Luigi Sciarratta – il prete di Grotte che gli altri sacerdoti, e non il vescovo di Girgenti, avevano nominato arciprete –

causò uno scisma scontrandosi con il vescovo e fu scomunicato. Nel frattempo, il culto valdese si era affermato al punto da rendere necessaria la costruzione di una chiesa vera e propria e di una scuola per bambini e adulti, frequentata da minatori e operai. Era un periodo felice per la loro famiglia e di espansione per la loro fede.

Alla fine degli anni ottanta si susseguirono una serie di catastrofi: una carestia, il crollo di una miniera nel vicino territorio di Sutera, il peggioramento delle condizioni dei minatori. Il paese era strozzato dalla miseria e dalla discordia interna. Un'ondata di colera decimò la famiglia di Carlin lasciando Maricchia sola con la nipote più piccola, Egle. La comunità valdese, priva del sostegno della municipalità e della protezione dello Stato, fu attaccata dai clericali cattolici. Non una voce si levò in loro difesa. I valdesi furono persino accusati di essere gli untori del colera. Gli alunni cattolici furono ritirati dalla scuola, che dovette chiudere; quelli che guadagnavano facendo i venditori ambulanti si trovarono senza merce né clienti. Molti, tra i quali Maricchia ed Egle, rimasero senza un tetto: non avevano di che sfamarsi e si riunivano dove capitava, sulle soglie delle case e nei cortili. Un avvocato amico di Carlin riuscì a farle accogliere nel monastero delle benedettine, dove furono subito separate: Maricchia con le converse ed Egle nell'orfanotrofio, ambedue destinate alla conversione. Fu lì che il suo nome, Mara, venne forzato in Maricchia, che le rimase per sempre addosso. Infelicissima e lontana dalla nipote, si ammalò: rifiutava cibo e acqua. L'avvocato scrisse a Ignazio delle due poverette, chiedendo aiuto. Era stata Titina, sposa quattordicenne e incinta, a suggerire al marito di ospitarle in casa: lei non aveva madre e Maricchia l'avrebbe aiutata a badare alla creatura che aveva in grembo, mentre Egle sarebbe stata come una sorella maggiore.

Maricchia pregava per la felicità e il benessere dei Marra, ora che Maria li aveva lasciati per la sua nuova vita di sposa.

Da qualche mese c'era un'aria strana in casa. Giravano pochi denari, e si facevano più economie che in passato. Maricchia aveva portato con sé molte ricette della tradizione valdese, una cucina povera, apprezzata dai Marra, che la faceva sentire a casa: tra queste, il budino di pane raffermo e la mustardela, un salume fatto di interiora e frattaglie con l'aggiunta di vino rosso e spezie di cui i ragazzi erano ghiotti.

Ignazio andava spesso a Palermo e vi rimaneva a lungo, adducendo motivi di lavoro. Titina era pensierosa. Maricchia avrebbe voluto sapere di più, per aiutarla. Grata dell'ospitalità e di poter continuare a praticare la propria fede, si considerava fortunata nella inconsueta posizione di amica-domestica, destinata, insieme a Egle, alla verginità perenne, nel conforto della certezza che i maschi di casa le avrebbero sempre rispettate.

Povera Maria! Maricchia, grande osservatrice, assai capiva e poco diceva. Tra casa Marra e casa Tummia c'erano differenze e gelosie, ma anche un rapporto di solidarietà attraverso un continuo scambio di provviste. I Tummia mandavano cesti di verdura e di frutta, uova, polli, mandorle e grano e dai Marra ricevevano dolci, biscotti e le erbe di cucina. Il flusso di informazioni sui rispettivi padroni, che passava attraverso le persone di servizio, era in generale veritiero. Maricchia era al corrente di quanto accadeva in casa Tummia: aveva saputo subito dell'innamoramento di Pietro per Maria. Ai Marra era convenuto darla a Pietro Sala, quello era ricco. Maria aveva preso un marito più vecchio della propria madre, a occhi chiusi o quasi. Non come Titina, che, tredicenne, si era infatuata e aveva sedotto Ignazio ultraquarantenne, bellissimo e noto fimminaru. Maricchia pensava... E i suoi pensieri la fecero arrossire.

19.

Viaggio di nozze

Il piroscafo, fiore all'occhiello della Compagnia di Navigazione Italiana, creata dalla fusione di una società siciliana e di una società genovese, lasciava il porto. Pietro e Maria erano i soli passeggeri che non avessero una folla di spettatori sul molo a salutarli. Su loro richiesta, nessuno della famiglia li aveva accompagnati e avevano preferito dormire in albergo anziché dagli zii Savoca. Ciononostante, la Isotta Fraschini che li portava nel ventre del vapore – con Leonardo e sua moglie Rosalia impettiti sul sedile anteriore – aveva procurato loro un momento di fama, corredato di battimani.

Dal ponte dei passeggeri di prima classe, Maria guardava la folla scomposta e vuciante sulla banchina che rimpiccioliva mentre il vapore prendeva il largo. Tutto era nuovo per lei.

Le sembrava che fosse Palermo, e non il piroscafo, ad allontanarsi e teneva gli occhi fissi sui campanili. Le cupole delle chiese e degli oratori si differenziavano tra loro per grandezza e decorazioni. Molte erano coperte di mattonelle bianche, verdi, rosse, nere e gialle, disposte in disegni immaginativi e bellissimi, a due o più colori, a spina di pesce, a spicchi, a fasce. Maria notava che i tetti di Palermo avevano tegole rosse, grigie, gialle e color mattone; erano festosi a paragone di quelli di Camagni, invariabilmente grigi o di un rosso sbiadito. Spiccavano sui tetti antichi le cupole dei nuovi teatri, in particolare quella del teatro Massimo, bassa e larga, di un cangiante bluverde e solitaria nella piazza appositamente creata. Pietro indicava a Maria i diversi edifici e commentava le facciate, i nuovi giardini all'interno della città moderna, le strade aperte per l'Esposizione Nazionale, le palazzine liberty dei quartieri nuovi fuori Porta Maqueda. Oltre a dirle a chi appartenevano e quando erano stati costruiti, riferiva aneddoti e storie interessanti. Maria ascoltava ammirata. A Palermo mancava un museo archeologico dove esporre le meraviglie trovate in Sicilia, mentre a Parigi, Londra e Berlino, dove era stato con zio Giovannino per incontrare i mercanti di zolfo, erano stati costruiti musei monumentali e modernissimi per esibire i reperti acquisiti nel corso degli anni. "Sono nostri, li hanno presi qui, da noi, spesso trafugandoli. Loro sì che li apprezzano! Noi invece li teniamo in vecchi conventi e addirittura in casse di legno e scatoloni, all'interno di seminari in disuso. Se la nostra collezione si arricchisse ancora, vorrei donarla allo Stato per il bene di tutti... ma a condizione che abbia una sede degna." Poi guardò Maria: "Altrimenti ce la godremo noi nei nostri salotti, ma li apriremo al pubblico. Conoscere e ammirare ciò che è bello contribuisce al benessere dell'animo umano. La bellezza è un elemento fondamentale della vita, bisogna condividerla". Maria abbassò le palpebre, commossa dalla generosità e dalla sensibilità di Pietro. Le piaceva averlo accanto, e sentirlo suo, lì sulla nave a vapore che si allontanava da Palermo per portarla nel continente.

Leonardo aveva organizzato un tavolo per loro due nel ristorante ed era salito sul ponte per avvertirli che la cena era pronta. Palermo era sempre più piccola. I gabbiani abbandonavano il piroscafo alzandosi in ampi ghirigori di addio. Maria, i gomiti alla balaustra, guardava il tramonto. Lo sguardo incantato passava dalla massa benevola del Monte Pellegrino alla cerchia dei monti a guardia della città – severi come cavalieri senza testa e avvolti in mantelli scuri, si stagliavano contro il cielo abbagliato dal sole morente –, al mare piatto e lucido su cui scivolavano leggere le barche dei pescatori diretti al largo. Pietro mandò via Leonardo con un cenno: avrebbero mangiato dopo, in camera. Stretto contro la schiena di Maria, teneva le mani sui fianchi di lei, e quelle, assecondate dal dondolio del vapore, gradualmente scivolavano verso il suo ventre.

La cabina era pronta ad accoglierli; accanto alla finestra c'era una tavola conzata da cui si godeva la piena vista sul mare. "Avrai notato che non ho mantenuto la mia parola di darti un pianoforte dovunque: ma qui sarebbe stato impossibile." Pietro sorrideva. Il mare luccicava come carbone umido, tutt'uno con il cielo stellato; una sola volta incrociarono a distanza un altro bastimento dalle luci tremolanti. Maria guardava fuori, affascinata anche da quel mare scuro. Mentre cenavano, Pietro le chiese se voleva mandare un telegramma ai genitori. "No, grazie," rispose lei, e poi spiegò, imbarazzata: "Sono davvero felice. Non ho nostalgia di loro".

Napoli si annunciò da lontano. Maria rimase sul ponte per tutto il tempo delle operazioni di sbarco. Era emozionata. Ricca di piazze, obelischi, chiese, strade, teatri, palazzi e negozi, Napoli era una città internazionale che attirava visitatori da tutto il mondo. Lì Maria vide per la prima volta gente di razze diverse e con abiti esotici: cinesi dai baffi lunghi, persiani con turbanti e lunghi caftani, arabi biancovestiti, donne in abiti che finivano in ampi pantaloni, indiane avvolte in vesti drappeggiate che le coprivano da capo a piedi. E tanti turisti europei. Sentiva lingue diversissime da quelle che conosceva lei. Pietro aveva studiato a Napoli, al collegio della Nunziatella, e aveva mantenuto le amicizie di gioventù. Maria fu invitata in palazzi grandiosi, mangiò a tavole impreziosite da argenti e porcellane finissime, e – quasi sempre – si sentì imbarazzata per via dei suoi abiti semplici. Pietro sembrava dimentico di aver enfaticamente dichiarato, prima del matrimonio, che intendeva portarla nelle più eleganti sartorie d'Italia. La osservava attento quando lei sceglieva cosa indossare e non perdeva occasione per complimentarsi, come peraltro facevano i suoi anfitrioni e le loro mogli, ma non le offriva consigli. Maria ne era sorpresa.

Le giornate avevano acquisito un ritmo. L'albergo sembrava un palazzo reale e loro avevano un appartamento di lusso con un salotto e una piccola stanza da pranzo. I corridoi erano larghi e coperti da spessi tappeti, con divani e poltrone nelle rientranze; su ciascun pianerottolo, grandi vasi di porcellana con composizioni floreali meravigliose, una diversa dall'altra e intonate tra loro. La mattina facevano colazione in camera, poi Maria suonava il pianoforte che era stato portato nel salotto. A volte Pietro la ascoltava leggendo il giornale, altre volte usciva a fare acquisti o incontrava persone. Pranzavano insieme, di tanto in tanto con gli amici di Pietro, e poi uscivano in automobile per un breve giro in città o lungo la costa. Rientravano in albergo per il riposo pomeridiano, che si trasformava in una lezione di erotismo.

Durante uno di quei pomeriggi Pietro, esausto, era appoggiato alla spalliera del letto, una mano sul ventre di Maria rannicchiata accanto a lui, l'altra posata distrattamente sul seno. Aveva preso un palco al teatro San Carlo per la rappresentazione della *Lucia di Lammermoor* e le raccontava che la prima assoluta dell'opera era stata proprio al San Carlo. "Perfetti," mormorava, sfiorandole i capezzoli, e poi: "Ti piacerebbe far visita a una sarta specializzata in vestiti da sera per l'opera?". Lei chiuse le palpebre in assenso, cercandolo a tentoni. Apprezzava il tatto con cui Pietro le porgeva il suggerimento, e il suo tempismo: adesso era pronta a valorizzare il proprio corpo.

La sartoria Stassi era all'interno di un palazzo nobiliare, abitato dai proprietari; Pietro spiegò a Maria che era consuetudine dei nobili napoletani affittare a commercianti locali e appartamenti dei propri palazzi. La sartoria apparteneva a due sorelle che avevano continuato l'attività dei genitori; dal modo in cui salutarono Pietro era evidente che si conoscevano da lungo tempo, anche se non volevano darlo a intendere.

A Maria non dispiacque: sapeva e accettava che suo marito aveva avuto amicizie femminili.

Le sarte le mostrarono diversi modelli. Maria ne provò alcuni, ma non piacquero né a lei né a Pietro. Si sentiva imbarazzata dai ricami e dalla ricchezza dei tessuti.

Poi le portarono un manichino su cui era drappeggiato un abito azzurro pallido, leggero. Era senza maniche, di tulle di seta ricamato con un motivo di foglie e tulipani di perline infilate su filo d'oro. La scollatura davanti era a V, molto profonda; quella dietro, anch'essa a V, arrivava fino alla vita. L'abito era traforato da occhielli attraverso cui passavano due nastri azzurri che partivano dalla schiena, si incrociavano sul busto mettendo in risalto il seno e i fianchi, e finivano in un nodo, sul fondoschiena, che teneva fermo il tutto. A metà fianco partivano dei pannelli triangolari a godet, anch'essi ricamati – due davanti e due dietro –, leggermente a punta. L'orlo era rifinito da uno stretto gallone, da cui cadeva una frangia di perline – l'ultima d'oro zecchino.

La sarta sciolse il nastro e in pochi gesti tolse l'abito dal manichino, rivelando la sottoveste a vita di taffetà di seta.

"Lo vuole provare?"

Aiutata dalle sorelle Stassi, Maria infilò le braccia nel giromanica e poi fu guidata ad avvolgersi il tulle intorno al corpo facendo attenzione che aderisse bene e che i nastri si incrociassero nel modo giusto.

Si guardò soddisfatta allo specchio. Le bretelle della sottoveste, per quanto cercasse di nasconderle, spuntavano sempre fuori. Le due sorelle si scambiarono un'occhiata, poi si voltarono verso Pietro e tornarono a studiare Maria. Le chiesero di muoversi, sedersi, guardarsi allo specchio. Nonostante le spalline della sottoveste, Maria si sentiva a proprio agio in quel vestito, e si piaceva. Ma qualcosa non andava, lo leggeva sul volto di Pietro e su quelli delle sarte. La maggiore, una signora anziana dai lineamenti delicati e il pince-nez, suggerì:

"Se provasse a indossarlo così com'è, senza niente...?".

Maria, tutta un rossore, aveva sgranato gli occhi: "Senza niente sotto?".

"Proviamo?" la invitò la seconda.

Pietro, sprofondato nella poltrona, osservava pizzicandosi la barbetta. Infine la incoraggiò a provare. Lei se ne andò dietro al paravento, seguita dalla più giovane delle sorelle Stassi. Quando uscì, l'abito da sera le aderiva al busto come una seconda pelle.

"Magnifica!" esclamarono all'unisono le due sarte.

Pietro non aprì bocca, gli occhi fissi sulla moglie. Maria si girava davanti allo specchio a tre ante che moltiplicava la sua immagine riflessa. Non era più imbarazzata: sapeva di essere bellissima.

Maria non era mai entrata nel palco di un vero teatro d'opera. Il teatro Sociale di Camagni aveva due file di palchi, divisi da séparé simili a ringhiere, arredati con quattro seggiole strette, in due file, per le signore. Gli altri occupanti si stipavano in piedi sul fondo. Le rare volte in cui i genitori l'avevano portata ad assistere a uno spettacolo avevano preso posti in platea. Pietro si trovava a suo agio al San Carlo. Aveva ottenuto il suo palco di proscenio preferito: ampio, arredato con poltrone comode, con un salottino nel retro. Maria indossava l'abito comprato dalle sorelle Stassi. Era stato facile "montarlo", anche senza l'assistenza di Rosalia; Maria, timida, aveva preferito farlo da sola. "Guardati! Sei bella. Godi e fai godere gli altri della tua bellezza!" aveva detto Pietro, mentre lei prendeva la stola e la trousse d'oro, prima di lasciare la stanza.

Maria era emozionata, confusa. L'abito cadeva bene, ma lei, senza niente sotto, si sentiva impudica. Come se le avesse letto nel pensiero, Pietro le si era parato davanti. "Chiudi gli occhi!" E le aveva agganciato una collana. "Eccoti pronta! Ora guardati di nuovo." Un filo di brillanti rosa le cingeva il collo. Maria si era sentita finalmente "vestita" e a proprio agio.

Pietro la guidava nel fasto della sala, che era stata e continuava a essere una perla del teatro musicale europeo. Le indicò il palco reale. Era vuoto. "I reali sono nel retro, per i rinfreschi," e continuò a mostrarle i palchi che appartenevano alle grandi famiglie napoletane, sciorinando nomi, cognomi e storia dei loro casati. Maria ogni tanto lanciava uno sguardo fugace al palco reale – era ancora vuoto. Poi, silenzio. L'orchestra aveva smesso di accordare gli strumenti. I musicisti erano ai loro posti, archi in mano, violino sulla spalla, violoncello tra le ginocchia. Quando, tra i battimani, il direttore d'orchestra salì gli scalini del podio, Maria fremette.

Come uno spettacolo nello spettacolo, il re e la regina apparvero allora in fondo al palco, nel silenzio assoluto. Non un respiro, non un colpo di tosse. Con un fruscio di gonne e uno scalpiccio di passi, dame e gentiluomini di corte si dirigevano ciascuno al proprio posto. Poi all'unisono, tutti si alzarono in piedi e restarono immobili: gli spettatori, l'orchestra e i reali. Pietro aveva aiutato Maria ad alzarsi e le stringeva la mano. Lei si guardava attorno. Nei palchi le donne, in abiti da sera ricchi e scollati come il suo, erano parate di gioielli. Gli uomini, dietro di loro, nel frac con sparato e cravatta bianca, sembravano pinguini impettiti. Dalla buca dell'orchestra salivano le note dell'inno nazionale.

Durante il primo intervallo Maria chiese di rimanere seduta, per godersi il pubblico. Ogni palco raccontava una storia. Nella loro fila c'erano soprattutto coppie anziane e arcigne: gli uomini – mingherlini o robusti, tutti molto dignitosi – erano seduti con aria rassegnata, mentre le mogli ingioiellate, binocolo alla mano, scrutavano il pubblico. In altri palchi c'era un gran movimento di giovani: ragazze fresche e sorridenti protese sul bordo per chiamare un amico, mentre i ragazzi, dietro di loro, facevano cenni di intesa a distanza ai loro conoscenti. Nei palchi dell'ultima generazione di arricchiti il luccichio di gioielli era abbagliante.

Maria guardava, guardava, guardava – gli occhi accesi, le guance arrossate. Sorrideva alla vita.

Qualcuno bussava alla porta. Pietro si alzò per andare a vedere chi fosse, il passo rigido denotava la sua irritazione. Poi, saluti e risate. "Ti presento Pasquale De Sanctis, un caro amico e compagno di collegio. È un gentiluomo di corte." Quello, rivolto a Maria, parlò compito: "Sua Maestà la regina vi ha notata e desidera conoscervi". Pietro scoppiava di fierezza. "Maria, andiamo!" Lei era confusa. L'altro le venne in aiuto: "Sua Maestà ha chiesto: 'Chi è quella bella signora elegante?'. Avevo riconosciuto Pietro accanto a voi, sapevo che sareste venuti a Napoli in viaggio di nozze, ed eccomi qui".

20.

Un viaggio di nozze felice che rischia di finire male

Pietro aveva organizzato il viaggio di nozze alternando periodi in cui si spostavano in automobile soli, visitando piccoli centri e godendo del paesaggio campestre, ai soggiorni nelle città principali, dove incontravano amici e conoscenti. A Maria piacque molto il viaggio in automobile – il primo della sua vita – da Napoli a Roma. Si fermavano in alberghetti e locande, mangiavano semplici ma gustosi piatti locali e facevano lunghe camminate a piedi. Le piaceva osservare quanto fosse facile per Pietro comunicare e mettere a proprio agio gli altri, inclusi i più umili. Pietro trattava tutti con gentilezza, educazione e rispetto. Anche se, quando si innervosiva, non aveva peli sulla lingua.

Maria non aveva ancora avuto modo di apprezzare la profonda conoscenza di Pietro della terracotta e dell'oreficeria romana e greca. Ma nell'itinerario lui aveva incluso luoghi in cui erano stati trovati alcuni reperti antichi entrati a far parte della collezione dei Sala e adesso le insegnava come si guarda un vaso, cosa cercarvi e come apprezzarlo e goderne. Da vero studioso, aveva con sé dei testi che consultava spesso; la incoraggiava a leggerli, ma senza farle pressioni. Camminare in campagna per Maria era una novità assoluta: i Marra non possedevano terreni e le rare vacanze nelle case di parenti non includevano quel genere di escursioni. A Paestum Pietro la guidò nella zona archeologica, a volte a passo lento, altre volte a passo sostenuto – i "cocci" che lui raccoglieva diventavano, dopo averlo ascoltato, oggetti evocativi e di studio, con una storia da raccontare. Le disse che qualche anno prima aveva passato un intero pomeriggio cercando di appattare i cocci di un vaso di creta nera con disegni rossi, trovati a fior di terra e in parte scavando: alla fine era riuscito a ricomporlo.

Rispettoso dei desideri di Maria, aveva impostato il viaggio in modo che lei potesse avere qualche ora per sé al pianoforte; la coinvolgeva nell'organizzazione delle giornate e chiedeva il suo parere prima di prendere decisioni che la riguardavano. A Maria piaceva stare da sola con Pietro; ogni giorno si conoscevano di più e meglio. Ma lui amava la vita sociale e cittadina, le conversazioni brillanti e tutte le forme di bellezza. E amava esibire la sua bella moglie, soprattutto dopo l'incontro con i reali al San Carlo.

La Isotta Fraschini era alle porte di Roma. Tirava un venticello fresco. Seduta nel sedile posteriore, Maria cercava calore sotto una grande stola di castoro, stretta a Pietro. Bastava quella vicinanza per eccitare il marito. Maria lo lasciava fare. Poi, quando era il momento, lui le prendeva la mano e la guidava su di sé. "Che cosa ti piacerebbe vedere a Roma?" le chiese a sorpresa, in un momento in cui lei non pensava ad altro che alle piccole e frequenti ondate di piacere che le lambivano il corpo montando su, su fino alla testa. "Il Colosseo e la basilica di San Pietro," rispose lei in fretta, presa alla sprovvista.

Fu subito accontentata. Leonardo ebbe ordine di parcheggiare davanti all'ingresso del Colosseo. Custodi e passanti circondarono la Isotta Fraschini lasciandoli indisturbati a girare nell'arena. Lo stesso accadde al Vaticano. Sia la basilica sia il Colosseo delusero molto Maria, proprio per la loro caratteristica più spiccata: l'imponenza. Si sentiva sperduta. Se ne vergognava, e continuava ad ascoltare Pietro che leggeva la guida a voce alta, senza uno sbadiglio. Ma anche lui non sembrava interessato. Dopo le due visite, Pietro suggerì di andare direttamente in albergo, per pranzare e riposare.

A tavola, Maria era silenziosa.

"Sei stanca?" chiese lui.

"No. Ma la basilica e il Colosseo mi hanno deluso, sono costruzioni troppo grandiose per i miei gusti. Preferisco quelle piccole."

"Non sai come mi gratificano le tue parole, io li detesto! Alla grandeur di edifici creati per intimidire il popolo preferisco un gioiello non più grande di un'unghia, frutto di mesi di lavoro." Pietro le prese la mano e vi stampò un bacio. "Ti avrei sposato anche soltanto per questo commento! Su, andiamo in camera."

A differenza di Napoli, Roma ospitava molti siciliani, assieme a tanta altra gente del Sud. Alcuni vi erano andati per gli studi universitari e vi avevano trovato lavoro, molti erano impiegati negli uffici statali, altri ancora facevano parte della corte dei parlamentari, pronti a raccogliere briciole o sostanziosi contratti e opportunità di guadagno. Roma era cresciuta enormemente dal 1870, e i nuovi quartieri residenziali erano molto interessanti. Leonardo li portava in giro e Maria, dal sedile posteriore, godeva di tutto ciò che vedeva come da un palco d'opera.

Pietro aveva fissato un pranzo alla Casina Valadier con un'altra coppia di sposi recenti, Angelo ed Emilia Formiggini. Si trattava di un vecchio amico editore e di sua moglie, una donna molto colta. Mentre salivano al Pincio, Pietro disse con una sorta di orgoglio riflesso che Emilia non solo aveva una laurea ma stava per conseguirne una seconda. Maria ne fu costernata. Le parole di Leonora, prima del matrimonio – *Con gli amici di tuo marito fingi di essere colta e intellettuale, non fargli fare brutta figura!* – le rimbombavano in testa.

Non sarebbe stata all'altezza di quella coppia – osò confessare a Pietro quasi tremante. "Allora io, che ho lasciato gli studi a diciassette anni, cosa dovrei dire?" le rispose lui. "Sono un autodidatta, e non me ne vergogno. Tu sei ben più colta e matura di tante ventenni diplomate e laureate. In ogni caso, l'ignoranza non è una colpa. Lo diventa per coloro che insistono nel rimanere ignoranti. Che non è il nostro caso."

Angelo Fortunato Formiggini proveniva da una ricca famiglia di banchieri ed era coetaneo di Pietro; sua moglie, Emilia Santamaria, era più giovane. Ambedue avevano in animo di approfondire i loro studi. Lui confessò, davanti alle pietanze appena servite, che carezzava un grande sogno: credeva nella fratellanza umana, nel superare le divisioni e le barriere tra gli uomini in campo etico, religioso, sociale e politico, e si era laureato con una tesi sugli elementi in comune tra ariani ed ebrei. Era necessario informare i nuovi lettori sulle confessioni religiose – "Chi mai sa cosa sia il Taoismo?" –, all'ateismo bisognava conferire dignità filosofica e all'ebraismo si dovevano offrire approfondimenti che smentissero tutte le banalità piccolo-borghesi. Dopo la militanza nell'associazione studentesca Corda Fratres – disse – aveva aderito a un'organizzazione di ispirazione massonica e cosmopolita, Lira e Spada, di cui era diventato Maestro. Si lisciava i baffi curatissimi e, dietro lo svettare dell'ampia fronte, si avvertiva un appassionato formicolare di idee. Si fece serio, squadrò i commensali e dichiarò: "Da bravo ebreo, credo fermamente che una risata possa risolvere tante situazioni". Gli altri tre risero insieme a lui.

Angelo pensava di prendere una seconda laurea in Filosofia all'Università di Bologna, con una tesi sulla filosofia del ridere: e come editore intendeva inaugurare una collana chiamata "I classici del ridere". Angelo e Pietro condividevano lo stesso senso dell'umorismo, e insieme lo sublimavano. "Io sono un pigro in confronto a te," diceva Pietro, "ma tutto ciò che volevo credo di averlo ottenuto, anche questa moglie meravigliosa; mi accontenterei di aggiungere altri gioielli alla collezione di antichità: per arricchire la collezione ed essere glorificato dalla bellezza di Maria."

Angelo rise: "Non ti credo... tranne che a proposito della pigrizia! Di questo posso testimoniare! Ma sei anche uno degli uomini più divertenti che conosca, le tue battute meriterebbero di essere raccolte in un volume!".

Maria accettò la proposta di Emilia di uscire insieme l'indomani. Nacque tra le due donne un'amicizia profonda e reciprocamente benefica. Emilia era attenta, discreta ma anche generosa di sé e del suo sapere: quando Maria disse che avrebbe desiderato diventare maestra ne fu entusiasta.

I Formiggini avevano casa a Roma, ma la loro residenza principale era a Modena, sede delle attività bancarie e di commercio di pietre preziose della famiglia. Si lasciarono con la promessa che i Sala sarebbero andati a Modena loro ospiti.

Un parente di Pietro che viveva tra Roma e Palermo li aveva accompagnati a visitare il palazzo di Montecitorio, trasformato in sede del parlamento da un architetto siciliano, Ernesto Basile, lo stesso che aveva progettato la villa dello zio Peppino Tummia. Maria non era mai stata tra tanti uomini eletti da altri uomini per governare la nazione e decidere anche sul bene delle donne, considerate incapaci di discernimento e dunque di votare. I politici che incontrò erano boriosi, supponenti, teatrali o eccessivamente ossequiosi. Parlavano a bassa voce per dare a intendere che stavano rivelando informazioni confidenziali, e poi alzavano il tono quando declamavano frasi dette più per le orecchie degli altri che per quelle di Pietro e Maria. Si consideravano una casta a parte ed erano privi di ironia.

A Maria parvero tutti strambi fin quando non li raggiunse il deputato che rappresentava Camagni: un principe palermitano. Aveva modi da gran signore e aveva iniziato a parlare degli scavi archeologici a Girgenti perché sapeva che lo zio di Pietro, insieme all'inglese Hardcastle, era tra i principali finanziatori. Ascoltava e si dimostrava interessato a ciò che dicevano. Gentilissimo con Maria, l'aveva portata in giro raccontandole la storia del palazzo rinascimentale e indicandole gli interventi architettonici di Basile. Al momento del baciamano, le aveva sussurrato: "Conobbi vostro padre anni fa. Una gran mente e un uomo di princìpi come pochi altri". Maria era rimasta incantata dal principe. Soltanto dopo, in automobile, si sovvenne di quanto il padre le aveva raccontato: ai tempi dei Fasci siciliani il principe faceva parte del governo di Crispi che aveva dichiarato lo stato di assedio e portato in Sicilia l'esercito e i tribunali militari. Come se non bastasse, si era fatto portavoce del crescente movimento tra i nobili a favore dell'abbandono della scuola obbligatoria, con la giustificazione che l'alfabetizzazione aveva già reso le masse instabili e aggressive e che in futuro avrebbe danneggiato ulteriormente la crescita della Sicilia e dell'intera nazione. Il padre le aveva detto anche che il principe era fortemente compromesso con la mafia, che lo aveva sostenuto.

Pietro e Maria erano invitati a cena da amici sposati. Le mogli, raffinate padrone di casa, si occupavano della felicità degli ospiti con leggerezza. "Impara, Maria," le diceva Pietro, al ritorno dalle serate particolarmente ben riuscite, "a Girgenti dovrai intrattenere tanta gente, anche sconosciuti."

A Modena furono ospiti di Angelo ed Emilia. Arrivarono in città prima di mezzogiorno. Viale Margherita, ampio e alberato, non sentiva ancora l'autunno. Accostarono con l'auto davanti alla cancellata di casa Formiggini, un grande palazzo a due piani con una lunga loggia che ingentiliva la facciata severa. Il personale di servizio aprì uno dei due cancelli e scaricò le valigie di cuoio.

In quei giorni Maria conobbe giovani mogli come lei, molto più moderne e disinvolte, spesso impegnate in attività culturali e filantropiche. Lei e Pietro furono accompagnati dai Formiggini in giro per la città, lungo le vie protette da bassi portici che sbucavano in piazze eleganti o in piccoli parchi. Da ultimo, andarono al Duomo. Maria notò in alto, tra i mattoni della facciata, decorazioni a bassorilievo simili a metope, che la turbarono: erano figure immaginarie e grottesche, talvolta anche oscene – una sirena a due code, un ermafrodita nudo a gambe larghe, un uomo che ingoiava un pesce... Non osò chiedere come e perché fossero state incorporate nella fabbrica del Duomo.

La Isotta Fraschini percorreva veloce la Via Emilia. Lasciata Modena, Pietro era diventato pensieroso. “Mio padre è anziano, e zio Giovannino desidera passare più tempo a Parigi... Dovrò assumermi la responsabilità delle miniere di zolfo,” mormorava, sovrappensiero. Poi, rivolto a lei, ad alta voce: “Maria, mi aiuterai?”. E infine, in un bisbiglio: “...anche a combattere i miei demoni?”.

Maria non aveva sentito. “Che cosa dici? Demoni?”

“Ne parleremo un'altra volta, non ora.” E Pietro cambiò rapidamente discorso.

Erano diretti a Crespi d'Adda, un paese di un migliaio di anime creato una ventina d'anni prima insieme alla filanda in cui i suoi abitanti avrebbero lavorato: un paese modello fondato dal proprietario per dare a operai e impiegati abitazioni dignitose accanto all'opificio e tutto ciò di cui avevano bisogno per vivere con dignità.

I Crespi erano imprenditori tessili; da generazioni possedevano filande in Lombardia. Avevano costruito il villaggio prendendo a modello quelli inglesi, con asilo e scuola per i figli delle operaie, ospedale, chiesa e spaccio alimentare. L'elegante castello poco distante dall'abitato era di loro proprietà.

La fabbrica consisteva di una sequenza di corpi bassi e due ciminiere alte come minareti. Spiccavano in mezzo alla campagna e dunque si potevano riconoscere anche da molto lontano. Rappresentavano il progresso portato dalla Rivoluzione industriale e davano al sonnolento contado un chiaro messaggio: ammirate, e svegliatevi!

Maria era incantata dalla vicinanza tra opificio e comunità e dalla gradevolezza dell'insieme. I corpi dell'opificio erano illeggiadriti da ringhiere e finiture in ferro battuto, aiuole fiorite fiancheggiavano le strade, larghe e ben tenute, le case in mattoni degli operai godevano ciascuna di un giardinetto, e nel centro del paese, accanto al bar, c'era un lavatoio pubblico protetto da una tettoia e attrezzato con banconi e vasche per sciacquare. Pietro aveva conosciuto Daniele Crespi durante un viaggio al Sud: aveva in animo di estendere l'azienda fuori dai confini lombardi, ma quel progetto si era arenato, come tanti altri. Lo descriveva a Maria come un giovane esuberante e simpaticissimo. Aveva studiato Chimica industriale e aveva contribuito con il fratello Silvio a mettere a punto le operazioni di finissaggio introducendo un processo di mercerizzazione chiamato Thomas Prevost; per questo era stato premiato dal Reale Istituto Lombardo di Scienze e Lettere. "Ama spendere, è magnifico nell'ospitalità e si gode la vita. La pinacoteca dei Crespi è una delle collezioni private più ricche di Milano. Silvio e Teresa ci aspettano per il tè al 'castello', la loro casa di villeggiatura estiva: è stata costruita secondo il gusto del revival medioevale."

Furono accolti con affetto e andarono subito al belvedere superiore, dal quale erano visibili le Prealpi lecchesi e tanta parte della vallata dell'Adda, poi presero il tè nel salotto blu, a piano terra, dove solitamente si faceva musica. Dalle ampie vetrate si coglieva il frusciare verdissimo delle foglie, il morbido e fresco balenio di luci a cui Maria non era abituata. La compostezza dei padroni di casa, e perfino del personale di servizio, rivelava consuetudini signorili che andavano di pari passo con la consapevolezza di un potere economico solidissimo, la stessa che era anche all'origine della volontà di fondare quel villaggio. I Crespi cercavano di mettere Maria a proprio agio; lo facevano con una severità tutta lombarda che in realtà confinava la giovane siciliana nella mera elargizione di sorrisi e commenti in punta di labbra, inudibili.

Lasciavano Crespi d'Adda in automobile. "È un mondo totalmente diverso dal nostro!" sospirava Maria, "irripetibile da noi in Sicilia."

"Concordo," rispose Pietro. "Noi viviamo in una realtà in cui il divario tra ricchi e poveri è incolmabile: lo Stato è considerato nemico, l'ordine pubblico è mantenuto dalla mafia, attraverso il sopruso e la violenza; i politici non hanno fede e nemmeno un obiettivo che non sia il loro interesse economico: si vendono per una poltrona al governo. I poveri, sfruttati dai padroni e dalla mafia stessa, soffrono la fame; la loro salvezza è l'emigrazione. Siamo un popolo dannato." Poi si lasciò andare contro il sedile e Maria gli appoggiò la testa sulla spalla. Ricordava di aver sentito più o meno le stesse parole da suo padre. Ma lui si scoraggiava soltanto dopo aver perduto una battaglia, e poi era pronto a intraprenderne un'altra, per l'uguaglianza, e per dare l'opportunità ai poveri di vivere meglio.

Il viaggio continuò nel Veneto. A Padova, mentre erano seduti nella loro sala da pranzo, serviti da Rosalia, Pietro annunciò che avrebbero iniziato il viaggio di ritorno. Maria ne fu sorpresa: dava per scontato che sarebbero andati anche a Venezia ed espresse il desiderio di visitarla: "Credevo che ci saremmo andati, me ne avevi parlato tanto".

"Non ci andremo," disse Pietro bruscamente. E bevve a grandi sorsi il vino che aveva nel bicchiere. Era la prima volta che non accontentava un suo desiderio e che usava quel tono con lei. Maria c'era rimasta molto male. "Peccato..." mormorò. Lo guardava, certa di ricevere una spiegazione plausibile e gradevole, ma incontrò uno sguardo cupo. Finché Pietro gettò il tovagliolo sulla tavola e scattò in piedi, spingendo indietro la seggiola.

"Andate!" ingiunse poi a Rosalia, che aveva iniziato a raccogliere i piatti. Lei si fermò, interdetta. "Itivinni!" le urlò allora, facendola scappare con il volto infuocato.

Imbarazzata, Maria aveva abbassato lo sguardo sul cestino del pane, ormai solitario al centro della tavola, come se potesse consolarla. Pietro si riempì di nuovo il bicchiere, di nuovo lo vuotò e prese a camminare a grandi passi su e giù lungo la parete su cui si apriva il balcone. Maria non riusciva a spiegarsi il comportamento di Pietro con Rosalia, lui che era sempre cortese e rispettoso con le persone di servizio. Quella mattina avevano visitato il giardino botanico, impiantato nel Rinascimento – "Il più antico del mondo," aveva spiegato la guida –, e lui era stato molto affettuoso: aveva segnato sul taccuino i nomi di diverse piante che le erano piaciute, per comprarle e metterle a dimora nel giardino di Girgenti. Maria cercava motivi per il malumore di Pietro e non ne trovava nemmeno uno. A forza di pensare, le tornò in mente che Leonora aveva alluso più di una volta alle amanti di Pietro e al suo passato. Pietro stesso le aveva detto di aver avuto molte donne. Forse aveva un'amante a Venezia e voleva evitare che Maria la incontrasse, magari per caso? Bastò quel pensiero per farla sciogliere in lagrime.

Lui intanto si era fermato davanti al balcone. Guardava fuori, teso, fremente; poi riprese a fare su e giù, senza degnarla di uno sguardo. Maria ebbe paura, e scoppiò in singhiozzi, coprendosi la bocca con il tovagliolo per fare meno rumore possibile.

"Che piangi a fare?" Pietro si era fermato; la guardava come se fosse una nemica. I singhiozzi divennero più forti. "Che piangi a fare?!" ripeté, e si piazzò davanti a lei.

Maria, lagrimando, gli spiegò il suo sospetto, anzi la certezza, che lui non volesse portarla a Venezia perché lì viveva una donna che lui amava ancora, più di quanto amasse lei, sua moglie.

"Non c'è nessuna donna!" E Pietro confessò rabbioso di non voler andare a Venezia per via del casinò. "Il gioco mi piace moltissimo!" esclamò. "Capisci?! Moltissimo!" E rimase in attesa della reazione di Maria. Che lo spiazzò completamente. Subito calma, lei aveva allungato il braccio, la mano aperta per ricevere quella di lui. "Lo sapevo, Pietro, che ti piace giocare. Scusami tanto, ma avevo temuto il peggio." E accennò un sorrisetto impacciato.

Pietro si tirò indietro: l'innocenza di Maria era repellente. Lanciò il bicchiere contro il muro, frantumandolo.

A quel rumore secco, Leonardo, rimasto nell'anticamera con Rosalia, aveva spalancato la porta senza bussare e si era dato da fare immediatamente per raccogliere i pezzi di vetro da terra. Pietro, nel frattempo, aveva lasciato la stanza.

Maria era rimasta immobile, seduta a schiena dritta, i polsi sulla tovaglia, come se aspettasse di essere servita; grosse lagrime le scorrevano sulle guance e cadevano sulla tovaglia bianca.

Leonardo la guardò di sguincio, preoccupato. Quando ebbe finito di raccogliere i cocci, chiamò Rosalia e le lasciò sole.

Maria non volle parlare del marito, ma gradì le attenzioni discrete di Rosalia, che le aveva preso le mani, e, trovandole fredde, le chiedeva se volesse un massaggio. "Lo faccio sempre a Leonardo, quando ritorna dopo aver guidato senza guanti. Ogni volta gli ricordo di metterseli, ma non mi dà conto. E torna con le dita agghiacciate!"

Senza parlare, Maria lasciò le mani tra le sue. Mentre le faceva quel massaggio delicato, calmante, Rosalia suggerì che andasse a riposare; ci volle tempo per persuaderla a ritirarsi in camera da letto, aveva paura che Pietro fosse di ritorno. E quando finalmente Maria si convinse a distendersi sul letto, non volle spogliarsi. Rosalia, senza dire parola, le accarezzava i piedi scalzi con dita leggere e sapienti: era brava a fare i massaggi, e Maria – con gli occhi chiusi – iniziava a rilassarsi. Poi la pena ritornava, spietata. Perché Pietro l'aveva trattata in quel modo? Rosalia la sentiva, quella pena che irrigidiva i muscoli, e posava le mani calde sulle caviglie sottili. Poi, il suono del campanello della porta d'ingresso. Maria sussultò, si tirò indietro e sedette contro la spalliera, tirandosi giù la gonna per nascondere i piedi scalzi. Che fosse Pietro? I grandi occhi tristi tradivano la paura. Ma era il cameriere del piano, portava un vassoio con sopra un pacco postale. Maria lo prese, ansiosa. Giosuè, in risposta alla sua richiesta di migliorare la conoscenza del latino, le scriveva:

Ti mando i "Carmina" di Catullo, con il testo italiano a fronte. Avrei esitato a mandarteli prima; ora che sei una donna maritata, penso che li apprezzerai.

Maria guardava il libriccino. Voleva sfogliarlo, ma non lì. Si aprì da solo sul Carme 86:

Odi et amo. Quare id faciam, fortasse requiris.
Nescio, sed fieri sentio et excrucior.

"Vado a leggerlo giù, nella veranda," disse scendendo dal letto. Permise a Rosalia di aiutarla a rassettarsi e acconsentì a passarsi un velo di polvere di riso. Quando fu pronta le chiese esitante: "Potresti accompagnarmi?".

Rosalia si allontanava pensierosa e a cuore stretto dalla padroncina, come lei e Leonardo chiamavano Maria nell'intimità. Prima di rientrare nella hall, si era girata a guardarla: sprofondata in una poltrona di vimini nella veranda, lo sguardo sul gazebo coperto di rose rampicanti in piena fioritura, come se l'autunno fosse ancora lontano, Maria stringeva in mano il libro dalla copertina di marocchino rosso. Era una giovane donna sola e coraggiosa. Rosalia non avrebbe voluto lasciarla. Poi Maria aprì il libro e lei ritornò dal marito che l'aspettava per mangiare.

Dopo meno di un'ora, Rosalia era ritornata nella veranda. Trovò Maria con il libro aperto in grembo, il capo abbandonato sulla spalliera, gli occhi chiusi, come se dormisse. Curiosa, Rosalia lesse la traduzione italiana:

Viviamo, mia Lesbia, ed amiamo,
e ogni mormorio perfido dei vecchi
valga per noi la più vile moneta.
Il giorno può morire e poi risorgere,
ma quando muore il nostro breve giorno,
una notte infinita dormiremo.
Tu dammi mille baci, e quindi cento.

Maria era sveglia e sussultò quando si accorse della presenza di Rosalia. Poi la seguì obbediente in camera.

Appena entrata, fu assalita da un profumo potente: la stanza era piena di mazzi di rose e gladioli bianchi. Sul letto, una busta. Maria la aprì, riluttante:

Perdonami, angelo mio. Domani ci aspetta Venezia.

21.

Ritorno in Sicilia

La nave aveva lasciato il porto. Il sole era quasi completamente tramontato; nel cielo rimanevano le ultime pennellate di un rosso violaceo. Il Maschio Angioino dominava cupo la città luccicante alle sue spalle. "Contenta di ritornare a casa?"

Erano sul ponte. Pietro, avvolto nel cappotto di cachemire, cingeva con un braccio le spalle di Maria. In mano, lei teneva ancora *Le pietre di Venezia* di John Ruskin, il libro che l'aveva accompagnata durante la permanenza in laguna. Un libro prezioso che le aveva suggerito, nello stesso istante in cui ne scopriva la bellezza, un'interpretazione fascinosa intrigante di quella stessa bellezza. "Sì e no. Sono un po' triste. Mi piace stare sola con te: ogni giorno mi hai mostrato qualcosa di nuovo e di bello." La mano guantata di Maria cercò la sua.

"Resteremo a Fara soltanto qualche settimana, poi saremo di nuovo soli, a casa nostra," la rassicurò. "Intanto godiamoci la vista di Napoli che si allontana!"

Il mare era piatto. Avevano scelto un piroscafo da crociera di lusso, anziché il traghetto. Adesso, seduti a tavola, leggevano il menu. Era entrata una coppia e Pietro si era alzato facendo segno di avvicinarsi. "Da qui si gode la vista migliore, venite al nostro tavolo!" Miguel e Dolores Flores avevano soggiornato nel loro stesso albergo a Firenze e avevano stretto amicizia. Miguel aveva offerto più di una volta a Pietro i suoi sigari – a Cuba possedeva piantagioni di tabacco e una piccola fabbrica – e lui voleva cogliere l'occasione per ricambiare la cortesia. I Flores vivevano all'Avana; ogni agosto accompagnavano i quattro figli maggiori in collegio a Barcellona e rientravano a Cuba alla fine di novembre, dopo un giro in Europa. Maria non si trovava a suo agio con Miguel – aveva un piglio aggressivo –, mentre nonostante la differenza di età stava bene con Dolores; avevano in comune l'amore per la musica e la passione per il ricamo.

Quel giorno i Flores avevano ricevuto la notizia che il piroscafo diretto a Cuba, a bordo del quale si trovavano gli acquisti fatti durante il viaggio, era colato a picco per un'avaria dei motori. I passeggeri delle prime tre classi si erano salvati sulle scialuppe, mentre i poveracci nella stiva erano affondati con il piroscafo. "La perdita delle casse dei nostri acquisti non mi turba, erano solo cose," diceva Miguel, "mi turba quella della 'merce umana', come la chiamano: in settecento pigiati nella stiva, chiusi come animali! Morti! Di loro non si saprà nulla: i giornali ometteranno di riportare il numero delle vittime, i parenti crederanno di essere stati dimenticati. Una morte prevedibile e forse addirittura prevista. Conosco il capitano, e me lo aveva detto: avevano imbarcato trecento persone in più del dovuto e quello sarebbe stato l'ultimo viaggio del piroscafo prima di essere dismesso!"

Da quando, una ventina di anni prima, la lunga crisi economica aveva costretto molti a emigrare nelle Americhe, armatori avidi di profitti e privi di coscienza operavano sulle tratte con piroscafi in disarmo, i vascelli della morte. Poiché non potevano più trasportare merce – il costo dell'assicurazione sarebbe stato altissimo –, ripiegavano sui passeggeri, gli emigranti: arrivavano a destinazione decimati dalle morti per fame, asfissia o malattia. Secondo Miguel, tutto ciò avveniva con la connivenza dei governi europei. Inoltre, gli armatori non si facevano scrupolo, quando i motori andavano in avaria e bisognava alleggerire il cargo, di gettare a mare i malati e anche i sani. "Omicidi intenzionali di poveracci," diceva cupo. "Gente emigrata nella speranza di una vita migliore, dopo essersi pagata il viaggio con i risparmi o prendendo denari in prestito. Il mio bisnonno era uno di loro, veniva dalla Galizia!"

Maria ascoltava sbalordita: pensava che gli emigranti morissero di malattia, non immaginava che dietro quelle morti ci fosse una negligenza a scopo di lucro, omicidi veri e propri. Pietro la osservava, preoccupato; incrociarono gli sguardi, e Maria cercò di concentrarsi sui suoi compiti di anfitriona. Ma non riusciva a togliersi dalla mente i volti dei paesani di Camagni che avevano lasciato la Sicilia per emigrare in America, e quelli dei loro parenti, che non avendone notizie si consolavano pensando che avessero fatto fortuna e non avessero il tempo di scrivere a casa. E invece, a quanto diceva Miguel, era molto probabile che fossero morti in una stiva o annegati durante un naufragio, o addirittura gettati in mare per alleggerire la nave.

La sera, in cabina, Pietro fu più premuroso del solito e fece di tutto per farla sorridere. Maria ricambiò il suo amore non soltanto con gratitudine, ma con vero affetto.

La casa di Girgenti era lungi dall'essere pronta. I lavori erano andati a rilento, anche per colpa di Pietro: durante il viaggio in Italia aveva ordinato mattonelle di ceramica a Vietri, lampadari di vetro a Venezia e di ferro battuto in Lombardia, armadi a muro, vetrate e infissi, molti dei quali non erano ancora arrivati. Ben presto fu chiaro che sarebbero rimasti a Fara almeno fino a Pasqua. A Maria non dispiaceva: avrebbe avuto l'opportunità di conoscere meglio la sua nuova famiglia. Pietro invece era visibilmente contrariato, ed ebbe alcune discussioni a porte chiuse con il padre e zio Giovannino che lo lasciarono di malumore. Maria non capiva bene cosa fosse successo; poi si era resa conto dalle mezze parole del suocero e delle cognate che Pietro aveva ecceduto nelle spese. Lei se ne sentiva in parte responsabile: Pietro l'aveva coperta di regali costosi. Glielo aveva fatto notare Leonora, quando era andata a trovarla. Maria l'aveva portata nella sua camera per mostrargliene alcuni. "Quattro anni di stipendio di mio padre, sarà costato questo ben di Dio!" aveva esclamato la cugina. "Bello ricco te lo sei trovato!" Maria c'era rimasta male e si era ripromessa di non mostrare a nessun'altra quei regali.

Aveva fatto bene, perché le cognate morivano dalla curiosità; lei teneva duro, indossando quando loro venivano in visita soltanto i regali ricevuti durante il fidanzamento ed evitando di rispondere alle domande dirette, con un "Posso offrirti un altro dolcino?", "Che freddo! Ci spostiamo vicino al camino?", "Non ricordo di essere stata in quel negozio...".

Pietro andava a Girgenti per controllare i lavori e spesso ritornava nervoso; parlava con il padre e ambedue poi, a pranzo, erano tesi. Sembrava che zia Giacomina e zio Giovannino non ci facessero caso. Maria pensava che, nonostante nella sua famiglia andasse diversamente, i rapporti tra genitori e figli fossero per natura difficili e segnati da incomprensioni.

Maria passava la prima mattinata studiando e suonando il pianoforte. Certe volte il suocero l'ascoltava quando suonava: aveva un orecchio perfetto e conosceva molto bene l'opera e la musica classica. Le suggeriva di suonare i *Notturni* di Chopin a lui cari, e Maria li studiava, se non li conosceva già.

Suonava per il suocero quando entrò Pietro, di ritorno da Girgenti. Era contrariato. "Ducrot ha portato tutta la mobilia della sala da pranzo, lambrì, credenze, cristalliere, tavolo e ventisei sedie. Il giallo dell'acero è della tonalità sbagliata! Troppo chiaro! Dovremo farli portare via e aspettare che li rifacciano, ci vorranno mesi!" esclamò. "Loro sostengono che la tonalità è quella che avevo approvato io!" Cercò lo sguardo del padre.

"Quei mobili erano già carissimi, farli rifare costerebbe una fortuna," osservò questi.

"Gli dirò che non pagherò una lira in più: è colpa loro!"

"Hai il campione del legno scelto da te?"

"No, avevo spiegato e fatto vedere sul catalogo la tinta che volevo."

"Avevi controllato sull'ordine la specifica del colore?"

"Sapete che ero in viaggio di nozze e che non avevo modo di controllare niente!"

Non c'era affetto in quello scambio di opinioni, Maria lo vedeva benissimo. "Pietro, ascoltami," intervenne. "Eravamo insieme quando li abbiamo scelti. Non si potrebbe trovare un ebanista che scurisca il colore? Non è difficile. Mio padre aveva una sedia a sdraio di acero, anche quella troppo chiara, e ci fece passare una mano di olio scuro... venne proprio come la voleva lui."

Pietro ascoltava, sorpreso e infastidito.

"Facciamo contenta Maria, chiamiamo mastro Cipolla, l'ebanista," suggerì il padre.

"Signor padre," intervenne lei, "sapete quanto costa la giornata di mastro Cipolla?"

Il suocero non ne aveva idea. Maria incalzava: "Mio padre ha un bravo falegname, don Michele Asaro, che è anche ebanista. Il suo compenso è tre lire e cinquanta centesimi al giorno ed è disposto ad andare a lavorare fuori paese. Chiede vitto e alloggio, se si porta i garzoni dormono tutti insieme in una stanza". Fece una pausa, per dargli modo di riflettere. "È molto bravo: una volta insertata la tonalità giusta, potrebbe affidare ai garzoni la lavorazione degli interni dei cassetti e degli armadi e il dietro dei mobili: prendono quaranta centesimi al giorno ed eseguono gli ordini con precisione!"

Da allora il suocero trattò Maria in modo diverso: rispettava la sua opinione e spesso la sollecitava, la osservava compiaciuto quando parlava con le persone di casa e gli estranei che lavoravano per loro. Gli piaceva l'attenzione con cui li ascoltava, e poi la risposta pensata, data con voce ferma ma pacata, la chiarezza con cui spiegava cosa desiderava, specificando quando e come si aspettava che fosse eseguito.

Quando gli capitava di trovarla sola, a ricamare o a leggere, sedeva accanto a lei e alla prima opportunità le parlava di quello che sarebbe stato il suo "lavoro": amministrare i beni di famiglia che sarebbero passati a Pietro in eredità. Le spiegava le differenze delle colture tra le terre di pianura – a maggese, alternando frumento, avena o orzo e pascolo ogni tre anni – e quelle di collina, a pascolo o alberato di ulivi, mandorli e pistacchi. Accennava alle attività delle miniere di zolfo – dal lavoro dei minatori sottoterra a quello in superficie, fino all'imbarco sulle navi che avrebbero portato il minerale agli acquirenti stranieri. Altre volte le parlava dell'amministrazione di casa e menzionava le imposte che gravavano sui redditi di famiglia.

Era un mondo nuovo, e Maria era pronta a conoscerlo e a fare quello che il suocero si aspettava da lei. La carenza di denari le aveva insegnato a evitare gli sprechi, a dare un valore a tutto ciò che si ha e si consuma. Il suocero cominciò a invitarla nello studio, dapprima con la scusa di mostrarle la sua collezione di oggetti giapponesi d'avorio, ambra, pietra o legno, chiamati Netsuke: piccole sculture di dragoni, piante esotiche e personaggi mitologici, non più grandi di un bottone, forate da due buchi attraverso i quali passava un cordoncino di seta con cui gli uomini assicuravano alla cintura del kimono la scatola del tabacco, le medicine e la pipa. Aveva iniziato a collezionarli da giovane: li aveva visti all'Esposizione Internazionale di Parigi nel 1867, dove erano apparsi per la prima volta in Occidente, e se n'era innamorato. Giovannino glieli portava in regalo dai suoi viaggi in Europa. Mentre raccontava, il suocero prendeva ora un Netsuke ora un altro e li carezzava con i polpastrelli come se ciascuno avesse un'anima e una storia, e potesse rispondere a quelle carezze. Non tralasciava di osservare le reazioni di Maria e "leggeva" nel suo animo. Lei sentiva che il suocero le si stava affezionando come lei si stava affezionando a lui. Avrebbe voluto abbracciarlo, ma non osava: lui sfuggiva i contatti diretti. Lei lo salutava inchinandosi e prendendogli la mano per baciargliela: lui si schermiva, secondo la consuetudine moderna.

Un giorno il suocero tirò fuori da un cassetto l'album di

fotografie di famiglia: era grosso, rilegato in marocchino con fregi dorati. Sotto ogni fotografia erano stati scritti i nomi di chi vi compariva e la data di nascita e di morte. "Guardalo. Se io non ci fossi più, sarebbe bene che i tuoi figli conoscessero la gente da cui provengono." Maria arrossì. A ogni ciclo di mestruo si dispiaceva: desiderava tanto un figlio. Non capiva perché non rimanesse incinta, ma non osava parlarne con Pietro e nemmeno con la madre. Ogni volta che andava a Camagni, amiche e parenti chiedevano: "Novità?", alludendo a quella maternità che le sfuggiva. Maria non mostrò a Pietro l'album di fotografie, perché ce n'erano molte di sua madre prima della pazzia. E Pietro di sua madre non parlava mai.

Maria non ebbe l'opportunità di conoscere meglio zio Giovannino, perché in quei mesi era lontano, forse a Parigi o forse semplicemente a Palermo. Era invece riuscita a stabilire un rapporto con la madre di Pietro. Saliva nelle sue stanze nel primo pomeriggio, quando Pietro non era in casa e gli altri riposavano. La suocera stava in poltrona, la testa abbandonata sulla spalliera, spossata dal far niente. Accanto a lei, due ceste di lana: una colma di matasse a destra; a sinistra, l'altra con i gomitoli pronti. La sua attività consisteva nel trasformare le soffici matasse in gomitoli: le due monache che la assistevano erano svelte a farne nuovamente matasse, che rimettevano nella cesta di destra, in un ciclo destinato a non avere fine.

Altre due monache sedute accanto alla finestra mormoravano giaculatorie e rosari, e sferruzzavano calzette, adoperando tre ferri; si tenevano a distanza da lei, che con i ferri avrebbe potuto far male a se stessa e agli altri. Maria le sedeva accanto su un poggiapiedi. Sembrava una ragazzina che giocava con i colori: avvolgeva insieme due o tre fili di lana e formava bei gomitoli variopinti. La suocera interrompeva il suo affannato lavorio e la osservava. Quando Maria finiva il gomitolo glielo porgeva. Lei lo prendeva in mano e con il dito seguiva un colore come se fosse il filo d'Arianna che l'avrebbe portata alla libertà, fuori, lontano da quella casa-prigione.

All'inizio la suocera non le rivolgeva la parola. Poi prese a chiamarla "bedda picciotta"; talvolta, mentre ambedue avvolgevano lana, la fissava con uno sguardo che sembrava quasi normale. Più di tutto sembrava piacerle quando Maria faceva la cordella, usando il dito indice al posto dell'uncinetto. "Ve lo insegno?" chiese Maria. E lei annuì. Cominciò esitante, come se stesse ripescando dalla memoria movimenti antichi, poi più sicura. Presero così a fare la cordella insieme, ciascuna con la propria lana; ogni tanto, a Maria sembrava persino che la suocera le sorridesse.

Maria aveva cercato di coinvolgere anche zia Giacomina nella conversazione, nei lavori o nella musica. Ma era chiaro che la zia non l'aveva in simpatia, e dopo qualche tentativo desistette.

Pietro la portava in gita. Talvolta si avventuravano fino al mare. Facevano lunghe passeggiate sul bagnasciuga, abbracciati. Era la prima volta che Maria andava sulla spiaggia. Le piaceva sentire sotto i piedi la consistenza soffice della sabbia. A volte raggiungevano siti archeologici, anche lontani, e luoghi abbandonati dove erano stati rinvenuti i reperti della loro collezione di antichità. Al ritorno da quelle passeggiate, Leonardo faceva trovare aperti accanto alla Isotta Fraschini sedie e tavolino pieghevoli, il tavolino conzato con tanto di tovaglietta, tazze, piattini, posate e tovaglioli per una bevanda calda – tè, caffè, camomilla, acqua e alloro – che lui preparava sul fornello a gas. Poi ritornavano a Fara nel sedile posteriore, stretti sotto una coperta che li riparava dal vento. Le carezze di Pietro erano deliziose.

Pietro seguiva assiduamente i lavori nella casa di Girgenti e la portava spesso con sé per avere la sua opinione. Quando aveva bisogno di denari il padre faceva resistenza, ma poi cedeva. Pietro aveva spiegato a Maria che denari in famiglia ce n'erano, eccome, ma le sorelle erano avide e gelose di lui, e il padre fingeva di voler contenere le spese per evitare scene di gelosia, in particolare da parte di Sistina. Zia Giacomina invece era dalla parte delle nipoti, ma non dava loro un soldo: il grosso dei suoi denari era già stato destinato alla ricostruzione della cupola della Matrice.

Pasqua era vicina, i lavori stavano per terminare. Maria andava a Girgenti quasi tutti i giorni. Voleva conoscere bene il palazzo in cui avrebbe vissuto, dalle scuderie alle stanze dei dipendenti: cocchieri, stallieri, portiere e persone di servizio. Pietro lasciò che il mastro le facesse fare il giro dei tre ammezzati del loro piano, dove alla bisogna avrebbero alloggiato anche tappezzieri, materassai, pittori, falegnami, autisti degli ospiti. Le stanze, grandi e poco luminose (le finestrelle davano sui pozzi di luce), erano fredde: non c'erano camini né stufe. Ogni ammezzato era privo di stanza da bagno o gabinetto, c'era solo un rubinetto di acqua fredda.

Quando Maria lo fece notare al mastro, questi rispose che avrebbe dovuto farvi portare dei cantari.

"Ma dove si lavano?"

Il mastro la guardò di traverso: "Come tutti noi: dove vogliono. Basta portarsi un cato d'acqua e un bacile".

Maria era arrabbiata con se stessa e mortificata per non essersi occupata sin dall'inizio degli alloggi delle persone di servizio: ora avrebbe causato ulteriori spese e un nuovo rinvio del trasloco. Era risentita con i Sala, Pietro incluso, che trattavano i dipendenti in quel modo incivile. Bisognava portare l'acqua a ciascun ammezzato e realizzare un impianto che collegasse cisterne, lavandini, semicupi e cessi con sciacquo.

Pietro, che attraversava un periodo di malinconia, fu subito d'accordo e si rammaricò di non averci pensato prima. Maria stessa volle parlarne con il suocero, da sola. Ne aveva accennato anche a Giosuè, nella loro corrispondenza settimanale. Lui l'aveva informata che il presidente del Consiglio dei ministri, il piemontese Giolitti, aveva promulgato leggi sul lavoro per la protezione dei bambini e delle donne: tutti, qualunque mestiere facessero, avevano diritto al riposo settimanale e a essere trattati con umanità.

Forte delle informazioni ricevute, Maria aveva preparato con cura il discorso da fare al suocero: gli avrebbe spiegato che avrebbe scelto come cameriere ragazze giovani e pure, che andavano a lavorare in casa d'altri per guadagnare i denari necessari a mettere insieme il corredo. Lei, da padrona, aveva una posizione di responsabilità nei loro riguardi e avrebbe cercato di educarle a essere brave mogli. Voleva che si sentissero non inferiori, ma semplicemente subalterne. Voleva che avessero stanze gradevoli, con tutto ciò che lei, da padrona, riteneva essenziale nella vita civile: un letto comodo e servizi igienici, acqua corrente calda e fredda.

Incontrarono il suocero per le scale, nel pomeriggio: anche lui stava rincasando, e quando lei gli chiese di parlargli la invitò a seguirlo nello studio. Maria rimase in piedi e parlò di slancio, dimenticando il discorso che si era preparata: "Sono stata a Girgenti. Nelle stanze delle persone di servizio mancano l'acqua corrente e il gabinetto. Non posso godere casa mia sapendo che chi la pulisce e mi serve a tavola non ha un gabinetto e non può lavarsi come faccio io. Non è giusto!" E arrossì per la propria audacia.

"Ragione hai, bedda mia," sospirò il suocero. "Darò ordine che si faccia come tu ritieni opportuno."

22.

La nascita di Anna nella casa di Girgenti

La casa di Girgenti fu aperta esattamente un anno dopo le nozze. Maria e Pietro avevano lavorato insieme molto, e bene. Da soli avevano messo a posto le bacheche delle stanze di rappresentanza che ospitavano la collezione di reperti greci – vasi, crateri, ampolle, anfore, statuette – e la stupenda collezione di ori e pietre preziose della Magna Grecia, regalo di nozze di zio Giovannino. Pietro apriva con delicatezza l'involucro di carta e bambagia in cui ciascun pezzo era stato impacchettato, prima del matrimonio; mostrava ogni reperto a Maria e gliene spiegava origine, uso e caratteristiche. Poi decidevano dove e come esporlo. La conoscenza e l'amore per il bello che Maria assorbiva da Pietro, però, non le bastavano: le mancava la certezza di diventare madre.

Inaugurarono la casa rimodernata con un pranzo a cui avevano invitato le rispettive famiglie: il tavolo era stato allungato al massimo della capienza e la sala da pranzo, illuminata da lampadine elettriche distribuite dentro i cassettoni della volta, era un fulgore. Maria indossava uno degli abiti comprati a Napoli e si comportava da padrona di casa attenta e disinvolta, sotto lo sguardo fiero di Pietro. Le cognate riuscirono a contenere l'invidia, ma il giorno dopo stillarono il loro veleno a Girgenti, Camagni e Naro.

Pietro aveva speso senza risparmio!

E quella cognata giovane e arrinanzata aveva abbindolato

il loro padre con le sue moine, al punto da costringerlo a spendere altri denari per dare un bagno con l'acqua corrente calda e fredda alle cameriere sue! Mentre tutti sapevano che, a Camagni, suo padre e sua madre tenevano la tinozza del bagno nella camera da letto!

Da dove le venivano tutte quelle arie, a Maria?

O era diventata una socialista e voleva trattare le cameriere meglio di sua madre? Certo era che, oltre alla camera da letto con baldacchino, dormeuse e armadi in stile Luigi XVI, aveva una stanza da bagno rivestita di piastrelle, un boudoir e un salotto tutto per lei con tanto di pianoforte personale! Il loro fratello, invece, aveva solo lo spogliatoio con un sommier e un bagno-doccia.

Dal momento che i Sala erano ben noti nella cittadina e Pietro frequentava i circoli e giocava a carte, l'inserimento di Maria nella società del capoluogo non era stato difficile. Ma lei era timida e ritrosa: amava stare da sola, in casa. E studiava. La corrispondenza con Giosuè continuava fitta: un misto di compiti e descrizioni delle loro nuove vite – Giosuè godeva in pieno le opportunità offerte dall'Accademia Militare e dalla città di Modena – e del mondo in generale. Ormai libera di suonare quando voleva, Maria si esercitava su spartiti di Schubert e Čajkovskij – una nuova scoperta. Come a Camagni, aveva un suo pubblico: i proprietari dei banchi di merce usata nella piazza della chiesa del Purgatorio, su cui si affacciava la stanza del pianoforte. Anche quelli, come gli abitanti di Camagni, stavano ad ascoltare rapiti, le chiedevano il bis o addirittura urlavano il titolo del pezzo – molto spesso canzoni – che desideravano suonasse.

Pietro invitava amici e conoscenti in visita e a pranzo; i commenti erano svariati, ma tutti concordavano su un punto: la casa di Pietro e Maria era "l'appartamento moderno più bello di Girgenti". Ricevevano ospiti da fuori: vecchi amici di Pietro e nuovi amici conosciuti in viaggio di nozze.

C'era chi, venuto a sapere della loro collezione, desiderava vederla. Maria, ben istruita, era pronta a fare da guida. C'era poi un altro progetto in cantiere: Pietro voleva restaurare Fuma Vecchia e aveva iniziato i lavori esterni. Intendeva inoltre partire per un breve viaggio in continente, da solo, per andare a un'asta di antichità.

Maria era delusa per la mancata gravidanza. Nella camera da letto c'era già una culla a dondolo, altissima, con un velo di tulle che cadeva fino a terra – pronta all'uso. Lei la guardava ogni mattina e ogni sera, speranzosa. Non aveva il coraggio di parlarne con Pietro, perché temeva di essere sterile. Finalmente gliene accennò una sera, imbarazzata. Chiese se non era il momento di accompagnarlo nel continente, per consultare un bravo medico.

"Io voglio un figlio. E tu?"

"Aspettavo che tu fossi pronta, Maria," rispose lui, "e che mi accettassi per come sono: uno che ama la vita e il bello, che non ha mai avuto l'amore di una madre e che gioca d'azzardo. Ma che ti ama più di qualsiasi altra donna al mondo."

Maria concepì subito. Felice di essere incinta, ne informò giubilante Giosuè, nella sua lettera settimanale. Lui non le rispose: era la prima volta, ma Maria non ci fece caso – Giosuè era impegnato con gli studi del biennio all'Accademia di Modena: aveva altro a cui pensare!

Dopo due settimane di silenzio, Maria gli scrisse di nuovo, preoccupata. *Congratulazioni*, rispose stringato lui. Presa dalla prossima maternità, lei sorvolò sull'inusuale freddezza.

Pietro cercava di non lasciarla sola a Girgenti. Titina le mandava Egle e Maricchia, oppure lei andava ospite dei genitori a Camagni, dove rivedeva i fratelli. Pietro la raggiungeva per seguire i lavori a Fuma Vecchia; era malinconico. "Spero di essere un buon padre per questa creatura," le diceva. Oppure: "Quando ti vedo così contenta con i tuoi, qui, mi rendo conto di averti tolta alla tua famiglia per dartene un'altra di gran lunga inferiore". E ripeteva: "Spero che non venga come me, se è maschio". Poi si distraeva e ritornava allegro.

Pietro era partito per il suo viaggio lasciando Maria, di cinque mesi, bella come un fiore e in ottima salute, con il compito di seguire l'andamento dei lavori a Fuma Vecchia. Sarebbe ritornato dopo qualche settimana. A Maria non dispiaceva quella disposizione fanciullesca al gioco in cui leggeva il suo essere orfano di madre, ma soprattutto Pietro aveva dimostrato di sapervi rinunciare e dunque di non esserne dipendente.

Lei era andata a stare dai genitori a Camagni, ma una volta arredata Fuma Vecchia, volle ritornare a Girgenti. Egle e Maricchia la accompagnarono. Furono settimane felici. Maria ripassava le lezioni e ricamava con Egle le copertine per il bebè, nonostante zia Giacomina si fosse presa il compito di far ricamare l'intero corredino dalle monache del convento. Da Pietro riceveva posta in maniera irregolare, talvolta lettere a singhiozzo, altre volte una sfilza di telegrammi. Frattanto era entrata nel settimo mese e aspettava la visita di Giosuè, che aveva chiesto la licenza per essere con lei durante gli esami per il diploma di maestra. Era pensierosa e si scioglieva spesso in lagrime, senza nessun vero motivo. Aveva paura che lui la trovasse brutta, con il ventre gonfio e le occhiaie scure.

Giosuè era venuto in treno ed era andato direttamente a Camagni per salutare i Marra. Il giorno dopo era andato in visita a Girgenti con Filippo, per ritornare "a casa" la sera. Era cresciuto in altezza e si era irrobustito; faceva bella figura in divisa. Si commosse al vedere Maria gravida; lei gli prese la mano: "Vuoi sentire? Il bambino già si muove", e se la portò sul ventre, tenendola ferma.

"Non potrei avere un sentimento più forte se fosse mio," mormorò lui.

"Chiederò a Pietro che tu faccia da padrino."

"Meglio di no, Maria," rispose lui di getto, e non volle aggiungere altro.

Maria, dispiaciuta, non fece commenti. Dopo, gli chiese se avrebbe comunque vegliato sul bambino, una volta cresciuto.

La data dell'esame si avvicinava e Giosuè era andato da solo a Girgenti qualche giorno, ospite di Maria, per aiutarla a ripassare. Lavoravano sui testi e li discutevano; poi, parlando parlando, divagavano e chiacchieravano, come ai vecchi tempi, nel giardino della casa di Camagni. Finivano col suonare al pianoforte insieme, oppure Giosuè – che era il più bravo – suonava mentre Maria ed Egle facevano il loro ricamo "a quattro mani": iniziavano il bordo della copertina di piquet a punto a giorno, cominciando dagli angoli opposti; lavoravano di ago, sincronizzando i punti del ricamo e facendo scorrere la copertina quasi ritmicamente, da sinistra a destra.

Pietro si tratteneva in Francia per assistere zio Giovannino nelle vendite di zolfo; Maria riceveva sue notizie dal suocero e non se ne dispiaceva: la gravidanza le aveva portato una grande serenità. Era rimasta sorpresa quando il suocero le aveva affidato l'amministrazione del palazzo di Girgenti: al pianterreno, che dava sulla strada principale, affittavano botteghe a negozianti e al terzo e ultimo piano avevano come inquilini due impiegati di banca. I rimanenti due piani erano esclusivamente per la famiglia: il primo era occupato saltuariamente dagli altri Sala e dalle famiglie delle sorelle di Pietro; il secondo era tutto di Pietro e Maria. Non era difficile prendere in mano l'amministrazione del palazzo, ma Maria voleva saperne di più; si interessava alle questioni condominiali, alla collaborazione della municipalità per i servizi esterni, alle imposte. Chiese a Giosuè, prossimo a ritornare al Nord, se non fosse opportuno prendere contatti con il sindaco e il segretario comunale. "Attenta ai politici," la ammonì lui, e le diede una lezione, come gli piaceva fare. "Prendi

Giolitti. È un opportunista; tollera pratiche elettorali irregolari e vi partecipa. Compra i voti in contanti. Mantiene un dossier su ciascun deputato per poi ricattarlo. Ha seguito l'esempio di Crispi e ha lasciato immutate le pratiche dei notabili mafiosi, che, coperti da immunità, sono più audaci e aggressivi che mai, e ottengono protezione e favori. Il popolo soffre, soprattutto al Sud, e la gente emigra. Bisogna contare, come hanno sempre detto tuo padre e il mio, sul socialismo. Ma i socialisti di oggi sono divisi in fazioni; gli manca la volontà di governare e preferiscono scannarsi tra di loro."

Durante il penultimo mese di gravidanza Maria sostenne gli esami da esterna a Camagni e conseguì il diploma di maestra. Giosuè ripartì per il Nord, mentre Pietro rinviava il ritorno da Montecarlo; se il suocero se ne dispiaceva, Maria lo accettava ed era convinta che lui le fosse fedele.

Ai primi di luglio Pietro ritornò, con un diadema di tralci di vite d'oro e perline, squisitamente cesellato, di epoca romana imperiale: magnifico. Era per Maria.

Anna Sala nacque nella casa di Girgenti il 13 luglio 1907. Fu una nascita normale e madre e figlia erano in ottima salute. Maria era pienamente felice. Pietro era rimasto al piano di sotto, con i masculi – nel loro caso, cognati e padre –, per non interferire con le donne del parto e non sentire le urla della partoriente. Maria in verità aveva emesso soltanto brevi gemiti, alle ultime doglie. Le cognate erano rimaste nel salotto, mentre Titina e Giuseppina avevano assistito al parto nella camera da letto, addobbata con lenzuola appese agli armadi, drappeggiate su poltrone e quadri, tende e lampade.

Celestina, la levatrice, le aveva avvicinato la neonata ancora avvolta nel lenzuolo. Maria l'aveva guardata commossa e poi l'aveva affidata alla madre: Titina a sua volta l'aveva data alle altre due levatrici, che avevano trasformato il boudoir in stanza della neonata e infermeria. Giuseppina le aveva seguite. "Dov'è la balia?" chiedeva, "facciamo venire la balia per lavare 'sta neonata e conzarla, prima di presentarla alla famiglia."

"Balia non ce n'è," rispose Titina. "Maria vuole allattarla, come ho fatto io."

"Balia non ce n'è? Siete pazze? E che fa tua figlia? Deve allattare per due anni, coricarsela in camera e alzarsi la notte, e abbandonare i doveri di moglie e di padrona di casa? Noi non siamo gentuzza!"

"Attenta! Nemmeno noi siamo gentuzza, anzi! I Tummia sono nobili, e per quanto voi Sala siate ricchi avete sangue plebeo!"

La cognata andava verso il salotto gridando sdegnata: "Niente balia per la prima nipote Sala! Niente balia!".

Maria, stremata, sentiva il vociare lontano – la parola "balia" ritornava ossessiva. Le cognate in coro assaltarono Pietro e il padre, accusando Maria e Titina di irresponsabilità e mancanza di decoro.

"Pretende di allattare la prima nata!"

"E se il latte è cattivo?"

"E se la bambina non lo vuole? La fa morire?"

"Da che il mondo è mondo, i primi nati si affidano a una balia bella grassa e pulita, con latte di buona qualità e che ha allattato un picciriddu sano!"

"Maria non ha esperienza di lattanti, sua madre smise di fare figli a ventun anni!"

Le sorelle descrivevano a Pietro la sua vita futura a tinte fosche: non avrebbero più potuto intrattenere gli ospiti, e nemmeno viaggiare, a meno che Maria non volesse presentarsi davanti agli altri con la figlia al seno, come i poveri. E andavano oltre: "Una che allatta deve mangiare cibi nutrienti: non può ritornare subito alla vita sottile e allo stomaco piatto!".

"Il cuscino di pietra non si mette sulla pancia di chi allatta, perché interferisce con la calata del latte."

Sistina fu drastica: "Tua moglie, per questa follia, si sfascerà il corpo. Tutti i denari che hai speso per vestirla saranno buttati!".

Le orecchie di Pietro attisarono. "Che intendi dire con 'sfasciarsi il corpo'?"

"Dopo l'allattamento i seni si asciugano e diventano lunghi e rugosi come il volto di una vecchia... le penderanno fino alla vita! Non potrà portare il corsetto mentre allatta, e dovrà mangiare come una vacca. Finito l'allattamento, farà delle diete per dimagrire, ma allora la pelle della pancia le penderà sulle parti private... Sarà una fimmina sformata a nemmeno diciott'anni!"

Nessuna pensò a Titina, che dopo quattro gravidanze – e dopo aver allattato quattro figli – aveva un bel corpo sodo.

"Insomma, mia figlia dov'e?" disse Pietro, irritato, e fece per andare da Maria. Ma la porta della camera era chiusa a chiave. Giuseppina, che gli si era avvicinata, bussò.

"Chi l'ha chiusa?"

"Capace che è impazzita, e vuole uccidere la bambina?" disse Sistina.

"La paura di un infanticidio non è una novità, per noi," disse zia Giacomina, e guardò il fratello. Che a quel punto, e per la prima volta, aprì bocca: "Vediamo che dice Titina, ne saprà più di noi".

"Che deve sapere quella?" strillò Sistina. "Si pigliò quel socialista vecchio e sfasolato, e con lui fece cose che non voglio nemmeno pensare!"

"Maria è una di noi, una Sala, e la bambina sarà allevata come una Sala, non come una Marra!" insisteva Giuseppina.

Intanto Maria piangeva, la mano in quella della madre, ambedue sconsolate. La neonata era stata pulita e vestita. "Ve la porto?" chiese la seconda levatrice, e si era avvicinata al cenno di Titina. Maria si era sollevata sui cuscini; prese la figlia tra le mani e se l'appoggiò sul petto, la testina rivolta a lei. Aveva lineamenti minuti e decisi, capelli chiari, appena ondulati, e occhi scuri. Maria si aprì la camicia da notte e offrì il seno alla figlia. "Anna si chiamerà, come mia suocera, lo ha deciso Pietro," disse alla madre, e inserì il capezzolo nella boccuccia della nica. Anna lo trattenne tra le labbra: cercava lenta lenta di succhiare, ma non ne aveva la forza. La mammella premeva sul volto della neonata, coprendone metà. Con l'occhio libero, Anna sembrava guardare la madre.

E così le trovarono Pietro e Giuseppina, i primi Sala a essere ammessi nella camera di Maria.

Titina si era scostata, ma era rimasta nella stanza.

"Ecco tua figlia," disse Maria, continuando a dare il seno alla bambina. Pietro guardava, commosso.

"Allora Pietro, che cosa vuoi dire a tua moglie?" lo spingeva Giuseppina.

"Quanto mi hai reso felice, Maria, e che meraviglia di figlia mi hai dato..." Pietro le carezzò la fronte.

"Vattene, Giuseppina," disse Titina alla cognata, e la accompagnò alla porta.

Giacomina era una donna potente nella famiglia Sala. Aveva una visione aberrante del sesso, coniugale e no; attraverso le sue finestre, dirimpetto a quelle di Pietro, aveva spiato più di una volta, stregata, le carezze tra gli sposi. Poi li aveva maledetti per averla esposta al peccato. Convinta che Maria fosse una cagna sotto il vello di un agnello, voleva punirla e allontanarla dalla neonata di cui sarebbe stata lei a prendersi cura.

Entrò nella camera di Maria al braccio del fratello: Pietro le fece cenno di tacere, madre e figlia si erano assopite.

Lui guardava la moglie, ancora più bella nel suo pallore, e la neonata attaccata al seno, quasi addormentata. Voleva che Maria fosse la sua compagna, oltre che la madre dei suoi figli. Voleva portarla con sé nei viaggi, pavoneggiarsi di averla al braccio, elegante, sottile, voluttuosa. Lo terrorizzava pensare che quel corpo che tanto lo soddisfaceva potesse diventare repellente: smagliature su ventre e seno, décolleté grinzoso... oppure grosso e grasso, come quello delle balie bardate di coralli.

Ma decise di non forzarla, per il momento.

23.
Ogni giorno ha qualcosa di bello

Titina aveva dormito nel letto matrimoniale al posto di Pietro. Una delle levatrici era rimasta in casa, semmai ci fosse stato bisogno di lei, e sonnecchiava su una poltrona del corridoio. Anna piagnucolava – il pianto delle prime ventiquattr'ore di vita, delicato e simile al guaito di un canuzzo. Maria si era alzata; l'aveva tirata su dalla culla e se l'era rimessa nel letto. Le offrì il seno e Anna lo prese. Due ore dopo, lo stesso pianto. Prima ancora che Titina potesse alzarsi, Maria aveva di nuovo preso la bambina; Anna succhiava per conforto. Poi, mentre Maria si assopiva, Titina la cambiò: nonna e nipote cominciavano a conoscersi. Dallo spiraglio della porta, Pietro – che aveva dormito sul sommier dello spogliatoio – la osservava. Titina gli portò la bambina.

"Che facciamo?" chiese lui.

"Ci tiene ad allattarla, e non sarà deformata. Ma non potrete viaggiare, ricevere come prima... sarà diverso. Deve decidere lei. Hai paura delle tue sorelle?"

"Sono spietate."

L'indomani, di prima mattina, Anna reclamava un'altra poppata. Maria si era accorta che Pietro la guardava dal sommier. Si alzò, la neonata in braccio, e lo raggiunse. Lui assistette con una certa riluttanza all'allattamento.

"Anche tu vuoi che prenda la balia?" gli chiese sottovoce.

"Penso a te, al tuo tempo, al tuo corpo, alla bambina..."

"Io sarò come mia madre, guardala." Sotto il lenzuolo, il

corpo di Titina addormentata sembrava quello di una giovanetta: ben proporzionato e sodo.

"Dovresti stare molto a casa... essere legata alle sue poppate..."

"Fammi provare, ci sono modi per essere più libera: potrei tirarmi il latte."

"Maria, io non posso importi di non allattarla. Tu sei la madre." Le diede un bacio sul naso.

Titina era sveglia da tempo e aveva riflettuto a lungo. "Maria, facciamo un patto: fatti portare delle balie, sceglîne alcune e di' loro che tra una settimana deciderai quale prenderti. Così ci togliamo di dosso le tue cognate."

Maria acconsentì. Parlò con tre madri, tutte con numerosa figliolanza e mariti disoccupati. Giuggia le piacque più delle altre: era la moglie di un minatore invalido, aveva occhi di carbone; si era portata il figlio di quattro mesi, un bimbo bello e tranquillo che avrebbe affidato a qualcuno in famiglia per trasferirsi in casa Sala.

"A chi lo darete?" le aveva chiesto Maria.

"A chi lo vuole in famiglia. Non lo so ancora." Giuggia guardava in basso, triste. "Mi hanno chiamata ieri e non sapevo che era per un lavoro così urgente, ma a casa c'è pitittu..."

"Voglio allattarla io, mia figlia, ma i familiari di mio marito non vogliono."

"Allora a che vi servo io?"

"Vi propongo di venire qui con vostro figlio, e allatterete lui, come avete fatto fino a ora, e la mia, quando ne ho bisogno. O magari ci alterneremo. Resterete fino al compimento dei due anni, e avrete lo stesso pagamento di un minatore. Ma dev'essere un segreto: davanti a tutti, voi sarete la balia di Anna."

Era arrivato maggio, il mese del ricevimento dei Tummia a Fuma Nuova. Pietro e Maria vi sarebbero andati in automobile da Girgenti. Pietro, allettato dalla promessa del cognato di regalargli una scimmia, teneva a non mancare. Avrebbero rivisto tutti i parenti di Camagni, e gli amici: si preannunciava una giornata divertente.

Maria allattava la figlia in segreto e aveva deciso di saltare due poppate consecutive per la prima volta, sperando di reggere. Invece non ce l'aveva fatta. Al ritorno, in automobile, cominciarono i dolori al seno. Appena rientrata a casa, febbricitante e con chiazze rosse in tutto il corpo, aveva cercato Anna; ma la bambina, satolla del latte di Giuggia, voltava la testa e frignava. Il seno bruciava, le venne la febbre alta. Maria piangeva dal dolore. Chiamarono il dottore, che diagnosticò ragadi e mastite. Pietro ne informò le sorelle, Sistina e Graziella, tornate nel frattempo da Fuma Nuova.

Anna, di dieci mesi, durante il giorno mangiava ogni quattro ore. Il corpo di Maria, fatto per allattare, non poteva saltare le poppate: avrebbe dovuto licenziare Giuggia e allattare la figlia come si deve, sempre. Questo era quello che avrebbe voluto dal profondo dell'essere femmina e madre. Ma Pietro desiderava che lei gli stesse accanto, nella vita sociale, nei viaggi; teneva alla loro intimità di coppia, quando la desiderava. Era un debole, ma anche un uomo buono, e lei soffriva perché si sentiva lacerata. Si diceva che il suo primo dovere era pensare alle esigenze del marito. Giuggia era affettuosa e attenta ad Anna come se fosse figlia sua. Se lei avesse continuato ad allattare, Giuggia sarebbe ritornata in famiglia, alla fame: anche quella era una sua responsabilità. Maria era sola, e da sola doveva decidere. Non c'era nessuno con cui dividere quel tormento; quanto a Giosuè, era in viaggio come attendente di un generale in missione all'estero e le mandava soltanto cartoline. Sofferente e febbricitante, più pensava alla scelta da fare, più infelice diventava.

Ebbe vergogna di se stessa. Cercò qualcosa di bello, che la facesse sorridere. Ne aveva bisogno.

Un fruscio di ali. Un colombo bianco e marrone sulla ringhiera del balcone. Perfetto. Si guardava intorno con gli occhi gialli, curioso. Poi allargò le ali e si lanciò in basso, verso la piana.

La porta si aprì all'improvviso. Sistina e Graziella erano entrate nella stanza senza bussare: non si erano date la pena di avvertire del loro arrivo.

Sistina guardò Maria con aria di riprovazione. "La vuoi fare morire, a tua figlia?"

"Abbiamo portato le fasce," intervenne Graziella, "ti farà meno male, una volta che sei tutta fasciata. E presto ti passerà la montata lattea. Per sempre."

Maria permise loro di toglierle la camicetta e di fasciarla strettissima.

24.
Villeggiatura a Fuma Vecchia

"Sta meglio," mormorava Maria a Leonora, lo sguardo fisso su Anna, convalescente dagli orecchioni. In piedi sul lettino, le mani aggrappate alle sbarre, la bimba era rivolta alla finestra e chiacchierava con gli uccelli sui rami della quercia. "Co-co-co," diceva, imitando il loro tubare.

"La febbre è scesa, ma il collo è ancora gonfio," continuava Maria, "di giorno la tengo con me, la sera dorme in camera sua... da sola..." esitò, come se avesse perduto il filo della conversazione, "così vuole Pietro."

"Ha ragione, potrebbero venirti le doglie."

"Non verranno. Nascono tanti 'settimini', ma di 'ottavini' non si è mai sentito parlare!" Risero. "È che Pietro non vuole bambini nella nostra camera. Anche mio padre era così."

Più Leonora sentiva quel tono dolce e rassegnato, più si irritava. Vi sentiva dentro la remissività di una moglie d'altri tempi. Era il suo modo di venire a patti con le vicende della madre, che, invaghitasi di un cugino, aveva preferito lasciare i figli al marito anziché rimanere in famiglia da rea pentita. Leonora voleva un marito ricco e manso; in cambio lei, nell'intimità, lo avrebbe reso felice.

E invece niente. Provava sentimenti contrastanti e si sentiva in colpa per essere gelosa, e perfino invidiosa, del matrimonio favoloso della cugina, della vita piena di lussi che poteva concedersi. E tutto per una taliata dalla finestra dello studio dello zio! Le bastava vedere come avevano trasformato Fuma Vecchia per sentirsi rodere da un sentimento di ostilità: la torre abbandonata era diventata una dimora bella e accogliente, magnificamente arredata, dotata di generatore di elettricità, bagni con acqua corrente calda e fredda, un giardino di nuovo impianto e perfino daini nel vecchio bosco! Guardò il letto con il baldacchino pensile, secondo l'ultima moda, le sedie viennesi e le nuovissime poltrone che formavano un angolo salotto sotto il vecchio specchio restaurato, i vasi liberty e la scrivania scozzese, di un legno che sembrava quasi grezzo. A Fuma Vecchia, Pietro e Maria vivevano non più di due mesi all'anno. Leonora era diretta: "La vorrei io, una casa come la tua. Ci vivrei tutto l'anno! Un marito ricco come il tuo non l'avrò mai, ma uno abbiente, magari con una casetta e un po' di campagna intorno, e un appartamento comodo in paese... un marito che ogni tanto mi facesse fare un viaggio in continente... lo vorrei davvero!".

"Sai che invece a me dispiace lasciare la casa di Girgenti, per venire qui?"

"Non ti capisco."

"Non gliel'ho chiesto io. Pietro aveva deciso di comprare Fuma Vecchia ancora prima di conoscermi."

Maria ricordò alla cugina che lei aveva vissuto tutta la vita nella casa di Camagni, estate e inverno – tranne le brevi vacanze a Palermo dalla zia Elena –, non era abituata ad avere più di una casa, una seconda camera da letto, una stanza da bagno diversa... "È come avere due mariti!" aveva aggiunto con un risolino.

"Se ti piacciono tutti e due, perché no?" E poi, con un lieve imbarazzo, Leonora continuò lo scherzo: "Sarebbe bello se anche qui ci fosse la poligamia... ma solo se fosse consentita anche alle donne!".

"Mamà, mamà!" chiamava Anna. Maria la tirò su e la mise accanto a sé nel letto matrimoniale. "Attenta al fratellino, non darmi calci!" le raccomandò con dolcezza, e Anna, docile, carezzava il ventre della madre: "Caro, caro...".

"Mi piacerebbe avere un figlio, ho già passato i vent'anni," diceva Leonora.

"Prima dovresti pensare a prendere marito."

"Ci penso, ci penso... solo che lui non pensa a me... per ora. Ma lo farà."

E ancora una volta risero come ai vecchi tempi.

Si udì un colpetto leggero alla porta. "Posso?"

"Vieni Pietro, c'è Leonora..."

Pietro la avvertiva che era arrivato suo padre, con Filippo e Giosuè: potevano salire a salutarla?

"Come preferite," rispose Maria.

"Verremo tutti, faccio portare il caffè." E dopo essersi assicurato che non desiderassero altro, Pietro si dileguò.

"Tuo marito è sempre così compito con te?"

"Sì, è delicato, sono stata fortunata." Maria si rassettò l'abito, si ravviò i capelli aggiustandosi l'onda sulla fronte, che le era scivolata sull'occhio: poi si guardò nello specchio appeso con una lieve inclinazione alla parete di fronte al letto.

"Già," si limitò a commentare Leonora. Tra loro non c'era affinità: erano diverse in tutto. A diciott'anni, nonostante la gravidanza Maria pareva una ragazzina – occhi innocenti, guance lisce senza l'ausilio di polvere di riso e belletto, i capelli raccolti sulla nuca in un semplice chignon –, eppure era moderata, saggia, silenziosa. Leonora – molto curata, appariscente nel vestire, e sensuale – non vedeva l'ora di lasciare casa da fimmina maritata. Quando arrivarono gli uomini, si mise a parlare con Filippo e poco dopo si allontanò con lui.

Insieme ad Anna, Giosuè era al centro dell'attenzione. Oltre ad avere raggiunto i gradi di capitano, viaggiava in lungo e in largo come attendente del generale Lavati, professore di ingegneria all'Accademia Militare di Torino e consulente del ministero della Difesa. Maria era felice di vederlo insieme a Pietro e a suo padre: gli uomini della sua vita.

25.

Diseredato

Ai primi di agosto, Pietro era andato a Napoli; vi era rimasto appena due giorni. Al padre aveva detto che desiderava fare una sorpresa a Maria per il Natale successivo: un prezioso presepe napoletano del Settecento, con tanto di fiumi di acqua corrente e lampadine elettriche, messo in vendita da un suo amico. Era ritornato pensieroso. Maria attribuì quell'umore all'ansia per il parto imminente e non vi diede peso. Cercava di distrarlo leggendogli le lettere di Giosuè – che aveva mantenuto l'impegno e scriveva una cronaca vivace e istruttiva del viaggio, riportando le sue impressioni della Cirenaica –, lettere delle quali i suoi genitori erano avidi ascoltatori: in casa Marra, la lettura ad alta voce era punteggiata, e immancabilmente conclusa, dai compiaciuti "'Stu figlio di Tonino, dove si tocca suona!" del padre.

La visita di Giosuè in Sicilia non era stata soltanto di piacere; doveva incontrare i prefetti delle province e preparare un dossier sul potenziale trasferimento di agricoltori in Cirenaica – una volta conquistata –, sui mezzi di trasporto marittimo esistenti, sulla capacità della marina mercantile privata di espandersi per il trasporto degli emigranti e sui contatti già esistenti tra gli isolani e i libici. L'invasione non dichiarata procedeva bene: le milizie turche si erano ritirate senza combattere, guadagnandosi il disprezzo degli indigeni. Ma i problemi logistici e culturali erano notevoli e non erano stati messi in conto. Le cosiddette città libiche – in realtà grossi villaggi – non erano in grado di dare sostentamento alle truppe; non erano stati previsti i fondi per comunicare, preparare la gente del luogo all'avanzata italiana e accattivarsene le simpatie. Giosuè aveva ricevuto un ulteriore incarico: un sopralluogo in Cirenaica, per poi riferire ai superiori il modo di facilitare i rapporti tra gli italiani e la nuova colonia, come già veniva chiamata l'intera Libia, dandone per scontata la conquista. Aveva allacciato rapporti con commercianti ebrei di Tripoli e per la prima volta, dandone conto, aveva fatto cenno al suo essere ebreo.

Vito, il maschio tanto voluto dal suocero, nacque a Camagni il 21 agosto 1911, nella casa dei nonni materni. Nessuna delle zie Sala era presente al parto, nemmeno Giuseppina. Vito fu messo a balia immediatamente, per volontà di Maria.

Oltre all'amministrazione del palazzo, il suocero le aveva affidato piccoli incarichi. Spesso le mandava l'autista perché la voleva con sé a Fara, per parlarle di affari, e poi l'autista la riaccompagnava a casa. Altre volte le dava compiti specifici: andare dal notaio per ritirare o consegnare carte, che nel frattempo doveva leggere e capire; seguire la corrispondenza con l'avvocato di famiglia e, talvolta, scrivere lettere o compilare liste di documenti ordinati per data. Certe volte Maria ricorreva per aiuto e insegnamento al padre, oppure – per via epistolare – a Giosuè; non parlava con altri di quel suo "lavoro", che le piaceva molto, perché non voleva intaccare il ruolo e l'immagine di capofamiglia di Pietro. Lui, per nulla geloso, la prendeva in giro: "Attenta! Mio padre ti caricherà sulle spalle tante seccature!".

Dopo il battesimo di Vito a Camagni, a cui avevano assistito i tre fratelli Sala, venuti appositamente da Fara, la famiglia era tornata a Fuma Vecchia, questa volta anche con i genitori di Maria. Un giorno di fine settembre era arrivato l'autista dei Sala con l'ordine di portare Pietro a Fara. Lui aveva obbedito senza fare domande e aveva salutato Maria dicendole che sarebbe ritornato entro un paio di giorni al massimo.

Ma non era tornato. Il terzo giorno Maria gli spedì un telegramma, che rimase senza risposta. Non era preoccupata: Pietro sarebbe arrivato a sorpresa, come gli piaceva fare. A volte, mentre ricamava, appuntava il filo e guardava fuori, verso il bosco, lo sguardo vago. Allora il padre le chiedeva di leggere per lui ad alta voce o di accompagnarlo in giardino.

Il quinto giorno arrivò davanti a casa l'automobile dei Sala; dentro, unico passeggero, Peppino Tummia. Era venuto in qualità di cognato di Maria, e non di zio, per accompagnarla a Fara: il suocero desiderava vederla senza i bambini, sarebbe ritornata in serata. Non era inconsueto che il padre di Pietro la chiamasse con poco o nessun preavviso per discutere dell'amministrazione del palazzo di Girgenti o per presentarle professionisti fidati in visita a casa: anche questo era un modo di insegnarle ad aiutare Pietro nell'amministrazione del patrimonio. Maria sapeva che prima delle nozze lo zio aveva sostenuto la madre nei contrasti con il padre, scontento del matrimonio; inoltre gli era grata perché ogni anno mandava loro tutto quello che producevano le sue campagne. Senza le derrate di farina, le olive in salamoia, le mandorle, senza i conigli, le galline, i capretti, la ricotta e il pecorino, la verdura e la frutta delle sue campagne, la tavola dei Marra sarebbe stata molto meno ricca e gustosa. Per questo, lei trovava difficile il suo nuovo ruolo di cognata dello zio. Dunque fecero il viaggio in silenzio; lei pensava alla bella vita di Giosuè e fantasticava di andare in Libia con Pietro e i bambini, in un futuro. Arrivati nel cortile, prima di scendere lo zio le prese il volto e la baciò sulle guance: "Maria mia... Maria mia...". Lei capì che era avvenuta *cosa*.

Il suocero aveva le occhiaie scure, zio Giovannino era impassibile. Zia Giacomina non si era fatta vedere. Esauriti i convenevoli, il suocero andò al dunque. "Abbiamo bisogno del tuo parere." Un amico di famiglia napoletano lo aveva avvertito che al Tribunale civile della sua città erano in corso avanzato diversi procedimenti legali contro la miniera Ciatta per somme di denaro ricevute in prestito: Pietro aveva contratto debiti con un usuraio a nome della miniera, dopodiché aveva ignorato le convocazioni e le notifiche del Tribunale, mettendo così a rischio la Ciatta. Oltretutto aveva agito *ultra vires*, in quanto non aveva la capacità giuridica di contrarre debiti a nome della miniera di famiglia, e dunque aveva anche commesso reato. Messo alle strette dal padre e dallo zio, aveva risposto che era sua intenzione chiedere loro di saldare il debito e poi lo aveva dimenticato. Ma c'era dell'altro. La settimana precedente era giunta una lettera da Pellier, uno dei più antichi e stimati acquirenti del loro zolfo, con sede a Marsiglia.

Intervenne zio Giovannino. "Durante una delle mie ultime visite in Francia, Pietro aveva espresso il desiderio di accompagnarmi da Pellier. Fece una bella impressione al cliente, che mi scrisse complimentandosi. Adesso abbiamo scoperto che tre mesi fa Pietro ha ottenuto in prestito da Pellier una grossa cifra, promettendo di renderla entro un mese. Lui sostiene che si trattava di un acconto offerto dal cliente sugli acquisti futuri di zolfo, e che la colpa è di Pellier."

"Scuse meschine! Menzogne!" sbottò il suocero. "Pietro è stato disonesto con noi e con chi gli ha fatto credito: rischia di rovinare la nostra reputazione e le miniere. Oltretutto, il prezzo dello zolfo è in calo per la concorrenza americana." Aggiunse che i due debiti ammontavano all'intero reddito di un anno della Ciatta: una cifra enorme.

"Mi ha comprato gioielli bellissimi, e due Fabergé," lo interruppe Maria.

Il suocero la fermò con un gesto. "Tu, bedda mia, costi molto meno delle amanti del passato. È il gioco, la roulette, che lo rovina e che rischia di rovinare tutti noi. È successo in tante altre famiglie, perlopiù dell'aristocrazia. Noi abbiamo origini borghesi, e ne sono fiero. Non credevo che sarebbe capitato anche a noi."

Maria era costernata. "Che posso fare? Parlo io con Pietro?"

"Tu hai fatto abbastanza! Ci hai dato Vito, l'erede dei Sala. Suo padre è incapace di amministrare il patrimonio di famiglia. Abbiamo parlato con il notaio e con gli avvocati. Vogliamo mantenere la ricchezza della famiglia per i tuoi figli diseredando lui, che riceverà soltanto una rendita mensile, e neppure modesta, dalla banca. Se insiste per avere la legittima lo faremo interdire." Il suocero era calmissimo. "I nostri beni andranno direttamente ai figli di Pietro, nati e nascituri da te, e da te soltanto, e sarai tu ad amministrarli."

Maria ascoltava e pensava, da madre. Lui le prese la mano: "Abbiamo fede in te, Maria. E ci sentiamo moralmente in debito. Mio figlio è ossessionato dal gioco, la sua rovina. Ma c'è dell'altro".

Maria sgranò gli occhi. Zio Giovannino le spiegò che Pietro abusava delle droghe di moda: l'assenzio, molto popolare in Francia, e la cocaina, che trent'anni prima era considerata un toccasana. Era presente nei rimedi più efficaci contro ansia, raffreddore e sinusite e tuttora la si poteva comprare in farmacia. "Una volta comprammo tre cassette di sciroppo di coca perché era stato prescritto a tua suocera. A lei non piacque e si rifiutava di prenderlo, ma sfortunatamente Pietro, da ragazzo, ne divenne dipendente." Poi con un certo imbarazzo, ammise: "Io bevevo il vin Mariani, un vino di coca francese, costoso e molto di moda, creato da un mio amico corso. Era apprezzato in tutta Europa e anche nelle Americhe, perfino Pio X lo beveva. Lo feci provare a Pietro e gli piacque anche quello. Ora aspira la cocaina in polvere".

"Dov'è mio marito?" chiese Maria.

"In camera da letto. Dopo la nostra discussione si è rintanato lì, come faceva da bambino: allora si rifiutava di uscire fin quando non gli concedevamo quello che desiderava e fa lo stesso ora che ha quarant'anni e più. Non esce da cinque giorni, fa entrare soltanto Leonardo per accudirlo. Gli ho dato ordine di assecondarlo e di fornirgli liquori e droga a volontà: dobbiamo risolvere la situazione una volta per tutte."

"Comunicate in qualche modo?"

"Tramite i soliti messaggi." E il suocero le tese un foglio su cui era scritto, con una grafia tutta sghemba:

Signor padre, signor zio: imploro di pagare per il bene dei miei figli. Prometto di cambiare.

Le spiegò che, dalla nascita di Anna, per preservare l'armonia familiare avevano sempre ceduto, sia sulle spese di casa sia sulle quietanze dei debiti. "Dobbiamo separare il bene dei vostri figli e il tuo da quello di Pietro e dai suoi vizi. Da oggi avrà un vitalizio; io mi rifiuto di pagare i suoi debiti senza il tuo beneplacito, come tutrice dei suoi figli. Pietro deve accettare che, alla nostra morte, sarai tu ad amministrare i loro beni. Se acconsenti, ti darò i fondi per pagare questi due debiti: lui capirà che non può più chiedere a me o a mio fratello."

Maria era d'accordo che per il futuro fosse lei a pagare. "Però, signor padre, questa volta no: sarebbe troppo umiliante. Non vorrei inimicarmi ulteriormente Pietro: io gli voglio bene, e i bambini avranno bisogno di lui. Non è un cattivo padre." Sospirò. "E se lo diventerà, preferirei che fosse il più tardi possibile."

"Andiamo insieme da lui," disse il suocero. "Pietro non sa che ti ho fatto venire. Quando ho visto il telegramma che gli avevi mandato, ho capito che non potevo tenerti in ansia e che era il momento di agire. Gli spiegherò le nostre condizioni e vi lascerò soli, se è quello che vuoi."

Le tende erano chiuse, la stanza puzzava di fumo e orina. Una lama di luce e pulviscolo cadeva sul pavimento. Pietro fumava a letto, in camicia da notte, appoggiato a una catasta disordinata di cuscini.

"Ah, l'avete portata... a vedermi..." biascicò quando si accorse della presenza di Maria. Fece per alzarsi, ma inciampò nelle lenzuola buttate per terra. Dal buio della porta a lato emerse Leonardo, che lo sostenne prendendolo per un braccio e lo aiutò a sedersi sulla sponda del letto. La cenere della sigaretta cadde sul lenzuolo.

"Ascolta, Pietro. Ho chiamato tua moglie per comunicare a tutti e due quanto abbiamo deciso e discusso con i nostri legali, tuo zio e io." Alzando un dito alla volta, il vecchio enumerava: "Uno: da oggi sei diseredato a favore di Vito. Due: avrai una rendita annuale, che dopo la nostra morte ti sarà elargita da tua moglie. Tre: affideremo l'amministrazione del patrimonio destinato a Vito e ai figli, nati e nascituri dopo la nostra morte, durante la minore età, alla loro madre, Maria". Fece una pausa, mentre Pietro murmuriava qualcosa di incomprensibile. "Hai capito?"

Pietro sbavava, la sigaretta quasi finita gli bruciava le dita gialle di nicotina. Leonardo fu lesto a toglierglela dalle mani e a spegnerla nel portacenere.

"Non pagheremo i tuoi debiti, né ora né in futuro. Hai capito? Non-li-pagheremo," scandì lentamente il padre. "L'ammontare necessario a far fronte ai due debiti che ci hai chiesto di saldare, quello con Pellier e quello con l'usuraio napoletano, sarà detratto dalla tua rendita. Hai capito?"

Schierati davanti alla tenda, con la lama di luce alle spalle, i due sembravano giustizieri inquisitori. Maria rabbrividì, immobile.

"In futuro," continuò il padre, "se oltre alla tua rendita dovessi chiedere altri denari, sarà tua moglie a decidere se darteli. Deciderà Maria."

Sentendo il nome di Maria, Pietro aveva cercato di levarsi in piedi.

"Maria no... che c'entra Maria?"

"Io c'entro, eccome se c'entro, Pietro. Sono tua moglie e desidero rimanerlo. Ti voglio bene, lo sai. Ho due doveri: il dovere principale è verso i nostri figli. Devo allevarli e dare loro sani princìpi, devo proteggerli e amministrare i loro beni. Il secondo è di badare a te."

Lui calò la testa: "Avete fatto venire mia moglie... la pagherete," borbottò.

"Pietro, rispondi. Accetti quello che dice tuo padre? Io lo

accetto perché proteggerà te e i nostri figli!" Maria aveva fatto un passo avanti.

Lui aveva sollevato il volto, le pupille dilatate. "D'accordo. Non posso dire altro che sono d'accordo, signor padre. E signora moglie." Le diede una taliata torva. Poi, un gocciolio per terra. Pietro, seduto sulla sponda del letto, si stava pisciando addosso.

Uscendo da casa Sala, Maria era tramortita. Si chiedeva come sarebbe riuscita a far capire a Pietro che aveva agito per il suo bene. Temeva che lui continuasse a bere e a drogarsi, e rimanesse ancora a Fara per chissà quanto tempo... o magari che non volesse ritornare a casa del tutto. Leonardo l'accompagnò all'automobile. "Signurì," le disse prima di lasciarla, "'un si preoccupassi; il padrone tornerà domani, tutto contento, con una bella guantiera di biscotti all'anice."

26.

Leggere e scrivere

Maria era scesa dalla Isotta Fraschini con scioltezza. "Grazie!" disse, e rivolse un sorriso all'autista del suocero, che le teneva la portiera aperta. Peppino Tummia pensò a quanto doveva esserle costato quel finto sorriso; poi disse all'autista: "Andiamo, siamo in ritardo per il pranzo!". Voleva evitare di incontrare Titina.

"Pietro era a letto, ha avuto dei disturbi intestinali..." spiegò Maria alla madre, e aggiunse che era in via di guarigione, sarebbe tornato in settimana. Annusò le rose del centrotavola e poi andarono insieme dai bambini.

Maria giocava con Anna, ridevano di gusto. Titina le osservava confusa. Quella mattina, poco dopo la partenza di Maria e Peppino, era arrivata Giuseppina in carrozza; la sua versione era ben diversa e più attendibile di quella di Maria: Pietro aveva inscenato una sorta di astinenza dal cibo per costringere il padre a pagargli i debiti; non era la prima volta, e di solito funzionava. Giuseppina l'aveva saputo da Sistina, che era andata in visita a casa del padre. Le sorelle erano preoccupate perché nella sua camera Pietro faceva entrare soltanto Leonardo, nemmeno le cameriere. Giuseppina aveva omesso di raccontare che il giorno prima il padre e lo zio avevano convocato il notaio e l'avvocato.

Nel pomeriggio era arrivata una lettera di Giosuè. Era stata scritta prima della nascita di Vito e impostata di recente. Maria non volle leggerla fino a sera e andò a fare una passeggiata spingendo la carrozzina, da sola. Era ritornata con un grande mazzo di settembrini viola. Poi aveva suonato Brahms con trasporto.

Titina voleva saperne di più, e a cena le chiese se con il suocero avesse parlato d'altro. "Dei bambini e del futuro. Mi vuole bene e mi stima... Pietro, come sai, è un sognatore, un appassionato d'arte, e non ama gli affari. Accetterò i compiti che mi affideranno."

La sera, in camera da letto, Maria lesse la lettera.

Grazie, Maria, per avermi spinto a scrivere, e scusa il ritardo.

Ti parlo della guerra. Mai potrei parlarne ad altri con questo candore: è parte della natura umana. Esistono circostanze in cui è necessaria, e viene considerata "il male minore".

La guerra è madre di ingegnosità: le scoperte scientifiche nate dalle necessità imposte dal conflitto armato sono formidabili – a partire dalla conservazione del cibo, che dobbiamo ai francesi, per arrivare allo sviluppo della radio di Guglielmo Marconi. Ho avuto l'onore di collaborare con lui: è un uomo mite, ma – come me – non sottovaluta l'importanza della guerra, che ormai si combatte a distanza, con strumenti che individuano i bersagli e sanno indicare dove sono le truppe nemiche. Abbiamo macchine belliche che colpiscono a grande distanza e bombe che si lanciano dai velivoli e stordiscono o addirittura uccidono. Le trovo repellenti, perché uccidono indiscriminatamente militari e civili. La comunità internazionale formata dagli scienziati che si occupano di guerra è un altro fenomeno straordinario da riprodurre in altri settori. Sette anni fa, gli studiosi di un'università britannica inserirono una valvola nella "stazione Marconi", che poi venne raffinata da un'università americana. Furono così assicurate una maggiore pulizia del segnale e una grande capacità di modulazione e trasmissione a diverse lunghezze d'onda. È ancora un oggetto massiccio e pe-

sante, difficile da trasportare; si continua a sperimentare nelle tre nazioni, per rimpicciolirla. Ci riusciranno, il nostro Marconi ci sta lavorando. Bisogna investire denari. In Italia il governo spende relativamente poco per le università e la ricerca. Altre nazioni, molto. Gli Stati Uniti sono i più lungimiranti e generosi.

Questo è uno dei miei compiti: divulgare tali possibilità, trovare intese nella comunità scientifica e militare internazionale.

Sul conflitto in Libia nutro forti dubbi. L'epoca del colonialismo è finita, e in ogni caso il colonialismo non è pensabile con popoli con cui condividiamo almeno parte del nostro patrimonio religioso; ebrei, cristiani e musulmani hanno un'origine comune e un solo dio. Non ha senso. La superiorità dell'uomo bianco sul piano scientifico è incontrovertibile, ma non sul piano umano. Nessuna razza è superiore a un'altra, e nessun uomo è superiore a un altro. Gli ebrei etiopi si sentono e sono fratelli miei, non inferiori. Il colonialismo oggi si fonda sulla superiorità della razza bianca e della cultura greco-romana. Il nostro governo pensa di averne bisogno per guadagnare credibilità nel mondo, ma il colonialismo sta morendo; cercare di colonizzare i musulmani è follia. Creerà odi e guerre.

Potremmo invece esportare in America la superiorità del capitalismo e della Rivoluzione industriale e scientifica, nati e cresciuti in Europa e nelle ex colonie europee. Ma in Europa non lo capiamo, a differenza di quanto accade negli Stati Uniti, che lo hanno capito e messo in atto, e per questo si imporranno sulle altre nazioni: nelle loro università si lavora sodo.

Il nostro governo vorrebbe farci dimenticare i lividi delle sconfitte di Dogali e Adua in Etiopia con una guerra vittoriosa. Noi e la Germania siamo gli ultimi arrivati alla tavola dei grandi paesi coloniali europei. Troppo tardi. La Chiesa cattolica ha investito moltissimo nell'Impero ottomano, attraverso la Banca di Roma, traendone grossi profitti che vuole proteggere: l'Impero ottomano si sta sbriciolando e crollerà presto sotto l'attacco di Atatürk e dei suoi Giovani turchi. Ho buoni contatti con la Curia romana.

Il solo vantaggio che la colonizzazione della Cirenaica, della Tripolitania e del loro entroterra (tuttora sconosciuto: chi dice desertico, chi dice ricco di fertili oasi) potrebbe offrirci sarebbe l'emigrazione di contadini italiani. Agiamo a occhi chiusi anche su questo: è possibile che tutto l'entroterra sia di sabbia. Sono convinto che Giolitti voglia la guerra per scopi personali: ritrovare la popolarità nel paese e in parlamento, rimanere abbarbicato alla poltrona di presidente del Consiglio. Il potere è la sua droga. E, come tutte le droghe, alla fine distrugge.

Questo è ciò che mi premeva dirti.

La tua lettera sarà diversa, ricca degli affetti più puri. Ti immagino madre per la seconda volta, felice nel tuo bel giardino fiorito, al bordo del bosco di querce.

Maria aveva riposto il foglio nella busta. Le lettere di Giosuè avevano bisogno di una seconda e anche di una terza lettura. Maria vi sentiva un respiro grande, una capacità di vedere le cose del mondo e di chiuderle in sintesi preziose. Al ritorno da Fara si era sentita sinceramente ottimista. In automobile aveva analizzato i fatti. Sapeva già che Pietro amava il gioco, fumava e talvolta beveva troppo; sapeva anche che faceva debiti; lui ne parlava apertamente, accusando con affetto il padre di essere avaro e di essere perfettamente in grado di ripianarli. Lo aveva visto depresso, anche se mai nelle condizioni di quella mattina. Ne sarebbe uscito presto, così credeva Leonardo, che le aveva anticipato il ritorno del padrone il giorno dopo a Fuma Vecchia. Quanto proposto a lei dal suocero non era una novità assoluta: sin da sposina era stata preparata per tenere le redini della famiglia, inclusi i beni. Si era perfino detta che la loro vita familiare ne avrebbe tratto vantaggio, in quanto avrebbero avuto certezze, limiti, ruoli chiari e separati. Era speranzosa.

Al contrario, la lettera di Giosuè l'aveva destabilizzata. *Il potere è la sua droga. E, come tutte le droghe, alla fine distrug-*

ge, aveva scritto. Distruggere la carriera di un vecchio politico, quello intendeva Giosuè. O forse i vizi avrebbero distrutto lo stesso Pietro? O il matrimonio? O lei? O 'nsamadio, i loro figli? E se Pietro non si fosse ripreso? Era emaciato. E l'aveva guardata con astio. E se non l'avesse più voluta come moglie? Maria si sentiva male e chiese una tazza di acqua e alloro.

Dopo avergliela servita, Maddalena non era tornata in cucina e rimaneva goffamente immobile. "Che c'è, Maddalena?" chiese Maria. La ragazza arrossì, si aggiustò il tuppo. Poi, con grandi pause e sospiri, confessò di non sapere leggere né scrivere, e che questo la imbarazzava: aveva assicurato alla madre di Maria, quando l'aveva presa a servizio, di aver frequentato la scuola dell'obbligo per due anni. Era una menzogna. In verità aveva memorizzato le etichette sulle scatole di metallo del riposto e sapeva dov'erano farina, zucchero e spezie. Inoltre, l'odorato finissimo le permetteva di indovinare il contenuto di certe scatole alla prima sciaurata. Ora, a diciotto anni, si sentiva una bugiarda e un'imbrogliona. E si sciolse in lagrime. Maria la congedò promettendole che avrebbe trovato una soluzione.

La sera, a letto, Maria pensava. Lei aveva insistito per completare gli studi per diventare maestra: per puntiglio, o forse perché era una scommessa con Pietro e Giosuè. Ma c'era un motivo serio, che non aveva mai messo veramente a fuoco: voleva aiutare gli analfabeti. Avrebbe creato una scuola dove il personale di servizio potesse studiare. A cominciare da quello di casa sua. Sì, quella era la sua missione: insegnare a leggere e a scrivere agli adulti. E cadde nel sonno del giusto.

Il rombo di un'automobile la svegliò di prima mattina, ma rimase a letto. Quel rumore annunciava, lo sentiva, il ritorno del marito. Bussarono alla porta, poi Pietro, pallido e profumato di acqua di colonia, entrò con in braccio Anna in camicia da notte: appena sveglia, ma già pispisa, reggeva un mazzetto di boccioli di rose per "mamà".

"Mi è stato detto che non ti senti bene, che cosa è successo?" le chiese lui sollecito.

"Ieri è stata una giornata pesante, anche per te," rispose lei, e cercò di ricomporsi: nella foga degli abbracci, Anna le aveva fatto scivolare le spalline della camicia da notte.

Pietro la guardò, 'ntenzionato. E Maria si lasciò guardare.

27.

1914. Capodanno a Tripoli

Filippo, un ragazzo tranquillo e poco assertivo, aveva sorpreso tutti in famiglia laureandosi a pieni voti in Ingegneria; zio Tommaso Savoca, ingegnere affermato, lo aveva preso sotto la propria ala e gli aveva trovato lavoro presso un costruttore di Palermo. Poche settimane dopo, Filippo sorprese ancora una volta i familiari comunicando il fidanzamento con Leonora, di tre anni più vecchia di lui, e le nozze imminenti. Si era pensato che ci fosse un bebè in arrivo, ma Filippo aveva spiegato che le nozze erano dovute a una piccola eredità lasciata a Leonora dalla madre, morta di recente, che aveva reso possibile il loro sogno d'amore. I Marra avevano fatto buon viso a cattivo gioco, riuscendovi soltanto in parte. Maria se ne dispiacque; avrebbe voluto fare qualcosa per dimostrare a Filippo e Leonora che lei era contenta della loro felicità, e Pietro le propose di invitare gli sposini a Tripoli, nella Libia appena conquistata dall'Italia, dove lui desiderava passare il Capodanno del 1914 insieme al colonnello Michele Vigentini, un suo vecchio amico.

Maria era contenta di fare una vacanza senza i figli. Aveva superato lo shock delle grosse perdite di Pietro al tavolo della roulette; adoravano i bambini e si erano rassegnati alle decisioni del suocero e al nuovo ruolo che aveva voluto per lei: il matrimonio ne era uscito rinsaldato. Pietro accettava che alla morte del padre Maria avrebbe amministrato i beni di famiglia, e che nel frattempo lei sarebbe stata l'economa: lui usava la sua rendita per mantenere la famiglia e per le spese personali; se gli servivano altri denari, o in caso di uscite impreviste, li avrebbe chiesti al padre. A spesa approvata, sarebbe stata Maria a passarglieli. Era una sorta di tutela, all'apparenza umiliante, che Pietro vedeva come una liberazione dal dissidio interiore tra il gioco e la saggia amministrazione del patrimonio, per il bene della famiglia. Era contento di stare a Girgenti, dove aveva iniziato a frequentare assiduamente il Circolo dei Nobili, si divertiva curando la collezione di antichità, godeva di una soddisfacente intesa sessuale con Maria ed era legatissimo ai bambini. Avrebbero dovuto essere una famiglia serena e felice.

Nonostante ciò, Maria era rosa dall'ansia ogni volta che lui andava a Palermo da solo, al punto da star male. Aveva ripreso a giocare? Aveva chiesto prestiti agli amici? Era un'angoscia insopportabile, che le avvelenava le giornate. Finché decise di considerarlo soltanto un collezionista raffinato e un amante delle arti con le mani bucate. Negava la realtà, e se ne vergognava.

Ne aveva parlato con il padre, passeggiando nel giardino interno di Camagni, come ai vecchi tempi. Lui si era fermato e, dopo averla scrutata, le aveva allungato una carezza: "Io sono socialista dall'età di quattordici anni". Maria sembrava interrogarlo con gli occhi. Il padre le aveva fatto cenno di pazientare e, riprendendo il cammino, aveva continuato: "Quest'anno, in un momento delicatissimo per la nazione e per la sinistra, Turati, il 'padre' del socialismo italiano, che ho amato e rispettato, ha rifiutato l'offerta di Giolitti di fare parte del governo. Non so se per orgoglio o per risentimento personale, o perché non lo stima. Ma, come parlamentare e rappresentante del popolo, avrebbe dovuto accettare. Ha rifiutato anche la richiesta dei colleghi socialisti di entrare nell'esecutivo del partito, con il risultato che Mussolini – un nuovo venuto che non crede nella democrazia socialista – al Congresso di Reggio Emilia ha sconfitto il rappresentante della corrente moderata riformista. Turati è stato irresponsabile". Aveva messo una mano sulla spalla di Maria: "Faccio finta con me stesso che Turati sia sempre l'uomo di princìpi dedicato al socialismo che conoscevo. Ho fatto lo stesso con Crispi. Questa è l'arte della sopravvivenza di coloro che cercano di fare il giusto. Maria mia, fai bene a pensare che tuo marito è soltanto uno spendaccione. Ti aiuta a vivere e a rendere la vita serena ai tuoi figli. Ma stai all'erta!".

Michele Vigentini aveva mandato il suo aiutante, il tenente Maniscalco, ad accoglierli al porto di Tripoli. Per strada, l'ufficiale porse loro le scuse del tenente colonnello Sacerdoti: li avrebbe raggiunti la sera per cena al Circolo Ufficiali, nel palazzo adiacente al loro albergo. Se non erano stanchi, il colonnello e sua moglie Elisa avrebbero gradito offrire loro un cocktail prima di cena.

Poco distante dalla Sicilia, la Tripolitania era ormai "italiana" nonostante la fascia litoranea da Zuara a Tobruk fosse stata soltanto "ceduta" all'amministrazione del Regno d'Italia. Maria la conosceva attraverso i libri, i giornali, le fotografie e, di recente, il cinematografo. Dal vivo, era tutt'altra cosa; la prima sorpresa fu il loro alloggio, la casa-palazzo di una famiglia ebrea trasformata in albergo. Le loro camere davano su uno dei cortili interni, con divani coperti di tessuti orientali e comode poltrone di vimini; la geometria del giardino era scandita da alte palme invasate.

Pietro e Maria prendevano il tè alla menta sotto il porticato quando lui le propose di fare un giro e le porse la mano per aiutarla ad alzarsi. Il giardino consisteva di aiuole basse, rettangolari, con un folto bordo di asparagi selvatici identici a quelli del giardino di Girgenti, dal fogliame vibrante e lucido. "Guarda," disse Pietro, "le piante di gelsomino crescono senza supporto, poi i giardinieri arrovigghiano i tralci creando montagnole profumate." Altre aiuole più piccole, circolari, ospitavano piante di roselline. I vialetti convergevano al centro, dove gorgogliava l'acqua di una fontana visibile solo da un angolo del giardino e semplicissima nella sua bellezza: era formata da due conche di marmo bianco incassate nel pavimento, una più in alto e una più in basso, collegate da una canaletta. Maria si chinò per guardare meglio e, prima che potesse provvedere lei stessa, Pietro si affrettò a ravviarle dietro l'orecchio una ciocca di capelli che le era spiovuta in avanti. "Ti coprirei di baci," sussurrò, "ma qui bisogna rispettare le abitudini locali: dovrò aspettare fino a stanotte." Lasciò che la mano, posata sul volto, proseguisse in una lunga carezza. Ripresero il cammino a braccetto.

Giosuè, che aveva pensato di fare loro una sorpresa, era entrato nel giardino da una porta laterale; li vide e fece dietrofront.

Il circolo era ancora più grandioso ed esotico dell'albergo. Filippo e Leonora si aggiravano a braccetto di stanza in stanza, abbagliati dall'architettura moresca – volte altissime, ingegnose aperture per il ricambio dell'aria, archi e colonne di marmo bianco e nero, pavimenti e pareti piastrellate – e dall'arredamento – lanterne con vetri colorati, tappeti, enormi divani, mobili intagliati e traforati. Pietro e Maria si intrattenevano con i loro amici, separatamente. Elisa Vigentini presentava Maria alle altre signore. Alcune, come lei, erano in Tripolitania per le feste natalizie. Una di queste, Paola Cazzaniga – una bella donna dai capelli biondi e ricci, figlia di un imprenditore lombardo –, le chiese a bruciapelo: "È lei l'amica d'infanzia di Giosuè Sacerdoti?". Da allora fu lui il fulcro della conversazione; era ammirato per la diplomazia nei rapporti con la gente locale, per la sua cultura e per la convivialità. A sentire loro, era l'anima del circolo. Maria raccontava degli anni trascorsi con lui a Camagni e Paola la ascoltava da lontano, in piedi contro la balaustrata che dava sul cortile d'ingresso; a un certo punto si rassettò i riccioli nel riflesso del piccolo specchio tirato fuori dalla borsetta e, ancheggiando mollemente, si mosse verso lo scalone, mormorando: "Eccolo!". Maria, curiosa, la seguì con lo sguardo: appoggiata a una colonna, Paola aspettava, languida, Giosuè.

Capelli scuri, ricci impomatati, volto abbronzato, Giosuè, elegante nell'uniforme bianca, era balzato dall'ultimo scalino con un sorriso smagliante. Un'intesa di sguardi, un lungo bacio sulla mano che gli veniva offerta e poi i due, chiacchierando, si avviarono verso il gruppo. Quando riconobbe Maria, Giosuè accelerò il passo. Si salutarono con un formale baciamano. "Non sapevo che sareste venuti al circolo così presto," disse lui celando l'imbarazzo. Poi tenne banco raccontando anche lui dell'infanzia in Sicilia, guardando ora Maria, ora Paola, che non si staccava dal suo fianco.

Pietro era fuori città, con Michele e amici militari; sarebbe ritornato a Tripoli l'indomani, e gli altri tre sarebbero andati senza di lui al ballo organizzato al circolo.

Quella mattina Giosuè accompagnò Maria e gli sposini nel deserto, a pochi chilometri da Tripoli. Lasciarono la città su una carrozzella con la tettoia di canapa e le tendine di mussola, protetti da una scorta militare a cavallo, armata. Due autocarri, il Fiat 15 e il nuovissimo Fiat 18BL – un macchinone lungo quanto un omnibus –, li avrebbero accompagnati per un tratto, prima di raggiungere la loro destinazione. "Incutono paura," disse Giosuè. "Ne abbiamo ordinati altri e io ho investito il poco che posseggo in azioni della Fiat, la fabbrica torinese che li produce." Aggiunse che la situazione, nel paese, non era del tutto tranquilla.

Tripoli era alle loro spalle. Erano circondati da un mare di sabbia ondulata, sul quale crescevano piccole piante spinose con minuscoli fiori dai colori intensi. Nient'altro. Non un suono, un richiamo, un uccello.

"Mi ricorda le colline di grano del nostro entroterra," diceva Maria.

La prima tappa erano le rovine di una città romana appena riportate alla luce: il marmo bianco emergeva dalla sabbia che seppelliva l'intera città. Giosuè faceva loro da guida. "Vedremo soltanto quello che affiora del foro imperiale: pietre squadrate, sezioni di colonne scanalate, capitelli, trabeazioni." Dalla sabbia spuntavano monconi di colonne. Giosuè indicava loro un capitello corinzio dalle foglie di acanto scolpite con maestria, la scanalatura di una colonna rovesciata sulla sabbia, frammenti di marmo. Raccoglievano da terra statuette votive, lanterne, anfore affiorate di recente e poggiate lungo il sentiero, e ne discutevano.

Filippo e Leonora si annoiavano; decisero di separarsi dagli altri due e presero a vagare abbracciati tra le rovine, le teste protette dal parasole di Leonora, seguiti dal custode del sito archeologico. Dietro di loro si andava formando una coda di ragazzini biancovestiti in tuniche che lambivano il suolo, spuntati non si sapeva da dove – gli occhi ammirati e precocemente concupiscenti fissi su Leonora, che ancheggiava, volutamente provocante, al braccio del marito. Maria era imbarazzata da quella sfrontatezza, in un paese in cui uomini e donne non mostravano alcuna familiarità in pubblico. Giosuè se ne accorse e per il resto della gita le offrì il braccio soltanto quando c'erano scalini o passaggi difficili.

Era un'ottima guida. Con la punta del bastone faceva sentire la presenza di pietre invisibili. "È passata solo una settimana, ma la sabbia le ha sommerse di nuovo, velocissima. Le reclama per sé." Maria aveva imparato molto ed era contenta di sfoggiare la sua conoscenza dell'archeologia. La sommità di un arco della vittoria emergeva dalla sabbia. Portava incisa un'iscrizione in latino ormai pressoché illeggibile. Giosuè l'aveva ricostruita aiutandosi con testi storici e la consulenza a distanza di un amico cattedratico in epigrafia: era un ringraziamento a Cerere, per la dovizia delle messi. L'aveva guardata dritto negli occhi: "Qui si coltivava il grano. Ora c'è il deserto".

"Come fai a sapere tante cose?" gli chiese Maria.

"Ho dovuto cercare il bello per rimanere sano di mente e di cuore." E poi aggiunse secco: "Ho letto molto, per dimenticare quello che mi circondava".

Filippo e Leonora erano lontani, i ragazzini alle loro calcagna sembravano colombelle bianche. Qua e là il giallo della sabbia era interrotto da figure biancovestite, accovacciate e immobili. Alcune avevano accanto dei cammelli, anch'essi a riposo. I volti degli uomini e i musi degli animali erano rivolti verso di loro, gli intrusi.

La scorta non era più in vista; erano rimasti con loro alcuni militari a cavallo – anch'essi in uniformi bianche come quella di Giosuè –, che si tenevano a distanza.

"Hai tante ammiratrici, qui," osservò Maria.

"Non direi. In questo periodo riceviamo molte visite di parenti e amici, tra cui ragazze che cercano marito tra gli ufficiali."

"Come Paola?" Le parole le erano scivolate di bocca sole sole.

Per la seconda volta, una taliata dritto negli occhi di Maria. Poi: "A me le donne piacciono, lo sai. Se vengono a farmi compagnia, ne sono contento".

Maria non demordeva: "Hai mai pensato a prendere moglie? Guarda Filippo, più giovane di noi e già marito".

"Io sono ambizioso. Una donna mi ostacolerebbe." Giosuè sembrava turbato. Poi trasse dal fondo di sé un sorriso malinconico: "Almeno lo ero, ambizioso". Ora le porgeva la mano: "Andiamo sulle dune, vedrai che meraviglia!".

Le dune si spingevano immense e lente verso l'orizzonte. Sembravano i cavalloni di un mare mosso ma non tempestoso, quando le onde avanzano parallele e poi, come se tutto fosse stato orchestrato, si spezzano e si ricompongono, si allacciano ad altre onde, avanzano senza requie gonfiandosi e sgonfiandosi senza perdere compattezza. I due camminavano seguiti dalle guardie. Non c'era pista. Si arrampicavano, arrancavano nella salita e scendevano cauti. Quando erano in cresta si sentivano sopraffatti dall'immensità di quell'oceano immobile, a colloquio con la profondità del cielo.

"Devo sfogarmi," disse a un tratto Giosuè, e gesticolando prese a raccontarle gli orrori della guerra: "Sono stanco. Stanco e amareggiato. È andato tutto malissimo. Siamo stati inefficienti nella conquista, i turchi ce l'hanno regalata... si sono ritirati senza uno scontro armato, sono letteralmente scappati. Abbiamo mandato un esercito mal equipaggiato, con armi vecchie, senza munizioni e con scarsa conoscenza del territorio. I bombardamenti, mal orchestrati, sono finiti nel deserto. Ma questo non importa. C'è di peggio: siamo arrivati impreparati, senza sapere nulla della popolazione indigena e dei suoi bisogni".

Giosuè parlava con foga. "Bisogna portare la gente di qui dalla nostra parte, rassicurarli che saremo meglio dei turchi, che rispettiamo la loro religione. Non lo abbiamo fatto. All'inizio sembrava che gli arabi avessero accettato, persino di buon grado, la nostra conquista. E noi li abbiamo trattati come bestie: li abbiamo radunati e tenuti prigionieri. Non ci siamo spiegati, abbiamo promesso e non abbiamo mantenuto. Finché, incoraggiati dai Giovani turchi e dalle loro milizie, gli arabi hanno ritrovato l'orgoglio e hanno reagito con crudeltà efferata, uccidendo e seviziando."

Tacque. Aveva affrettato il passo, quasi volesse scavare una distanza tra sé e Maria e non dover parlare più. Lei si guardò bene dal lasciarlo fare e lo raggiunse subito. Allora Giosuè, per la prima volta, diede sfogo a quello che aveva tenuto dentro, gli occhi fissi a terra. "Noi italiani, proprio noi, abbiamo fatto di peggio e in grande scala contro la gente di qui. Se non era pianificata, la cosa certamente era tollerata e incoraggiata dal comando. Uso di bombe di gas letali o incapacitanti su civili inermi. Stupri su maschi e femmine, di tutte le età. Capisci, Maria? Abbiamo infierito sui moribondi e sui cadaveri, denudato e messo in mostra i corpi. Abbiamo squarciato i ventri delle gravide ed estratto i feti dai cadaveri per esporli in fila, impalati. Abbiamo sodomizzato con legni e candele cadaveri di uomini e donne, lasciandoli nelle piazze, nei mercati, dove tutti potessero vederli. Una guerra vergognosa, di cui non si sa nulla e nulla si saprà." Giosuè puntò gli occhi su Maria. “Non avrei dovuto darti questo immondo fardello... perdonami.” E la guardava, duro.

Dava le spalle al sole, grondava di sudore. Si era allentato la cravatta, e sbottonato la camicia. Si intravedeva il petto abbronzato. Il volto sembrava invecchiato, come se il sole vi avesse inciso delle rughe, mentre il corpo esprimeva energia e potenza: le gambe muscolose, da cavallerizzo, la vita sottile e il torso asciutto, il petto riccio come i capelli. Giosuè, turbato e infelice, era bello come un dio. Maria ritornò con la memoria all'Apollo nudo del Museo del Campidoglio: un corpo perfetto. Guardandolo, aveva cominciato a capire la sensualità circolare dell'arte, che non stimola o richiede appagamento carnale.

“Torniamo,” disse Giosuè. Sapeva di essere guardato e non lo gradiva. Si era tolto in fretta e furia giacca e cravatta, e accelerò il passo nel sole rovente, senza aspettare che lei gli si affiancasse. Erano due figure sospese nel nulla, dentro la vastità d'ocra del nulla.

Maria lo seguiva silenziosa. Aveva dimenticato tutto quel parlare di guerra e dei suoi orrori e vedeva il Giosuè che fino ad allora aveva conosciuto – il ragazzo mingherlino che passava le ore a studiare – trasformato in un uomo forte, dalla virilità prorompente. Vedeva soltanto lui, nella luce accecante. Lo voleva. Voleva che lui fosse attratto da lei quanto lei era attratta da lui. Accelerò il passo, per essergli finalmente accanto. Voleva dirgli che lo amava, che voleva toccarlo ed essere toccata da lui. E che gli si offriva, lì, sulla sabbia, umida di sudore. Nella foga di raggiungerlo, Maria scivolò e soltanto allora si accorse che sulla cresta delle dune, sull'orizzonte vicino, rivolti verso di loro e immobili, erano appostati dei cavalieri biancovestiti, in groppa ai cammelli. Altri se ne aggiungevano e a poco a poco circondavano lei e Giosuè, come se fossero pronti a scendere su di loro per catturarli. Ebbe paura.

“Non ti preoccupare. È la scorta indigena,” le disse Giosuè, e le porse la mano per aiutarla a rialzarsi.

Bruciava, quella mano, e anche il palmo di lei era rovente.

Capirono.

Prendevano il tè alla menta sotto la tenda, aspettando il ritorno di Filippo e Leonora. In silenzio. Avevano dimenticato. Dovevano.

"Penserei di dimettermi e lasciare la carriera militare, se non fosse per mia madre. Non è il momento, è ancora viva e la mantengo," sbottò Giosuè.

"Tua sorella non si occupa di lei?"

"Fa il minimo. C'è del risentimento tra loro. E noi due non abbiamo un buon rapporto. Siamo distanti. Lei vorrebbe introdurmi nella società ebraica di Livorno, darmi una moglie ebrea. Io mi sento siciliano. Uno di voi."

"Cerca di farle capire, spiegale chi sei. Ci riuscirai, ne sono sicura."

Giosuè la guardò in viso: "È gelosa di voi".

"Perché sei rimasto a Camagni? Le hai fatto notare che mio padre ha sempre detto che era la volontà di tuo padre?"

"Non soltanto per questo. Sa che siete la mia famiglia."

"Forse non dovresti parlare di noi."

"Non lo faccio mai."

"E allora?"

"Lo sentono. Siete la mia 'gente'. Ho la tua fotografia..."

"Quella da fidanzata, per i parenti di Pietro? Non dovrebbero essere gelosi, non capiscono che siamo cresciuti insieme?"

"Capiscono più di te."

Maria fu pronta a ribattere: "Certe volte sei oscuro, quando parli!".

Un silenzio, poi: "Tu, Maria, non vuoi capire... e invece dovresti, proprio oggi".

Per la prima volta nella sua vita, Maria si sentì troppo vicina o troppo lontana da Giosuè. Non in sintonia.

La giornata era andata di male in peggio. Maria, tristissima, avrebbe voluto andare a letto accusando un malessere ed evitare il ballo. Aveva il sentore che Pietro, quando si era allontanato con Michele, fosse andato a giocare d'azzardo e questo la tormentava. Dovette sopportare l'allegria di Filippo e Leonora eccitati dall'invito al ballo, e dare consigli a Leonora su cosa indossare e come conzarsi. Lei, su insistenza di Pietro, si era portata l'abito da sera celeste delle sorelle Stassi che lui le aveva comprato in viaggio di nozze a Napoli, ma non lo indossava volentieri, le sembrava eccessivo.

Michele aveva organizzato che, in assenza sua e di Pietro, due ufficiali facessero da cavalieri alle loro consorti. Maria si era svagata; il suo accompagnatore, Davide Lucasi, un conte piemontese imparentato con i Vigentini, era molto compito. "Abbiamo in comune l'amore per la musica," le aveva detto, "lo so da Giosuè Sacerdoti, siamo grandi amici." Le aveva chiesto quale fosse il suo valzer preferito e lei, pronta: "Quello della *Bella addormentata* di Čajkovskij".

"Bene! È stato inserito nel programma! Me lo concede?"

Non vedeva Giosuè. Era preoccupata. Lo aveva cercato tra gli invitati, senza farsene accorgere dagli altri, e non lo aveva trovato. Chiese a Elisa se era arrivato. "Come?, non lo hai visto?" Era seduto più in là, al tavolo dirimpetto alla specchiera; dava loro le spalle, ma il suo volto era riflesso nello specchio. Accanto a lui, Paola.

A fine pranzo, Giosuè aveva raggiunto il tavolo di Maria: era arrivato al circolo in ritardo, si scusava per non averla salutata prima.

Sul fondo della sala, un'orchestra di una dozzina di elementi cominciò a suonare. Si trattava di riduzioni di pezzi celebri, mazurke o polacche, e naturalmente valzer. Il caldo non favoriva una sequenza ininterrotta di brani e quando i musicisti sospendevano le esecuzioni la sala sfarfallava di ventagli colorati.

Maria non era a corto di cavalieri. Ballò tutta la sera. Quando sfiorava Giosuè scambiavano un sorriso, o un cenno. Durante uno degli intervalli per i rinfreschi, lui le si era accostato: "Quante volte abbiamo suonato il valzer della *Bella addormentata*, eppure non lo abbiamo mai ballato..." mormorò.

Maria stava per rispondere che era già impegnata, ma prima cercò nella sala il suo cavaliere. Le coppie erano al centro del salone in attesa del valzer che avrebbe concluso la serata. Tra quelle, Davide Lucasi, con una brunetta, in posizione. Evidentemente c'era stato un equivoco.

"Vieni?"

Giosuè la portò in pista. Le cinse la vita e disse deciso: "Ho chiesto a Davide di cedermi il posto. Sono certo che preferisci così". Ballarono senza dirsi una parola, le mani congiunte come calamite. E quella sensazione che le loro mani si cercassero spinte da una forza superiore rimase con loro per il resto della serata. Bastava un incrocio di sguardi o un battito di ciglia a testimoniarla.

L'indomani Maria era rimasta in albergo; aveva dormito male. Non se ne capacitava. Lei dormiva sempre sodo. Allora come mai? Perché era sola in camera? Forse perché non aveva digerito? O per la stanchezza? Oppure le emozioni del giorno precedente non avevano smesso di agire?

Filippo e Leonora erano fuori a fare compere. Lei aveva preferito rimanere in albergo: le mancava la solitudine a cui era abituata, lo spazio per ripensare a quanto visto e fatto; le mancava anche la musica. Il ritornello del valzer non la abbandonava. Elisa e altre amiche interruppero la sua quiete. Erano venute a cercarla per uscire e rimasero a prendere il tè. Maria ne approfittò per chiedere di Giosuè.

"Un vero tombeur de femmes, lui non ha certo bisogno di una 'madama' locale," dichiarò Elisa, "e un tombeur de femmes con una caratteristica inconsueta: le sue ex fiamme gli rimangono grate, dopo essere state lasciate!"

"Ti sbagli," la corresse un'altra. "Una, che deve rimanere senza nome, maritata, se n'è fatta una malattia!"

"Non ho nessuna pietà per queste adultere, pretenziose e spudorate," commentò Elisa, severa.

"È difficile non cedergli, quando Sacerdoti ti corteggia," disse un'altra ancora. "Mi dicono che si comporta da gentiluomo e che conserva un affetto sincero, dopo."

"Non ne conosciamo nessuna che lo abbia congedato... forse non ce ne sono!" commentò una terza.

"È senza dubbio discretissimo, e protegge le sue amanti. Sono loro che se ne vantano, se fosse per lui non sapremmo nulla della sua vita sentimentale!" disse Elisa; e poi, rivolta a Maria: "Come si comportava a Camagni, da ragazzo?".

"Usciva con gli amici, a casa studiava molto..." farfugliò Maria. "Non me lo sarei aspettato, tutto questo successo."

A solo, Elisa le parlò a lungo di Giosuè.

Era uno dei migliori ufficiali dell'esercito in Libia. Michele contava molto su lui, e si pensava che sarebbe stato trasferito al nuovo ministero delle Colonie: aveva lavorato molto e con profitto dietro le quinte per raggiungere il risultato voluto al Trattato di Losanna, nell'ottobre precedente. Era pieno di vita, colto, di maniere impeccabili e molto intelligente. Il figlio che ogni madre avrebbe desiderato. "Secondo me è un gran bell'uomo, un don Giovanni responsabile, e ha la capacità di coltivare grandi amicizie, maschili e femminili. Anche Davide lo rispetta molto." Elisa aggiunse che Giosuè c'era rimasto male per non essere stato coinvolto nell'organizzazione del loro soggiorno a Tripoli e la sera prima aveva chiesto a Davide di cedergli l'ultimo valzer. Lo aveva fatto inserire nel programma lui stesso, ma poi aveva dimenticato di dirlo a Maria.

"Non è perfetto, allora!" osservò lei.

"Ti vuole davvero bene. Sei il suo modello di donna moderna – moglie e madre devota, brava padrona di casa, capace di gestire il personale con fermezza e generosità. Mi ha detto anche che stai organizzando una scuola per le domestiche analfabete: è molto fiero di te, come se tu fossi una sorella minore. E si vede da come ti portava in giro sulla pista da ballo, ieri: è orgoglioso di quello che sei diventata!"

Maria ascoltava: era la conferma che il loro era un rapporto di enorme affetto e di amicizia, aperto, non segreto, quindi non un "amore vero", perché altrimenti lui non avrebbe mai osato parlarne. Fiduciosa che l'amicizia sarebbe continuata per sempre, e contenuta la vaga delusione che le aveva procurato essere descritta come "sorella minore", aveva accantonato il ricordo di quel valzer. La vita le sorrideva di nuovo, senza ambiguità.

Era l'ultima notte a Tripoli.

Avevano cenato dai Vigentini en famille, con pochi ospiti tra cui Giosuè e Paola Cazzaniga.

Pietro, Michele e gli altri amici erano tornati entusiasti: avevano fatto una gita al mare, su una lancia, lungo la costa; le serate erano state all'insegna del gioco e di altri intrattenimenti che furono classificati come "virili". Pietro, raggiante, teneva banco con i suoi racconti. Aveva acquistato reperti antichi e collane di vetro fenicio, che Maria aveva subito indossato: pietre sferiche della stessa grandezza, verdi e blu, con cerchietti di smalto bianco. Maria era bellissima, gli occhi di tutti erano sul suo décolleté.

Aveva parlato con Paola, genuinamente curiosa di conoscerla meglio: era una scrittrice di romanzi e dirigeva la galleria d'arte di famiglia, a Milano. Giosuè però non era affatto contento di quella intimità, e quando Maria chiese a Paola il suo indirizzo, tagliò corto assicurandole che glielo avrebbe mandato lui stesso.

Pietro e Maria si preparavano per andare a dormire.

Lui era lavato e profumato, in vestaglia. Seduto sul letto, aspettava che lei fosse pronta. La osservava mentre si svestiva, imbarazzato. Poi prese a parlare.

"Voglio essere franco con te. Ho giocato, in questi giorni lontano da Tripoli. E ho vinto. Dopo la vittoria non sono voluto ritornare al tavolo, probabilmente avrei perduto tutto. L'indomani ho vinto di nuovo, da anni non vincevo tanto! Voglio che tu lo sappia, che mi sono trattenuto! E che posso ritornare alla roulette, ora che porto vincite, non debiti! Non è stato facile lasciare il banco della roulette dopo aver vinto, non era nemmeno corretto. Ma l'ho fatto. A fatica. Non ho raddoppiato la posta."

Maria era rimasta in piedi, in sottoveste, le mani penzoloni. Senza vita.

Pietro le diede un bacio sulla bocca. "Ci sono riuscito, Maria! Pensando a te! A te!" Si tolse la vestaglia e la buttò per terra; le sfilò la sottoveste, poi, inginocchiato ai suoi piedi, le abbassò le mutande. Le infilò le mani dentro, leggere, dirette, palpitanti, come sapeva fare lui. Maria non fece resistenza, non avrebbe potuto, ma non partecipava.

Era il primo passo che lo riportava al gioco, all'eterna illusione, alla rovina della famiglia. Maria non poteva contare su di lui. Avrebbe dovuto sostenerli lei, i figli, e occuparsi dei beni di famiglia, lei sola, esattamente come le aveva detto il suocero, che conosceva il figlio meglio di tutti. Era sola. Suo padre aveva quasi settant'anni, e li portava male; Filippo non le sarebbe stato di aiuto: era ingenuo e poco pratico. L'unico vero sostegno le sarebbe venuto da Giosuè. Giosuè.

Pietro l'aveva presa tra le braccia e l'aveva adagiata sul letto. Continuava, con le dita, sempre più in profondità. Le baciava il seno, il ventre. Maria era pronta, calda, umida, ma non voleva. Non voleva Pietro. Voleva Giosuè. Ecco, ora lo capiva: amava carnalmente Giosuè. Sentiva in maniera confusa due voci che si sovrapponevano. *Questa è l'arte della sopravvivenza di coloro che cercano di fare il giusto*, diceva il padre. E poi la voce di Giosuè, sudato, sulle dune, *Tu, Maria, non vuoi capire...* Pietro la spinse dolcemente finché la sua testa arrivò sui cuscini e le allargò le gambe. Carezzava la parte interna delle cosce, dove la pelle tenera sente e risponde, poi tornava su, palpava, ritirava le dita. E di nuovo Maria chiuse gli occhi.

Il cielo era intensamente azzurro. La sabbia era dorata. Giosuè camminava davanti a lei, sudato, desiderabile, raggiungibile. Maria diresse le mani e poi la bocca di Pietro sul suo corpo, ma non erano più le mani e la bocca di Pietro, erano quelle di Giosuè, il suo Giosuè, il suo vero amore da sempre. Maria godeva e ricambiava, era Giosuè che la penetrava, era Giosuè che lei mordicchiava, carezzava, succhiava, era Giosuè con cui rotolava sul letto ed erano Giosuè e Maria, Maria e Giosuè, che caddero addormentati, il torace di lui contro la sua schiena, abbracciandola, le mani strette ai suoi seni, le gambe vischiose di seme e sudore, intrecciate.

28.

I dolci dei Morti

L'usanza forestiera dei regali sotto l'albero di Natale, introdotta in Sicilia dai paesi nordici, rendeva paesana e antiquata la festa dei Morti. Pietro l'aveva aggiunta con entusiasmo ai festeggiamenti natalizi, senza però mettere in discussione il primato millenario della tradizione dei regali portati ai bambini la mattina del 2 novembre dai morti di famiglia. Era un modo per far conoscere ai più piccoli antenati che non avevano mai conosciuto, e per tenere viva la memoria di parenti amati. In casa Marra, Titina teneva moltissimo a quella festa. Con un ago grosso infilava su uno spago caramelle avvolte nella carta lucida e formava magnifiche collane colorate. I regali veri e propri – giocattoli, vestiti, matite – erano incartati e nascosti sotto le sedie e sotto i mobili.

Maria aveva esteso la caccia ai regali ai salotti del museo. Anna e Vito giravano dappertutto alla ricerca dei doni dei Morti. Pietro e Maria li seguivano e li aiutavano, poi si sedevano a sgranocchiare insieme a loro i dolci della festa e rinnovavano la storia familiare attraverso i cunti del passato.

Nelle ultime due settimane di ottobre la cucina di casa Sala diventava un cantiere per la preparazione dei dolci dei Morti. Maria aveva instaurato la consuetudine di regalarne una bella guantiera, avvolta nella carta dorata, a ciascuno degli impiegati di casa e a quelli che per un motivo o un altro non erano più a servizio dei Sala. Le piaceva portare i bambini in cucina per farli assistere al lavoro delle donne di casa, e poi aiutare e imparare a modellare i biscotti, a dipingere la frutta di Martorana, a mettere la glassa sui tetìo e i tetù.

La cuoca e altre due donne erano sedute intorno a un tavolo, davanti a loro i colori a disposizione: rosso, bianco, blu, giallo e nero. La cuoca scioglieva con cura la polvere in tazzine da caffè sbeccate o senza manico e poi, usando pennelli di grandezza diversa, dipingevano la frutta e gli ortaggi, modellati con tanta precisione da trarre in inganno chiunque. Miscelando i colori se ne ottenevano altri, per cui alla fine c'era a disposizione un'ampia gamma di rosa, di viola e di verdi. I bambini – seduti anche loro al tavolo con addosso i grembiulini – dipingevano le arance, il frutto più facile. Maria li guardava soddisfatta. Lei non dipingeva, preferiva rubare a una a una dalla mensola le palline di pasta reale pronte per essere passate nei pistacchi tritati.

Due donne, sedute a un altro tavolo, ricoprivano di glassa i tetù e i tetìo, biscotti di mandorle e nocciole – sfornati da poco, ancora caldi – che sembravano pietre. Le glasse erano due: una di cioccolato per i tetù e l'altra di zucchero vanigliato per i tetìo. Si disponevano, alternandoli, a formare una piramide su una guantiera d'argento. Maria vagava da un tavolo all'altro, sorridente, annusando. Chiamava Vito e gli chiedeva di riconoscere a occhi chiusi l'odore della vaniglia, quello della cannella, quello dei chiodi di garofano e quello della noce moscata, poi glieli faceva anche assaggiare.

Maddalena toglieva i biscotti crozze 'i morti dalle teglie posate sul ripiano di marmo accanto ai forni. Già induriti, sembravano fatti di due impasti diversi, e invece non era così. Si univa lo zucchero con il bianco d'uovo e un po' di farina, e si lasciava riposare per tre giorni sulla teglia. Lo zucchero si depositava in basso, e formava un cerchio attorno al grumo centrale. Dentro il forno, la parte bassa diventava croccante come il caramello, quella alta restava bianca, candida, e a forma di ossa. "Bastano farina, acqua e zucchero e un tanticchio di spezie per fare i dolci per i signori," diceva soddisfatta Maddalena, mentre li staccava delicatamente dalla teglia.

Maria e i bambini si avvicinavano quasi in punta di piedi, sapevano che non bisognava disturbare.

Poi, Maria cercava la crozza 'i morto venuta peggio, una di quelle con la base allungata anziché rotonda, la prendeva e le dava un morso; quindi la passava ai figli, perché assaggiassero quella squisitezza. Raccontava a Vito e Anna che sua nonna, che non aveva mai conosciuto, faceva esattamente la stessa cosa con sua madre. "Anche voi da grandi farete assaggiare le crozze 'i morti malriuscite ai vostri figli: è una monelleria permessa!"

Maria non preparava in casa i pupi di zucchero: il procedimento era complicato, e poi appartenevano alla tradizione palermitana, dalla quale lei aveva attinto molte ricette ma che non aveva adottato in pieno; era importante che i suoi figli sapessero di avere una mamma paesana, non ricca, e che ne fossero fieri.

Maria riportava i bambini nelle loro stanze e poi continuava con i suoi compiti di padrona di casa, che non finivano mai. "La mia vita è bella," si diceva, "nonostante siamo in guerra e non se ne veda la fine."

Erano stati due anni e mezzo di miseria e di dolore al Nord, dove Filippo aveva combattuto fino a quando era stato ferito e congedato. Nicola invece era rimasto.

Maria seguiva la guerra attraverso i giornali, dai racconti di Pietro, dal poco che le scriveva Giosuè e dai commenti del padre e del suocero. Questi ultimi, di posizioni politiche opposte.

La Sicilia, lontana dal conflitto armato, ne soffriva molto. Nessuno era entusiasta della guerra. La gente la sentiva aliena, e mangiatrice di vite di giovani siciliani. C'era un altro tipo di combattimento sull'isola, quello del governo contro il popolo. Le manifestazioni dei socialisti contro la guerra erano sistematicamente schiacciate dalle forze dell'ordine, come se fossero africani che si ribellavano al potere coloniale. Maria sapeva dal padre che le truppe avevano l'ordine di sparare sui dimostranti, e uomini che lui conosceva e stimava – come

Bernardino Verro, di Corleone, sopravvissuto ai Fasci siciliani, e i capi socialisti di Prizzi, Petralia e Noto – erano stati uccisi dai militari italiani.

Migliaia di disertori avevano ingrossato le file dei briganti. I ricchi riuscivano a evitare la leva corrompendo. La mafia aveva esteso il suo controllo sul territorio; paga del proprio potere e in attesa di tempi migliori, collaborava con la polizia e si presentava come garante dell'ordine nelle campagne, dove i mezzadri si rivoltavano contro il governo che ammassava i prodotti agricoli per distribuirli equamente e sfamare la nazione. L'Opera Nazionale dei Combattenti aveva molto promesso con il motto: *La terra ai contadini!* In Sicilia era considerata una beffa.

Nonostante il clima di guerra, la vita di tutti i giorni era tranquilla: i ritmi della famiglia – inverno a Girgenti, estate a Fuma Vecchia, Pasqua a Palermo – erano sempre uguali e Maria e Pietro godevano di una sommessa felicità. Lui si allontanava meno, semmai viaggiava con Maria: brevi spostamenti in Sicilia e in Italia, a volte fino a Roma. Continuava a essere inaffidabile e Maria, a ventisette anni, a volte si sentiva una specie di madre-tutore per lui, che aveva quasi il doppio della sua età: il suocero la incoraggiava in tal senso, in modo che l'amministrazione del patrimonio fosse garantita. Era raro che a una giovane donna fosse offerta una simile opportunità, e Maria imparava. I Sala possedevano terre, case, miniere di zolfo e avevano fatto investimenti in titoli e denari. Il suocero le aveva presentato l'amministratore delle loro terre, il dottor Puma, e l'aveva invitata a incontrarlo regolarmente. Questi veniva a casa, e le spiegava come funzionavano l'agricoltura, il sistema della mezzadria e quello tributario. Le aveva insegnato a "conoscere" la pioggia, tanto desiderata e tanto temuta in Sicilia. Senza un pioggione autunnale, dopo sei mesi di siccità, non si poteva arare il terreno indurito, per la semina. C'erano buone piogge che portavano un raccolto abbondante di grano e ingrossavano le olive, e male piogge come i temporali estivi, che rovinavano l'uva sulla pianta. Il suocero l'aveva accompagnata a visitare le loro terre. Le condizioni di vita dei contadini erano grame e primitive. La scarsezza d'acqua, e di acqua potabile in particolare, era causa di malattie. Maria proponeva migliorie, ma spesso si sentiva rispondere: "Non ora, quando la guerra finisce".

Il suocero la teneva informata sugli investimenti, immobiliari e no, e l'aveva presentata ai direttori delle banche delle quali era cliente – ma soltanto quando Pietro non era in città, per discrezione.

Delle miniere Maria sapeva poco. Aveva sentito dal responsabile, l'ingegner Licalzi, che la "raccolta" dello zolfo in Sicilia – fino a una ventina di anni prima il maggior produttore di zolfo del mondo – aveva avuto un ruolo fondamentale nella Rivoluzione industriale attraverso il solfato di zolfo. Nel 1889 c'erano settecentotrentatré solfare che producevano i quattro quinti della produzione mondiale! Il prezzo dello zolfo era crollato quando, negli Stati Uniti d'America, erano stati scoperti giacimenti di zolfo quasi puro, che si estraeva senza scavare sotto terra. "Sono tempi duri per le miniere; io però rimango ottimista: anche se i giacimenti stranieri si esauriranno, la richiesta mondiale di zolfo continuerà, e noi potremo sopperirvi." Le loro miniere avevano una clientela francese molto fedele, con contratti a lungo termine e tuttora in essere, curati da zio Giovannino.

Il grande orgoglio di Maria era il palazzo di Girgenti, che gestiva come se fosse una piccola azienda. Aveva introdotto sistemi di lavoro che consentivano di risparmiare tempo e materiali e di ricavare pause di riposo durante la giornata. Il portone di ferro era stato riverniciato, il portiere aveva nuove uniformi, la loggia di legno e i vetri colorati della portineria erano stati restaurati, i marmi e gli ottoni della scala erano lucidi; i pianerottoli "di riposo", con le piante da ombra e i sedili per gli affaticati, sembravano dei salottini. Le scuderie, ormai vuote, erano state trasformate in magazzini che Maria aveva affittato. Con il ricavato aveva ripulito alcune stanze che davano direttamente sulla scala, in cui un tempo si riponevano i bauli da viaggio e che ora erano finalmente scuole per analfabeti.

Persone di servizio e impiegati, maschi e femmine, erano invitati a frequentare le lezioni di aritmetica impartite da Andrea Prosio, un maestro valdese di Grotte – anche lui, come i Malon, originario di Torre Pellice –, mentre Maricchia dopo trent'anni aveva ripreso l'insegnamento, assistita da Egle. Ogni tanto anche Maria si univa a loro, ma di rado. Pietro osservava l'industriosità della moglie e la incoraggiava a fare di più.

Le aveva comprato una macchina per cucire americana, una Singer a pedale, che lei adoperava molto – cucire le era sempre piaciuto. "Perché non insegni alle ragazze? Potrebbero diventare sarte!" le suggerì lui. Maria era titubante. Era già osteggiata dalle cognate perché le loro cameriere erano tra le sue allieve, e sapeva di essere l'unica tra le signore di sua conoscenza ad aver fatto qualcosa del genere. Pietro le forzò la mano regalandole altre due macchine per cucire. Nacque così la scuola di cucito, aperta anche ad apprendiste esterne.

Le cognate occupavano appartamenti di appoggio al primo piano, dove alloggiavano il suocero, zio Giovannino e zia Giacomina quando andavano a Girgenti. Con il passare degli anni, le loro famiglie presero a trascorrervi periodi sempre più lunghi nei mesi invernali, quando la vita cittadina era più gradevole di quella di paese, e li consideravano di loro proprietà. Maria badava anche alle piante che ornavano i pianerottoli e portava le sue allieve ad ammirare le composizioni floreali. Aveva finito per suscitare il dispetto di Giuseppina, che – si diceva – aveva riempito di acqua e candeggina gli annaffiatoi e aveva mandato Caterina ad annaffiare. Le piante in ogni caso erano morte. Tutte. Le tre cognate, sdegnate dalla "gentuzza" che incrociavano per le scale, chiamavano Maria "la socialista".

Maria non permetteva che la cattiveria e le piccinerie delle cognate la angosciassero. Godeva della sua bella casa, luminosa e infiorata. Studiava sui libri di archeologia del marito e ascoltava gli ospiti che venivano a vedere la collezione, ai quali faceva da guida. Ormai il contributo di Pietro era esaurito, Maria aveva sete di nuove conoscenze, di dettagli storici, di approfondimenti. A volte, quando suonava la "sua" musica, quella che conosceva a memoria, pensava ad altro: sembrava astrarsi e trovare segrete assonanze fra la contemplazione della natura e il rumore del pensiero.

29.

"E la bella Trinacria... per nascente zolfo"

Il 24 ottobre 1917 l'esercito italiano era stato sconfitto e umiliato a Caporetto. Nicola era tra i combattenti, e non si sapeva se fosse tra i caduti. A Girgenti e a Camagni i parenti erano mangiati dall'ansia, ma non abbandonavano la speranza di ricevere buone notizie.

In Sicilia, lontano dal fronte, si consumava una guerra interna. C'era carestia, e miseria. Le poche industrie che concorrevano alla produzione del materiale bellico lavoravano a ritmo ridotto, e dunque non si era creata come nel Nord Italia una fonte di benessere per le imprese che sostenevano l'esercito. La gente era affamata, l'economia in ginocchio, e così anche l'agricoltura, che aveva dovuto abbandonare le coltivazioni più redditizie e le piccole attività conserviere (come la produzione di caffè e marmellate) per dedicarsi completamente al grano, che andava all'ammasso.

Le materie grezze prodotte dall'isola venivano mandate al Nord Italia. Non mancava soltanto il pane, mancavano anche tessuti, aghi per cucire, spagnolette di filo, medicine, scarpe. Tutte cose prodotte dalle industrie del Nord, che mietevano profitti con le forniture dell'esercito. La renitenza e il brigantaggio, in continuo aumento, erano un'ulteriore piaga per la popolazione civile. La mafia, potentissima, interveniva a favore delle forze dell'ordine e dei notabili. I prefetti, molti dei quali erano stati nominati per accontentare i notabili mafiosi delle province, erano restii a prendere decisioni o impossibilitati a metterle in atto.

Giosuè, che si era distinto durante la guerra di Libia e nelle trattative diplomatiche che avevano portato al successo del Trattato di Losanna, disamorato dalla guerra aveva ottenuto un prestigioso incarico come consulente del ministero delle Colonie. Poi era stato trasferito al ministero della Difesa. Era oberato di lavoro e si teneva in contatto con la famiglia attraverso le lettere che scriveva al padre di Maria.

La depressione e l'incertezza regnavano nell'isola; nella famiglia Sala c'erano anche preoccupazioni per la salute del padre di Pietro. Aveva avuto dei disturbi gastrici ed era andato a Girgenti per accertamenti. Anziché stabilirsi nel suo appartamento al primo piano, aveva scelto la casa di Pietro, suscitando – e non per la prima volta – la gelosia delle figlie, i cui appartamenti erano contigui al suo. Le rimostranze furono particolarmente vivaci, piene di astio e malevolenza nei riguardi della cognata. Quando Sistina arrivò a dire che Maria cercava di sedurre il suocero, questi decise di agire e indisse una riunione in presenza del fratello e del notaio alla quale furono invitati i figli e i relativi consorti. Comunicò loro le sue disposizioni testamentarie: le figlie avevano già ricevuto i beni dotali e non avrebbero avuto altro; Pietro avrebbe ricevuto la legittima, il resto del patrimonio sarebbe toccato ai figli di lui, nati e nascituri da Maria, che ne sarebbe stata l'amministratrice durante la minore età. La legittima di Pietro consisteva in denari e titoli di Borsa, sui quali avrebbe vigilato Maria. Insomma, Pietro avrebbe avuto una rendita, ma gli rimaneva precluso l'accesso ai beni immobili.

Figlie e generi rimasero interdetti, e quasi non salutarono Maria al momento del commiato. Pietro, invece, che era già al corrente, sembrava sollevato: disse che avrebbe avuto più tempo per l'arte e la collezione di antichità. Maria non sapeva come gestire l'ostilità delle cognate. Avrebbe desiderato chiedere consiglio al padre, ma non le era possibile: la salute di Ignazio era peggiorata, soffriva di gotta e a Girgenti non poteva andare.

In quei giorni era arrivata la notizia che in una miniera di Lercara era crollata una galleria travolgendo due pirriatura e quattro carusi. Il gabellotto stesso aveva dato ordine di chiudere le porte interne della galleria – ordine immediatamente eseguito dai carusi –, lasciando dentro i sei morti o moribondi. La stampa locale aveva accusato i proprietari della miniera. Nonostante la legge di Giolitti del 1906 vietasse il lavoro per i minori al di sotto dei dodici anni, i carusi – ingaggiati a partire dagli otto anni – rappresentavano il trenta per cento della forza lavoro: erano piccole bestie da soma e portavano sulle spalle in gerle da sessanta chili la roccia estratta dai picconieri. Spesso morivano giovani, uccisi dalla fatica, dalla malnutrizione, dai fumi e dalle inalazioni; e dalle torture: per farli andare veloci, i picconieri bruciavano loro i polpacci con la fiamma dell'acetilene, li prendevano a pugni, calci, bastonate.

Maria apprese queste notizie e inorridì, pensando che i Sala le nascondessero qualcosa. Ora capiva perché ogni richiesta di visitare le miniere era sempre stata lasciata cadere. Possibile che fossero incoscienti come i padroni di cui scrivevano i giornali? Il suocero capì e incaricò l'ingegner Licalzi di accompagnare Maria alla Ciatta, la miniera più vicina a Girgenti tra quelle di loro proprietà.

Leonardo guidava l'automobile del suocero. Maria si era vestita per l'occasione: abito scuro, cappottino impermeabile, cappello a falda stretta e scarponcini. L'automobile aveva imboccato la strada privata della miniera. Il fondo era di ginisi, un pietrisco residuato dello zolfo.

MINIERA CIATTA: INGRESSO VIETATO era scritto sul cartello. La strada era bloccata da una sbarra. Il guardiano la sollevò lentamente, scrutando muto la femmina nell'automobile dei padroni. La miniera era sulla costa di un altopiano: uno slargo di quasi un chilometro. L'ingegnere indicò a Maria l'arco del tunnel scavato per la ferrovia privata che collegava la Ciatta al porto di Licata, da dove partivano i bastimenti che avrebbero portato lo zolfo all'estero: "Tutto lo zolfo siciliano va sul mercato straniero. Alla fine del secolo scorso, coprivamo quasi l'intero fabbisogno mondiale". E poi declamò: "*E la bella Trinacria... per nascente zolfo!*".

Maria lo guardò sconcertata.

"Intendo dire," si affrettò a precisare l'ingegnere, "che quei giornalisti che hanno scritto menzogne sulle condizioni dei minatori dovrebbero saperlo che di zolfo siciliano Dante parla nel *Paradiso* e non nell'*Inferno*."

Maria cercò di allontanare quella voce, era lì per capire.

Non cresceva un filo d'erba, nemmeno ai bordi delle strade. Non c'era un albero, era tutto giallo e grigio, e puzzava. Maria entrò nei locali della direzione scortata da Licalzi: davano un'impressione di ordine ed efficienza. I macchinari erano moderni; il telegrafo teneva in contatto le diverse miniere dei Sala e, tramite la direzione, si poteva comunicare con tutti gli acquirenti. C'era anche una cabina per il telefono elettrico, collegato alle Ferrovie dello Stato. Le fu servito un caffè già zuccherato. Si sentiva la bocca allappata e l'ambiente vasto sembrava rimbombare. E poi, ancora, quella puzza di zolfo, un leggero odore di marcio. Maria sentiva ma non riusciva ad ascoltare quanto le veniva detto, a volte contemporaneamente, da Licalzi, dal direttore e dal vicedirettore. "La miniera non chiude mai", "quattrocento minatori in tre turni", "vengono dal paese a piedi", "si portano il piccone e il pettine di legno per togliersi il sudore dal corpo", "vanno in paese il sabato pomeriggio e tornano il lunedì mattina... i carusi ci vanno ogni due settimane". Maria attisò le orecchie quando sentì parlare di sicurezza: di incidenti ne succedevano pochi, disse il direttore, e soprattutto il lunedì – la colpa era dei minatori, che la domenica si ubriacavano volentieri. Le bocche dei pozzi erano due, in modo da garantire sempre un'uscita sicura. All'interno si poteva entrare anche in un vagone su binari tirato da un mulo, e così avrebbe fatto Maria, ma il trasporto del minerale era fatto a spalle dai carusi.

"I carusi... I carusi..."

"Mi parli di loro," disse Maria.

"Dal 1904 impieghiamo soltanto maschi," disse il direttore. "Le fimmine lavoravano come spisarole e acquarole, ma ai tempi antichi facevano anche i lavori dei carusi. Le scale su cui salgono sarebbero impraticabili per un adulto di corporatura media, e dovremmo costruirne di nuove, cosa spesso impossibile. Lavorano anche per chiudere le porte che separano i settori delle miniere."

"Sono nostri impiegati? O dipendono dal picconiere?"

"Le famiglie vogliono a monte un pagamento sostanzioso chiamato soccorso morto, poi 'cedono' i figli in affitto al picconiere. Il pagamento del soccorso morto è anticipato. Sono circa centocinquanta lire, i carusi lavorano per onorare il debito."

E Licalzi: "Vivono dentro le miniere, sotto terra. È il picconiere che li insigna. Se non lo fa, rimangono carusi anche da grandi. Noi non siamo i padroni dei carusi, non tocca a noi insignare".

"E ci sono dei carusi che sono diventati minatori?"

Il direttore scosse la testa: "Non sarebbero adatti a fare i minatori, il loro corpo si è sviluppato per portare roba, non per scavare. Sono rachitici. Si ammalano, non sono cauti con le inalazioni di anidride solforosa, con i pericoli... non arrivano alla trentina".

Maria si sentì mancare, cercò un appoggio. Licalzi e il direttore le chiesero se voleva tornare a Girgenti. Non stava bene? Ma lei si era ripresa e già chiedeva altre spiegazioni: "E visto che lavorano da noi e li paghiamo, se si ammalano ce ne occupiamo noi o il 'padrone'?".

Ancora una volta, Licalzi ebbe la risposta pronta: "Apparteniamo al Sindacato Obbligatorio Italiano di Mutua Assistenza dei proprietari di miniere, istituito nel 1905. L'anno passato abbiamo avuto duecentoventi soccorsi, anche di carusi...".

E di nuovo il direttore: "Il problema è che spesso non sappiamo come si chiamano".

"Non sapete come si chiamano?" ripeté lei incredula.

"Certe volte non lo sanno nemmeno loro. Sono 'armàli'," fu la spiegazione. "Qui hanno tutti nomi d'ingiuria."

E Licalzi: "Sarà l'anidride solforosa, che è allucinogena, sarà... Sarà quel che sarà, ma babbasuna sono".

E il direttore: "Buoni cristiani sono, li conosciamo da tanti anni. Buoni cristiani. Certe volte gli diamo da mangiare quello che rimane".

Maria faceva fatica a registrare le sue parole. Cambiò argomento. "Il medico condotto viene regolarmente?"

"Certo, regolarmente!" rispose il direttore accorato. "È un amico."

"Mi stia a sentire." Il direttore le si avvicinò: a questo punto, malore per malore, voleva che la signora sapesse tutto: "L'incidente più comune è il distacco di roccia. Il secondo, lo scoppio di fiamme di grisù, un gas leggero che si nasconde in alto, negli incavi dei camminamenti. Quando fa la fiammata i minatori, che stanno nudi per via del caldo, si bruciano. Io ce lo dico di cummugghiarisi. Il terzo sono le inalazioni di acido solfidrico, quello che puzza di uova marce, velenosissimo. È un gas molto pesante". E qui il direttore tacque.

"Che significa 'pesante'?"

"L'acido solfidrico sta in basso. Se uno scivola e cade, bastano due boccate a stinnicchiarlo. Se non si rialza subito muore. I compagni corrono immediatamente a tirarlo su. Ma se uno cade appresso a quello che sta aiutando, e ne viene un altro che cerca di tirarli su, e cade anche lui, e cade pure chi viene dopo... In una miniera di Calascibetta quindici picciotti morirono così, per aiutarsi. Ma bravi e generosi sono i minatori che lavorano per voi, la famiglia Sala!"

"C'è un'infermeria?"

"Mi dispiace, non è adatta agli occhi di una signora!"

Licalzi convenne. "Non le piacerebbe, ci sono uomini nudi."

"Andiamoci," disse Maria decisa.

La accompagnarono a una casupola, anche quella di pietra giallastra. Le finestre erano opache di polvere. La porta, chiusa con il chiavistello, sembrava che non venisse aperta da tempo. Maria girò attorno all'edificio: era chiaramente abbandonato, ragnatele pendevano dalle finestre e dalle travi. Non disse una parola. Passarono davanti ai calcaroni: erano accesi e il calore era terribile. Maria tossì. Non si vedevano carusi che portavano pietre. Era chiaro che erano stati mandati altrove. Ugualmente, chiese dove fossero.

"È l'ora della ricreazione!" esclamò il capomastro, che li aveva raggiunti.

Due impiegati aiutarono Maria a sedersi nel vagoncino preparato per lei, con dentro una coperta. Sulle rotaie, scendeva lentamente negli inferi. Non si era aspettata che fosse umido. Il buio e la puzza sempre più forte le incutevano paura. L'aria, pesante, diventava gradualmente irrespirabile. Scese in uno slargo dove convergevano due gallerie, si sentiva il battere dei picconi. Una voce rauca guidava un canto scandito ritmicamente da un suono gutturale che precedeva il colpo del piccone. Ognuno teneva il tempo seguendo quel singhiozzo, come un pianto.

Nel buio, i colpi sembravano più forti, sempre di più. Maria vedeva appena e non riusciva a respirare. Sentiva a malapena quello che le veniva detto. La voce di Licalzi si mescolava agli altri suoni e pareva venire da una lontananza malsana. Finché da una galleria spuntò un enorme uomo-corvo dalle spalle possenti che andava nella direzione opposta, ansando. In mano, una lampada ad acetilene.

Maria aguzzò gli occhi: quella creatura nuda e nera dalle gambe arcuate, come le zampe di un uccello, aveva pedazzi dalle dita spampanate simili a mani mostruose; il corpo era deforme: dalla vita in su si allargava in una massa di muscoli coperti da una tela e da una gerla. "Itivinni!" gridò il direttore. E la figura impaurita cominciò a saltellare in modo grottesco, a destra e a sinistra, nel camminamento che diventava sempre più stretto, emettendo strani rumori dal petto e dalla gola, come se stesse per affogare. Con tutti quei movimenti la lampada si era spenta, e la creatura scomparve nel buio. Stordita, Maria non chiese nulla.

Quando tornò in superficie, a stento si reggeva in piedi. Il sole riverberava sulle pietre di zolfo e di marna. Fu attratta da una tettoia bassa con al centro un recipiente largo come una vasca. Attorno, creature che sembravano capre. Si allontanò dai suoi accompagnatori. Era un abbeveratoio per i picciotti. Erano una ventina, mostruosi: piedi larghissimi, polpacci sottili, le cosce un groviglio di muscoli potenti, vita stretta e torace incavato. Collo, spalle e bicipiti erano un grumo di calli. Avevano la testa china, come se volessero guardare soltanto la terra. Quel poco che si vedeva dei volti sembrava senza vita: occhi chiusi, capelli impastati che cadevano sulla fronte. Neri. Nudi. Muti. Succhiavano l'acqua dalle mani a coppa, rumorosamente, e sbavavano. Prendevano altra acqua e la succhiavano, assetati. Senza allontanarsi dagli altri e senza comunicare tra loro. Alcuni urinavano in piedi, bevendo. Poi tornavano a riempirsi le mani.

Nessuno notava la sua presenza. Nessuno notava la sua assenza. Licalzi e il direttore parlavano con il capomastro. "Forasteri ci sunnu! Itivinni!" urlò Licalzi da lontano. Come capre spaventate, i carusi cercavano di reagire a quell'ordine impartito da una voce sconosciuta. Chi era rimasto fermo, pietrificato; chi girava su se stesso, non sapendo cosa fare; chi tentava di andare nella direzione di Maria, chi in quella opposta.

"A travagghiari!" gridò il direttore. Sentendo l'ordine noto, i picciotti si girarono, si misero in fila e procedettero veloci verso la buca nera nella falda della miniera, che li inghiottì uno dopo l'altro. E mentre scomparivano nel buio a Maria salì un pianto in gola, una commozione che non seppe controllare se non nascondendola dietro il fazzoletto ricamato.

"Dove vivono?"
"Qui."
"Hanno stanze?"
"Dormono in buche e caverne che si scelgono loro tra quelle non in uso. Si fanno compagnia."
"Parlano?"
"Poco."
"Hanno abiti?"
"Solo quelli per andare e venire dal paese. Qui stanno nudi, estate e inverno."
"Dormono con i padroni?"
"Una volta, ora no. Preferiscono dormire tutti insieme."
"Perché?"
Il direttore esitò. "Forse per loro è meglio. Si proteggono."
"Da chi?"
Il direttore non seppe rispondere; la guardava sgomento. Maria capì, e non parlò più.

Sull'automobile la aspettava un gran mazzo di spine dorate, bellissime. Erano state immerse nello zolfo liquido. "Quando viene vostro marito," disse il capomastro, "le chiede sempre, e vuole vedere come si fanno. Sotto terra lui non ci va mai."

30.

Fegato alla veneziana e frittella per Giosuè

Nonostante la guerra, i Sala continuavano a vivere come prima, nel lusso: a casa si mangiava bene, ci si riuniva da amici e parenti per le feste come se nulla fosse cambiato. Maria, però, non riusciva a dimenticare la visita alla Ciatta. Nicola, tornato dal fronte, le aveva raccontato in quali terribili condizioni versava la gente del Veneto e del Friuli, coinvolta nel teatro della guerra. Emilia Formiggini le aveva scritto della piaga di tante ragazze sfollate e rimaste sole e indifese, perché i maschi di casa erano andati in guerra o erano morti. C'erano casi di stupro o di prostituzione, per fame. Emilia e altre avevano impiegato alcune di quelle ragazze nelle loro case. Maria pensava da tempo che le sarebbe servita una cuoca, e decise di cercarla tra le rifugiate. Pietro non gradiva che lei si mettesse ai fornelli: non gli sembrava consono al suo status, e soprattutto pensava che Maria si stancasse. Ecco, prendere una cuoca veneta sarebbe stata una risposta al desiderio del marito e un gesto di solidarietà e aiuto agli altri italiani.

Marisa Arrivabene venne a fine novembre, prima del previsto. Era una ragazza di venticinque anni: bionda, robusta e volenterosa. Era stata cuoca in un albergo ed era fiera dell'arte – così la chiamava – imparata da un celebre chef austriaco. Non capiva Maddalena e le altre cameriere quando parlavano, ma fortunatamente Maricchia ed Egle erano ancora ospiti da Maria e grazie a loro Marisa fu introdotta non soltanto alla famiglia Sala, ma anche alla lingua e alla cultura siciliane.

In quei giorni Maria ricevette una lettera da Giosuè, in cui annunciava che il ministero della Difesa l'avrebbe mandato in Sicilia per un sopralluogo sulle condizioni di emergenza: la carestia, i disordini sociali, la renitenza alla leva – che aveva raggiunto livelli altissimi proprio quando ci sarebbe stato più bisogno di uomini –, il brigantaggio e il separatismo, che riceveva il sostegno delle classi alte e quello tacito della mafia. *Farò base a Palermo e a Girgenti, proprio per vedervi. Alloggerò in prefettura*, concludeva Giosuè.

Pietro era esaltato dal suo arrivo – Giosuè era ormai un personaggio importante – e volle organizzare un pranzo in suo onore, en famille: avrebbe invitato le sorelle e i cognati, i suoceri e il prefetto Paolini con la famiglia. La figlia del prefetto, Ilaria, coetanea di Maria, era da tempo sua amica. Marisa si sarebbe cimentata per la prima volta in un pranzo importante.

La mattina del giorno stabilito, Maria dava gli ultimi ritocchi al menu insieme a Marisa, volenterosa e pronta a imparare le ricette siciliane. Come primo – Pietro si era imposto – ci sarebbe stata la pasta al forno alla palermitana, quella con gli anelletti che a lui piaceva molto. Marisa l'avrebbe preparata per la prima volta. Per secondo Maria aveva scelto fegato alla veneziana, e come contorno la frittella, un piatto tipicamente siciliano di primizie: tre ortaggi – piselli, carciofi e fave – cotti separatamente e poi ripassati insieme in padella con l'aggiunta di aceto e zucchero. Infine, Marisa aveva suggerito come dolce una torta ungherese che aveva fatto furore in Austria: la Dobos Torta, a strati di pasta biscottata e crema di cioccolato. Sull'ultimo strato si passava il caramello, una novità assoluta in casa Sala.

Maricchia era entrata in cucina senza fare rumore; si avvicinò a Maria e le sussurrò all'orecchio che in salotto c'era una discussione tra suo marito e il suocero. Maria capì che era meglio raggiungerli. Padre e figlio erano sprofondati nelle loro poltrone, ma quell'apparenza di quiete era contraddetta dalla tensione che accendeva gli sguardi. Il suocero sembrava abbattuto, come se il peso dei suoi anni fosse raddoppiato.

"Che succede?" domandò Maria.

"Pietro chiede denari. Più di quanto concordato per quest'anno," rispose il suocero. Poi, rivolto al figlio: "Spiegati. Spiegati a tua moglie".

Maria sedette. Pietro la guardò imbarazzato: "Voglio fare dei regali, Natale si avvicina. E poi ho dei piccoli debiti di gioco, contratti qui al Circolo dei Nobili – poca cosa".

Maria pensò subito che Pietro volesse fare un regalo d'addio a un'amante recente, di cui sapeva. Nel corso degli anni aveva avuto avventure con donne sposate e no e lei se n'era dispiaciuta, ma sapeva da altre amiche che quei tradimenti capitavano e che una moglie saggia doveva chiudere gli occhi su quelle scaminate, che prima o poi finivano. A meno che non intaccassero l'unione familiare, le apparenze e le finanze della famiglia. Di recente era dovuta intervenire con l'ultima fiamma di Pietro, la moglie del questore, una florida catanese che aveva fama di essere "leggera" e di scegliere amanti danarosi. La disturbava il modo in cui questa faceva moine a Pietro in pubblico e sospettava che lui le avesse regalato oggetti di valore. Pochi giorni prima era stata invitata a prendere un tè in casa sua, con altre signore di Girgenti. Aveva fatto in modo di essere l'ultima ad andare via e nel congedarsi le aveva detto: "Io a mio marito ci tengo. E tu?".

La risposta era stata immediata: "Pietro non merita un'amante come me, né una moglie come te: Maria, te lo puoi tenere".

Pietro fissava Maria. Poi disse: "Voglio quei denari, mi servono. Sono fatti miei".

Lei si rivolse direttamente al suocero: "Pietro ha già avuto duemila lire extra quest'anno, forse è meglio fermarsi". E ritornò in cucina.

Poco dopo si incrociarono nel corridoio. Per la prima volta, Pietro la minacciò: "Soltanto io posseggo Fuma Vecchia, al catasto risulta intestata a me soltanto, su consiglio di tuo padre! Se continui così la venderò, e finiranno le tue vacanze a Camagni vicino alla tua famiglia". Maria non rispondeva, e lui continuò: "Cosa direbbe tuo padre se sapesse che tu intervieni nei fatti miei, con la mia famiglia? E cosa direbbe Giosuè, il tuo amico, che viene oggi?". In quel momento passava Maricchia. "Scusami, ho da fare," mormorò Maria, e si allontanò. Pietro, rabbioso, rimase schiacciato contro la parete.

Organizzati i lavori di casa, Maria se ne uscì sola per commissioni. Camminava osservando la gente, si fermava davanti alle vetrine dei negozi e inalava i profumi della strada: il pane fresco nelle ceste sulla testa dei garzoni, il caffè della torrefazione, i gelsomini dinanzi al bar. E sotto casa scambiava saluti col suo "pubblico", gli uomini che da dietro le loro bancarelle la ascoltavano al pianoforte. Quella mattina le era venuto di suonare un arrangiamento della canzonetta *Tripoli, bel suol d'amore*, e i venditori si congratulavano. "Continui ogni tanto a farci una canzonetta; ci vuole una musica allegra al giorno d'oggi, e le canzoni d'amore fanno sempre bene!" le disse il suo più fedele ammiratore, un robivecchi. Bastò quello a dare a Maria la forza di andare avanti e di non attribuire peso al comportamento di Pietro, se si fosse ripetuto. Avrebbe continuato a negargli il di più, per il suo bene e per il bene dei figli.

Al ritorno trovò ad aspettarla i suoi genitori: erano venuti da Camagni per incontrare Giosuè e sarebbero rimasti ospiti per qualche giorno.

Pietro, rasserenato, intratteneva con verve suo padre e i suoceri, prima del pranzo; mentre gli uomini conversavano, Maria si ritirò con la madre nella sua camera e per la prima volta le parlò delle avventure galanti del marito, e della moglie del questore. Non lo aveva fatto prima perché temeva di sconvolgerla, certa che né il padre né la madre avevano mai avuto interesse per altri – ne era davvero sicura. Titina la sorprese.

"Figlia mia, ti capisco. Non so se hai fatto bene ad affrontare la moglie del questore. Di certo sei stata saggia a non prendere di petto Pietro. Anche tuo padre ha avuto amanti, con discrezione. Io non l'ho mai tradito; rimanevo sua moglie, la sua donna più importante e la migliore. E dunque ho tollerato. Se tu dovessi notare che tuo marito tratta le sue amanti come tue pari, saresti nel giusto a buttarlo fuori dalla tua camera da letto e a trovarti un altro. Lui non sarebbe più degno di te."

Maria era sgomenta: non se lo sarebbe mai aspettato. E Titina aggiunse: "Un'ultima cosa, Maria. Se mai lo avessi tradito non glielo avrei detto, avrei mentito come faceva lui".

Gli argenti erano lucidi, la tavola era conzata e in cucina Marisa aveva tutto sotto controllo. Per Maria era giunto il momento di rilassarsi e di fare un bagno, prima di prepararsi per ricevere gli ospiti, come Pietro le aveva insegnato:

"Riempi la vasca di acqua tiepida, sciogli dentro i sali da bagno e aggiungi un sacchetto di fiori di lavanda. Poi entra nell'acqua e rimani distesa, aggiungendo altra acqua calda per non farla raffreddare. Quando la pelle si è imbevuta d'acqua, passati la luffa su tutto il corpo".

La luffa era una spugna vegetale, il corpo fibroso di una pianta della famiglia delle Cucurbitacee, simile a una zucchina. Arrivato alla completa maturazione, il frutto si disidratava e rimaneva lo "scheletro" spugnoso. Quando si immergeva nell'acqua, dalla luffa usciva una sostanza saponosa che ammorbidiva la pelle. "Passati la luffa su tutto il corpo, proprio tutto, dietro e dentro le orecchie, massaggia i seni, carezzati il corpo, scendi giù nelle tue parti intime, sulle gambe, tra le dita dei piedi, e poi sulle mani, risvegliando i sensi. E godendo di te stessa... ti fa bene. Poi aggiungi altra acqua calda, e resta ancora nella vasca. Pensa a cose belle, rilassati e continua a massaggiarti. Sentirai che il tuo corpo è vivo."

Dopo essersi asciugata per bene Maria si ungeva di un olio profumato che veniva dall'India. Proprio in quel momento sentì bussare: era Pietro, la informava che aveva insistito con Giosuè perché si trattenesse per la notte, e lui aveva accettato. Era rimasto a guardare il suo riflesso, nuda, dentro lo specchio. Aveva altro da dirle: "Lo accetteresti un regalo da me?". Lei annuì, e lui le mise al collo una catenina d'argento con un pendant ovale traforato e decorato a sbalzo con un motivo di rametti di bacche. Era opera dell'orafo danese Georg Jensen. A Maria si strinse il cuore. Sicuramente Pietro aveva già comprato un altro gioiello di Jensen per la moglie del questore. Lui la baciò di sfuggita sui capelli: "Spero che un'altra volta sarai più generosa nei miei confronti".

Gli ospiti erano in salotto, in attesa dei Paolini e di Giosuè. Le cognate erano vestite in pompa magna: parure di gioielli, abiti di paillette, i capelli appena usciti dalle mani della pettinatrice. A Maria rivolsero appena la parola; Sistina le chiese della visita alla Ciatta con uno sguardo che lasciava intendere che la sapeva lunga sul rapporto tra lei e Licalzi.

Pietro era pieno di verve e fu pronto ad alleggerire la situazione con una battuta. "Sistina," disse mettendo una mano sulla spalla della sorella, "non mi hai detto quanto è bella mia moglie, e non hai neanche ammirato il gioiello che porta al collo."

Giosuè era entrato nel salotto a passo baldanzoso, felice di rivedere i Marra. Parlava un po' con tutti, e poi ritornava da Ignazio, che si alzava con difficoltà dalla poltrona. La cena fu un successo. Giosuè era il centro dell'attenzione; il suocero di Maria parlò a lungo con lui delle miniere, e degli infortuni alla miniera di Lercara, senza fare cenno a quanto detto da Maria dopo la visita alla Ciatta, né del suo ruolo all'interno degli affari di famiglia – era una questione privata. Voleva sapere da Giosuè se valeva la pena modernizzare le miniere e investirvi. "La produzione di zolfo continua a calare per la concorrenza americana, ma non per questo è la fine di tutte le miniere siciliane," fu la sua risposta. Dopo di che gli uomini dissero ciascuno la propria; le donne parlavano d'altro, ma con un orecchio ascoltavano le parole di Giosuè. Alla fine, lui concluse: "L'industria dello zolfo siciliano si salverà, ma rimarranno soltanto le miniere meglio gestite, e in conformità con le disposizioni dello Stato sulla sicurezza del personale. Saranno decine, non le centinaia che esistono oggi. E continueranno a dare profitti".

"Bravo!" approvò Vito Sala. Le figlie sembravano contrariate.

Dopo pranzo gli uomini andarono a fumare in veranda; Maria, dal salotto, li osservava. Notò che Pietro e Giosuè chiacchieravano fitto e a un certo punto entrambi volsero lo sguardo verso di lei, al di là della portafinestra. Poi Pietro andò a sedersi vicino a suo padre, gli parlava in fretta, e anche allora notò che i due la cercavano con lo sguardo al di là del vetro. Maria si vergognò del comportamento di suo marito.

Zio Giovannino fu il primo a lasciare la compagnia. Chiese che fosse chiamato il suo segretario: voleva presentarlo a Giosuè. Le facce delle nipoti si contrassero all'unisono. Maria disse subito: "Certo, possiamo invitarlo per i liquori", e Matteo Mazzara fu ricevuto in salotto. Sistina, Graziella e Giuseppina, che durante la serata avevano fatto gruppo tra loro, ora fingevano un inusitato interesse per i vasi della Magna Grecia: ciarmuliavano senza staccarsi dalla vetrina, ostinate nel dare le spalle all'ospite sgradito. Matteo, che aveva una laurea in Archeologia e al quale erano dovute le acquisizioni più prestigiose della collezione, parlò piacevolmente con tutti e si trattenne con Giosuè discutendo le scoperte archeologiche in Libia; poi diede il braccio a Giovannino e lo accompagnò fuori. Gli altri ospiti seguirono il loro esempio e si accomiatarono.

Rimasero in salotto Pietro, Giosuè e Ignazio. Maria aveva accompagnato la madre in camera e poi era ritornata in salotto. Si sentiva viva e piena di energia. Si sedette accanto alla lampada e prese il ricamo. Ascoltava da lontano, come se fosse una mosca.

Giosuè era triste e accorato. L'esercito non aveva ricevuto istruzioni adeguate per l'utilizzo dell'artiglieria come elemento di difesa. I soldati non sapevano cosa fare, la conduzione del conflitto non era adeguata al mondo moderno. Il generale Cadorna era un uomo del passato, disinteressato alle novità che i nemici sapevano bene come utilizzare. Giosuè esprimeva critiche anche sull'assegnazione della terra ai reduci: un tentativo di aumentare le reclute e combattere la renitenza.

"Illudere è sbagliato. La divisione dei latifondi e l'aumento della piccola proprietà contadina sono questioni importanti e giuste, ma devono essere analizzate altrimenti. Finirà che le terre saranno occupate illegalmente e sarà necessario l'intervento dell'esercito. Il latifondo rimarrà immutato o addirittura ne uscirà più forte, aggiungendo amarezza alle speranze deluse dei reduci."

Maria si meravigliava di non essersi mai accorta di quanto equilibrio sapesse esprimere Giosuè nelle sue considerazioni. Ogni tanto alzava gli occhi dal ricamo e lo guardava: in pochi anni aveva acquisito gravitas e dolcezza nel parlare. Giosuè chiedeva un parere a suo padre e ne cercava l'approvazione, come fosse ancora uno scolaro; con Pietro invece si comportava da fratello, apprezzava quello che diceva e lo ascoltava senza interromperlo anche quando esagerava o si confondeva. Tra un punto e l'altro, le affiorava il senso di gradevolezza provato nel bagno.

La serata stava per concludersi. Il padre era stanco e Giosuè gli diede il braccio. Pietro sbadigliava e lasciò a Maria il compito di occuparsi dell'ospite; lui andava a dormire.

Avevano riservato a Giosuè la foresteria, la stanza per gli ospiti migliore, lontana dalle altre camere. "Entra," la invitò lui. "Ho qualcosa per te." Aprì la valigia e le porse una busta. "Uno dei miei soliti regali." Era uno spartito di Respighi, la *Sonata in fa minore* per pianoforte a quattro mani.

"È bella, e non è difficile. Forse potremmo suonarla." Le prese il volto tra le mani per il bacio della buonanotte, come sempre. Andò dritto alla bocca. Poi abbassò le mani e le cinse la vita, mantenendo i corpi distanti. Era un bacio lungo, carnoso, inquisitivo. Maria lo lasciava fare, non reagiva. Lui le alzò la camicetta, le passò le mani sulla schiena liscia, salì fino alle spalle e poi scese all'attaccatura del seno; si fermò, non volle andare oltre. Allora Maria rispose, e si sciolsero in una sequenza di baci profondi, senza mai accostarsi l'uno all'altra. Giosuè riportò le mani sul volto di lei e dopo un ultimo bacio sulle labbra la accompagnò alla porta con un soffio di buonanotte.

Giosuè fumava una Macedonia Extra dal pacchetto che Maria aveva lasciato sulla scrivania per lui. Era imbarazzato. Non lo aveva pianificato, ma gli era sembrato giusto e naturale, e così era stato anche per Maria. Perché non gli bastava essere il suo amico più caro?

In effetti desiderava possedere Maria da quando era diventata donna. Con le altre il rapporto era intellettuale e fisico, mai emotivo. Non c'era tenerezza in quegli amori. Con Maria era diverso. Giosuè osservava il fumo che saliva in alto, in spirali sempre più larghe – gli ricordavano i seni tondi di Maria adolescente, che lui intravedeva attraverso le tende e cercava di godere con il binocolo.

31.

Al vero amore si perdona tanto

Maria era scesa nella portineria di casa Marra, dove l'aspettava Carolina Tummia, già seduta nell'automobile con Leonardo alla guida. Ambedue a lutto per la morte del padre di Pietro, avvenuta all'inizio dell'anno, andavano al funerale di zio Giovannino, morto di spagnola. Le esequie sarebbero state celebrate a Girgenti, come quelle del fratello. Vito Sala era morto nel gennaio del 1918, soltanto tre giorni dopo aver messo in regola le miniere con la legislazione presente, come aveva suggerito Giosuè e contro la volontà delle figlie, che avevano ciascuna una quota del due per cento. Maria ricordava ancora la promessa che lui le aveva chiesto di rinnovare poco prima di morire: "Non intaccherò mai il patrimonio dei miei figli per saldare i debiti di mio marito". E proprio per questo era andata dai genitori, a Camagni, per discutere dei debiti di Pietro e della necessità di vendere alcuni gioielli per farvi fronte.

Dopo la morte del suocero si erano presentati, a nugoli, i creditori di Pietro; alcuni erano andati addirittura al funerale, altri a casa, per le visite di lutto. Maria aveva dovuto trattare con loro. Aveva scelto i gioielli di maggior valore per saldare i debiti, piccoli ma numerosi. Leonora era impegnata altrove e Filippo aveva partecipato all'incontro con i genitori. Si costruiva poco, e lui era spesso senza lavoro; si era offerto di incaricarsi della vendita attraverso un amico palermitano gioielliere. Proprio allora era arrivato il telegramma che annunciava la morte dello zio e Maria aveva accettato: in parte Filippo le faceva pena, in parte temeva di non avere il tempo di occuparsene. Se n'era pentita appena entrata in automobile. Che cosa ne capiva, Filippo, di gioielli? E si era sentita sgomenta.

Viaggiare con Carolina la infastidiva. Avrebbe voluto essere sola e pensare a zio Giovannino, che conosceva poco ma che le era sempre piaciuto. Negli ultimi mesi lo zio aveva rivelato il suo affetto per Matteo, che aveva lasciato il suo lavoro di amministratore presso un museo torinese per stargli vicino come segretario; Maria aveva apprezzato il forte legame tra i due, nonostante la differenza di età. Ne aveva parlato con Pietro, che l'aveva incoraggiata ad accettare gli amori tra donne e gli amori tra uomini. "Tutto quello che si vede ripetuto nella natura deve farci pensare che c'è un motivo, per essere in quel modo, e che bisogna rispettarlo. I cani omosessuali sono ben noti, ma ci sono anche altri animali che cercano il piacere con il loro stesso sesso."

Come previsto, Carolina raccontava tutti i pettegolezzi di casa sullo zio. "Si dice che ha lasciato denari e la collezione di arte moderna francese a Matteo. Che vergogna, tutti sapranno di questo rapporto! E che cosa ne penseranno? E a noi che lascia? Si dice pure che ha lasciato a tuo marito l'usufrutto del piano nobile del palazzo di Palermo, e la proprietà ai tuoi figli. E si dice che ha lasciato piccole cifre a tanti altri uomini in tutta Italia e in Francia." Maria annuiva senza commentare. Carolina vibrò un colpo basso: "Pare che ti ha lasciato dei gioielli: a te, a te sola, di tutte noi nipoti. A noi niente ci volle lasciare! Che gli hai fatto tu, che sembri tutta buona? Forza Maria, dimmelo, com'è che ci sai fare così bene con gli uomini?".

"Carolina, ti fai trascinare dal tuo malo carattere, calmati," le disse Maria. Per quanto la cugina fosse maligna, le voleva bene. Quella passò a parlare della miniera Ciatta e di Licalzi: "Vero è che gli piaci?". Maria si mise a guardare fuori dal finestrino. La campagna era in fiore, nei campi di grano sbocciavano i primi papaveri. Tutto era verde. E lei si calmava.

Il funerale sembrava una replica di quello del suocero. Il feretro lasciò il portone di casa Sala e salì verso la cattedrale.

Il carro funebre era preceduto dal corteo di orfanelle, monaci e monache, in due file, che annunciavano alla cittadinanza la morte di Giovannino Sala. Subito dietro la bara, i parenti stretti. Seguivano quelli più lontani e infine gli amici e i curiosi. In fondo, due file di uomini, alcuni giovani, altri di mezza età, vestiti con un eccesso di vistosa eleganza. Erano i garrusi, che coraggiosamente erano andati a rendere omaggio a uno di loro. Maria e Pietro, gli eredi del nome, venivano prima di tutti, seguiti dalle sorelle di Pietro con i rispettivi mariti. Matteo seguiva il feretro in terza fila, con Carolina e gli altri pronipoti. Alla fine della cerimonia la famiglia si schierò sotto il portico della cattedrale, per ricevere le condoglianze.

Pietro era accanto a Maria, tesissimo. Si indovinava un tormento, una sorta di contenuta aggressività. "Hai i denari?" mormorò.

Lei lo guardò indignata attraverso la veletta nera: "Non è il momento, ma la risposta è no".

Pietro si ricompose. Mentre si avvicinavano amici e conoscenti posò la mano sulla vita di Maria, protettivo. In una pausa, Sistina sibilò: "Che indegnità, lasciare i vasi di Lalique a quel segretario...". Cercò nel volto di Pietro le tracce di un consentimento e aggiunse: "Imperdonabile".

"Al vero amore si perdona tanto," rispose lui, e fece in modo che Maria lo sentisse, anzi allungò la mano sulla veletta e, con uno sguardo d'intesa, la carezzò delicatamente.

Pietro voleva lasciare subito l'appartamento che fino ad allora avevano occupato nel palazzo di Palermo per trasferirsi al primo piano. Come sempre, voleva tutto e subito. Marichia ed Egle – quest'ultima alle soglie del matrimonio con il maestro Andrea Prosio – erano andate ad aiutare Maria nel trasloco. Loro due svuotavano i cassetti della biancheria di casa, mentre Maria si occupava degli armadi: stava tirando fuori gli abiti di Pietro e li posava su un divano, da dove sarebbero stati portati al piano nobile. Fu allora che, in fondo all'armadio del marito, scoprì un collage di fotografie montate con gusto e sapienza. Fotografie di donne.

Maria non l'aveva mai notato. Alcune erano cantanti, o donne famose, altre sconosciute, altre ancora invece erano signore di Palermo e di Girgenti che lei conosceva. Le fotografie erano tutte dello stesso formato. Scritta di traverso, nell'angolo in basso a destra, c'era una data; a volte anche una seconda. Le date erano progressive. Riconobbe una sua fotografia, scattata durante il viaggio di nozze. Nell'angolo c'era una sola data, quella del giorno dopo il matrimonio.

Erano le donne che Pietro aveva amato: la prima data era quella in cui le aveva possedute per la prima volta, la seconda indicava invece l'ultima. Lei era una di quelle. Una come tante. Sentì all'improvviso di non essere mai stata amata. Aveva la sensazione di essere fragile come carta. Fallita come donna, come moglie. Guardando quelle foto ripassava gli anni del suo matrimonio. Vedeva Pietro che la instradava al piacere, ma era come se fosse in una classe insieme ad altre, compagne e nemiche. Una di tante. E sola.

In quei giorni Maria ricevette da Filippo il ricavato della vendita dei gioielli. Quando ne parlò con zia Elena e zio Tommaso, lo zio sembrò imbarazzato: commentò che il prezzo ricavato era molto basso, e che il gioielliere di certo si era già rifatto con le prime vendite. Maria fece finta di niente e non disse loro che Filippo le aveva dato ancora meno. Si sentì tradita anche dal fratello.

Ritornata a Girgenti, si era dedicata ai figli, che sentivano la mancanza del nonno e ora quella di zio Giovannino. Faceva molta vita di casa. Pietro adesso non voleva più che sua madre lasciasse Fara per andare a vivere con loro. Era certo che Maria non ci tenesse, e che anzi ne sarebbe stata sollevata. Non sapeva che negli anni si era molto affezionata a sua madre. E che, dopo il tormento davanti all'armadio aperto e a quella collezione di trofei, era cambiata: lui non poteva più farle male, e nemmeno piegarla al proprio volere. Anna Sala si trasferì a Girgenti. E Pietro iniziò a trascorrere lunghi periodi nella casa di Palermo.

L'11 novembre 1918 Italia, Francia e Inghilterra vinsero la guerra contro Austria e Germania. Il Nord Italia ne era uscito doppiamente vittorioso, grazie alla formidabile espansione delle industrie stimolate dal conflitto, che avevano tratto enormi guadagni dalla vendita dei loro prodotti all'esercito. Il Sud aveva fatto poco e niente: il divario con il Nord era aumentato ed era ormai incolmabile. La vittoria ebbe scarso effetto sulla vita di Maria, che a fine anno era dovuta ritornare a Palermo. Suo padre stava male ed era andato dalla sorella nella speranza che i medici lo aiutassero. Ma non c'era stato niente da fare. Titina lo aveva curato con dedizione. Sempre presente e abile infermiera, era rimasta al suo fianco pronta al sorriso e vestita con cura, come lui la voleva, fino all'ultimo.

Giosuè era accorso da Roma per il funerale. Era stato eletto tra i centocinquantasei nuovi e inesperti deputati socialisti, che con i cento deputati del Partito Popolare di don Sturzo formavano la metà della Camera. Era riverito da tutti, e orgoglioso. Dopo le esequie aveva abbracciato Titina: "Giosuè," gli disse lei, "ti ho amato come un figlio: qualsiasi cosa tu faccia, ti benedico". Maria ascoltava, e ne fu turbata. Abbracciò Giosuè e poi gli altri che, in fila, attendevano il loro turno.

Stavano per lasciare il cimitero. Pietro aveva portato via i bambini. Maria era tornata indietro per un ultimo saluto alla tomba del padre, da sola. In silenzio, Giosuè l'aveva seguita.

"Dobbiamo vederci più spesso," le disse. Lei abbassò le palpebre e piansero affranti. Gli aveva posato il capo sulla spalla e Giosuè l'aveva abbracciata. Stretta. Rimasero così, due orfani, a piangere insieme. Ma troppo a lungo.

Maria fu la prima a scuotersi: "Non dobbiamo...".

"Qualcosa deve succedere," mormorò lui. E lasciò andare l'abbraccio.

Giosuè fu presto circondato dai condolenti che volevano congratularsi con il neodeputato.

Quell'anno orribile non era ancora finito. Tutti in famiglia pensavano che Titina, di appena quarantadue anni, avrebbe superato la perdita del marito con la stessa forza ed energia con cui lo aveva accudito, e che avrebbe goduto di una lunga e serena vedovanza. Invece, dopo la morte di Ignazio, Titina smise di mangiare. Maria era rimasta a Palermo, la vedeva deperire e capiva. Ne parlarono, madre e figlia. Titina non voleva vedere alcun medico. Leonora invece, spinta da Filippo, aveva insistito nel chiamare il medico che aveva curato il padre, stimatissimo in famiglia. Maria si era irrigidita quando la madre aveva ceduto alle insistenze della nuora. "Non te la prendere, farò quello che considero giusto, e che voglio. Leonora mi fa pena. Sia lei che sua madre erano maltrattate da Diego: le picchiava. Una volta, durante una festa a casa nostra, ho assistito non vista a una di queste sevizie: lei aveva non più di cinque anni; gli aveva disobbedito e lui le acchiappò la mano. Le torceva le dita come se fossero biancheria da strizzare e gliele munciuniava una a una, lento, forzuto, fissandola negli occhi. Poi le aveva aperto il palmo e ci dava pugni. Infine, le piegò le dita all'indietro, come se volesse rompergliele. Sempre guardandola negli occhi. Lei, sbiancata, non reagiva. Sapeva che altrimenti sarebbe stato peggio, una volta tornata a casa." La madre aveva aggiunto, come se fosse soprappensiero: "Ho sempre stimato Nike; dovette lasciare casa e non disse mai una parola contro quel sadico...".

Ma Titina non era malata. Solo, continuava a non toccare acqua né pane. Si spense nel sonno, due settimane dopo. Un secondo funerale, in tutta fretta. Giosuè era arrivato in ritardo e dovette ripartire per Roma lo stesso giorno. "Ho avuto due padri e una sola madre affettiva, la vostra," disse ai fratelli Marra, e si allontanò sconsolato. Maria, ripensandoci, capiva che erano davvero fratelli e con la ragione cercava di persuadersi che i momenti in cui aveva pensato che Giosuè la desiderasse erano soltanto la reazione confusa a forti emozioni.

Filippo non si dava pace; temeva che la madre si fosse avvelenata e volle un'autopsia. Il risultato fu ambiguo: Titina soffriva di un tumore al seno, ma non era stato quello a ucciderla. Filippo continuava a interrogarsi, disperato, ma senza trovare risposta, anche perché la morte fu dichiarata "naturale". Maria, convinta che la madre fosse incapace di andare avanti senza il padre, non riusciva a dispiacersi della sua scelta.

32.

Il nostro è un solo destino

La morte passa a ventate, si ripeteva Maria. Quattro morti in dodici mesi non erano un fatto inconsueto, erano morti – per così dire – generazionali, ma era stato un anno difficile.

Della generazione precedente rimaneva soltanto la suocera, che viveva da lei. Maria andava nelle sue stanze ogni giorno. Il tempo non le mancava: Anna e Vito erano impegnati con gli studi e avevano anche un'istitutrice svizzera. Pietro passava molto tempo a Palermo. Continuava a cercare reperti antichi e aveva cominciato a interessarsi di arte contemporanea siciliana.

Il suffragio universale maschile e la promozione della scuola dell'obbligo e della sanità pubblica avevano spianato la strada al fascismo. Negli ultimi due anni, da quando Mussolini era al potere, la Sicilia aveva goduto momenti di tranquillità e un timido inizio di ripresa economica.

Maria aiutava anche i fratelli. Roberto, il più giovane, era indipendente: si era laureato in Lettere antiche e aveva trovato posto come insegnante in un liceo di Pinerolo. Non aveva preso moglie, ma aveva una vita sua e in Sicilia tornava di rado. Si scrivevano. Dopo il congedo del 1917, Filippo era tornato a Camagni; viveva con Leonora nella casa paterna, che aveva ereditato in quanto primogenito. Cercava di esercitare la libera professione, ma sia durante la guerra che dopo in Sicilia non c'era lavoro per gli ingegneri civili e nemmeno trovava impiego. Aveva affittato il vecchio studio del padre a Nicola, laureato in Giurisprudenza, che nutriva ambizioni forensi. Nicola però non aveva bisogno di lavorare per campare: era stato adottato da zia Matilde. Nicola e Filippo avevano ormai accettato una situazione bizzarra: Leonora si divideva tra di loro, accorta ma pervicace. Da quando Zino, il figlio di Filippo, aveva cominciato a frequentare la scuola, Leonora sembrava essersi allontanata ulteriormente da marito e figlio: passava più tempo in casa di Nicola e andava con una certa frequenza a Roma, dove lui possedeva degli appartamenti ai Parioli, accompagnata da amiche compiacenti. Maria tollerava per amore di pace.

Quando Leonora chiese a lei di accompagnarla a Roma, volle che le spiegasse cosa era successo tra lei e i fratelli e la invitò al ristorante. Dopo il primo, mentre aspettavano l'arrosto panato, Maria disse: "I nostri genitori non ci sono più e io, che sono la maggiore, vorrei che la famiglia continuasse a vivere in armonia. Voglio capire questo tuo rapporto a tre con i miei fratelli".

Leonora se l'aspettava. "Io sono diversa da te. Tu hai avuto una famiglia unita, io un'infanzia e un'adolescenza disgraziate. Ho sofferto la miseria, finanziaria e morale. Mio padre trattava male mia madre; Albertina, la donna che si tenne in casa, era soltanto un'altra persona di cui approfittare. Lo so io quanti aborti ebbe, quella poveretta! Decisi allora che non sarei mai stata povera e che mi sarei trovata un marito ricco." Prese fiato e si aggiustò il tovagliolo sul grembo. "Avrei accettato anche di fare la cortigiana, non potevo e non posso tollerare l'idea della miseria. Voi rappresentavate il mio sogno... una famiglia unita, che si voleva bene. Si diceva che tua zia Elena e suo marito avessero deciso di adottare Filippo. Loro sono ricchi, e pensavo che sposando lui mi sarei pulita, sarei rinata nella vostra famiglia. Ho bisogno di agio, di sicurezza."

Maria ascoltava, cercava di capirla. Leonora torturava il tovagliolo, senza requie. "C'è dell'altro." E fissò Maria dritto negli occhi come avesse trovato un varco. "Sono una donna sensuale. La verginità mi è stata tolta poco dopo la pubertà.

Filippo è buono, e io gli sono affezionata. Gli zii, a quanto ho capito, non hanno voluto adottarlo... forse perché disapprovano me. Ma non ci voglio pensare. Filippo come amante non mi soddisfa. Nicola invece mi era sempre piaciuto, aveva la fisicità di tuo padre... ma era più giovane di me di sei anni e non era per niente ricco. Poi, zia Matilde decise di adottarlo. Avrei potuto abbandonare Filippo e andarmene con Nicola, fare la bella vita con lui lontano da Camagni, ma non me la sentivo; non mi sembrava decente. Avrei dovuto abbandonare anche mio figlio, o toglierlo al padre, e non volevo che soffrisse come ho sofferto io." Il cameriere arrivò con il secondo e le servì. "Ne abbiamo parlato, i tuoi fratelli e io, e abbiamo raggiunto l'accordo che conosci. Ho rapporti con l'uno e con l'altro. Ti ricordi quando ridevamo della poliandria? Be', io sono la prima nel mondo occidentale. E ora mangiamo, l'arrosto panato si raffredda."

"Come *La signora Morli, una e due*," disse piano Maria.

Leonora tagliava la carne meticolosamente, in pezzi della stessa grandezza, e teneva gli occhi sul piatto; Maria pensò che con la forchetta e il coltello stava dicendo quel che non riusciva a esprimere a parole: anche Leonora, come lei, voleva essere giusta, dare a ognuno la parte che gli spettava, né più né meno. E ne ebbe pietà.

"Cerchiamo di essere amiche. Dopotutto, siamo cognate doppie." Allungò la mano a sfiorarle le nocche, ma non se la sentì di stringerle le dita.

Nell'aprile del 1924 Maria andò a Roma: doveva vendere altri gioielli per pagare i debiti di Pietro. Lui le aveva suggerito di chiedere aiuto a Giosuè – diventato gerarca, con un ruolo di rilievo all'interno del partito –, che non vedevano da tempo. Dopo la morte dei genitori, Maria e Giosuè non avevano ripreso la vecchia abitudine di scriversi regolarmente, anche se lui non mancava mai di inviare auguri di compleanno e onomastico a ciascun membro della famiglia e ricordava gli anniversari di morte dei genitori di lei. Le rare volte che veniva in Sicilia si faceva sentire al telefono, talvolta faceva una breve visita.

Maria aveva portato in giro i gioielli antichi ereditati da zio Giovannino, ma non piacevano. Nessuno voleva acquistarli. La gente preferiva il moderno. Pietro la tempestava di telegrammi e telefonate. "Hai venduto?" A un certo punto lei smise di rispondergli. E lui si rivolse direttamente a Giosuè.

Giosuè la chiamò al telefono a casa di Nicola. Aveva saputo da Pietro che era a Roma e che voleva vendere dei gioielli: lui conosceva un potenziale acquirente, e se ne sarebbe occupato personalmente. La invitò da Alfredo, un nuovo ristorante che andava per la maggiore, frequentato da molti personaggi politici.

La telefonata e l'invito di Giosuè non erano stati graditi da Maria. La conversazione con Leonora l'aveva intristita. Si sentiva vecchia, nonostante i suoi trentaquattro anni. Le pesava quella doppia contabilità familiare, che aveva scelto senza la debita considerazione: mentre le finanze di casa erano floride e c'erano denari per i figli – che lei pensava di mettere in collegio –, Pietro spendeva la sua rendita annuale in pochi mesi e poi faceva debiti, che Maria pagava vendendo quanto da lui comprato per lei e per la casa. Vendere i gioielli non le pesava, ma si irritava per le regolari e umilianti richieste di denaro del marito e si domandava cosa sarebbe successo quando non ci sarebbe stato più nulla da vendere. Si sentiva stanca.

Era pronta per uscire, si diede un ultimo sguardo allo specchio. Sul revers della giacca aveva appuntato la spilla a forma di farfalla, il primo regalo di Pietro: anche quella in cerca di acquirente. Dopo una lieve esitazione, d'istinto Maria se la tolse.

Lasciò casa di malavoglia per raggiungere Giosuè al ristorante. Lui aveva ottenuto quello che aveva sempre desiderato: era deputato, il suo nome appariva sui giornali, aveva una bella vita. A trentasette anni era nel pieno della maturità e le voleva bene – un fratello maggiore. A Maria dispiaceva farsi vedere da lui in quello stato, e non voleva che sapesse che si sentiva una fallita. D'altro canto, quella era la verità, non c'era scampo: era una fallita.

Quando lo vide, Maria dimenticò tutto.

"Non sei cambiata!" Giosuè la condusse al tavolo. Accennò alla richiesta di Pietro prima che lei potesse domandarglielo. Maria non doveva preoccuparsi della vendita dei gioielli: aveva trovato l'acquirente e si sarebbe fatto carico di tutto. Poi le parlò di politica. Si dichiarava contento del fascismo, soprattutto perché offriva una nuova stabilità: "Non può piacermi il fatto che non c'è una vera opposizione; e che, se ci fosse, sarebbe schiacciata," disse. "Ma ora si sta ricostruendo l'Italia, unita." Sosteneva che sulla scuola e sull'alfabetizzazione del paese il regime aveva programmi di grande modernità e su questo tema si diffuse a lungo.

Maria lo ascoltava, ma era come se non lo sentisse. Lo guardava e ricordava il Giosuè di prima della guerra, a Tripoli. La vecchia attrazione rinasceva. Si guardavano. Cominciarono a parlare di loro due, di come stavano, di cosa avevano fatto, di quello che pensavano, di quello che erano. Mangiavano e si guardavano; continuavano a spiegarsi in silenzio, tra un boccone e l'altro, tra un sorso di vino e l'altro. Poi, mentre aspettavano che il cameriere portasse il dessert e il vino dolce, Giosuè si alzò con un brevissimo "scusami" e si allontanò. Quando ritornò era tranquillo e le versò dell'altro vino dolce.

Alla fine del pranzo, Giosuè mise i pugni sul tavolo: "Maria: io ho trentasette anni e non ho una compagna. Non ne posso più".

Lei restò con il cucchiaino del gelato a mezz'aria. "Vuoi sposarti?"

"Non posso."

"E allora?"

"Le storie con altre donne non mi danno alcuna soddisfazione." E poi: "Qui c'è una camera, comoda e privata. Vuoi venire con me?".

Maria non rispondeva e Giosuè temette di averla offesa. Ma non era così. Era come se lei se lo fosse aspettato, e avesse evitato di rivederlo per paura di quella domanda, e della risposta che avrebbe dovuto dare.

"A che cosa servirebbe? Io ho famiglia, e tu hai le tue donne: sei un deputato, un personaggio pubblico. Anche io a Girgenti ho una posizione sociale e due figli da sposare."

Giosuè le riempì il bicchiere mezzo vuoto. "Scusami. Ma dovevo chiedertelo. Lo sai che sei tu quella che avrei voluto per moglie."

Maria sembrò sorpresa, genuinamente. Lui continuava: "Prendiamo un altro gelato. Con gli amaretti. È davvero squisito".

Lei acconsentì, con la paura di perdersi nella trasparenza cristallina del vino dolce che Giosuè le aveva nuovamente versato.

Entrarono in taxi. "Permettimi almeno di farti conoscere casa mia," le disse Giosuè. "Non è bella come la tua, ma ho una collezione di arte futurista e dei mobili moderni che spero ti piacciano."

Il portiere non batté ciglio vedendo quella che gli parve la nuova amica dell'onorevole Sacerdoti salire in casa con lui. La governante, dopo aver servito il caffè in salotto, chiese con discrezione il permesso di andare a riposare. Sembrava un copione. Maria passava davanti ai colori drastici delle tele, alle forme che alludevano a corpi o ad architetture e mai alla natura. I mobili erano di alluminio o ferro, modellati secondo schemi che prevedevano spigoli, torsioni, geometrie elettriche. Anche il legno era forzato in curve aerodinamiche. Cominciava a conoscere un altro Giosuè: il collezionista, l'amante del moderno, del bello e del piacere. Rilassata dal vino, permise alla passione repressa di affiorare e sommergerla.

Giosuè la accompagnò fino all'appartamento di Nicola. "Ci rivedremo presto," le disse, "e ricordati cosa ti ho detto nel giardino di Camagni, quasi vent'anni fa. Noi due non possiamo dimenticarci, non è possibile: il nostro è un solo destino, o crudele, o felice."

Il giorno seguente Maria ricevette un biglietto da Giosuè:

Purtroppo devo partire domani. Ti arriverà l'assegno dall'acquirente dei gioielli. Vuoi prendere un tè questo pomeriggio alla Casina Valadier, per una passeggiata soltanto? À deux.

La Casina Valadier, sul Pincio, era un gioiello dell'architettura neoclassica da cui si vedeva il panorama di Roma, con il parco alle spalle. Giosuè la aspettava: "Andiamo a camminare, mi secca vedere gente". E per un'ora non fecero che percorrere i viali alberati del giardino. Avanti e indietro. Vicini, attenti a non sfiorarsi. Giosuè le raccontava i suoi pensieri, le sue ansie, le sue ambizioni, i suoi ricordi. Lei lo ascoltava, ogni tanto parlava di sé e della famiglia. Cercavano di riempire gli ultimi vent'anni della "loro" storia. Quando l'acciottolato diventava più aspro Giosuè le offriva il braccio, ed era come se avessero sempre camminato a braccetto, come se lui conoscesse il ritmo dei suoi passi, come se il gomito di Maria sapesse dove incunearsi tra il braccio e il fianco di lui. Al commiato, un baciamano.

33.
Ricatto

Maria era ritornata in Sicilia piena di sensi di colpa, che non fecero che aumentare. Pietro era affettuosissimo, aveva già ricevuto i denari e per il suo rientro aveva organizzato una serata con i figli, come piaceva a lei. Sarebbero andati al cinematografo insieme, e poi al Grand Hotel des Palmes. Maria era contenta di ritrovarli, eppure sapeva di essere diversa, come se non appartenesse più soltanto ai figli e al marito.

Per una settimana non volle scrivere a Giosuè e non lesse la lettera che lui le aveva mandato. Ogni mattina suonava musica sempre più triste, angosciata. Non se la sentiva di vivere un amore a distanza, né di lasciare il marito e i figli, e il fascismo non le piaceva. Preferiva non vederlo più, e glielo scrisse.

Quattro giorni dopo, a Girgenti, uno sconosciuto con un'elegante valigia di cuoio attraversava la piazzetta su cui si apriva palazzo Sala. Dall'alto scendevano le note del *Notturno* opera 9 di Chopin. Si era fermato ad ascoltare accanto ai venditori che rassettavano silenziosi la merce sulle bancarelle, alzando di tanto in tanto lo sguardo al balcone del secondo piano, aperto. Le ultime note sembravano lagrime.

Appena ricevuta la lettera, Giosuè aveva preso un treno e due giorni dopo era arrivato a Girgenti, senza avvertire. Si presentò alla loggia del portiere, salì e fu subito ricevuto in salotto da Maria, pallidissima. I figli erano a scuola e Pietro a Palermo: erano soli. Lei si aspettava una scenata.

"Tu sai che non è possibile." E Giosuè avanzò per abbracciarla.

"Non è possibile," gli fece eco lei, come se le parole le dicesse un'altra, e si abbandonò all'abbraccio.

Da allora, Giosuè e Maria presero a incontrarsi in Sicilia. Lui si era inventato una serie di impegni di lavoro dovunque nell'isola, e non soltanto a Palermo e a Girgenti. Pietro, fiero dell'amicizia col gerarca fascista, era contento di ospitarlo. Quando non c'era, Giosuè preferiva stare dai Paolini, in prefettura; ogni notte entrava in casa Sala: Maddalena, su ordine della padrona, quando il portone veniva chiuso si accertava che la porticina pedonale restasse aperta. Il tutto durò sei mesi.

Giosuè era considerato un grande amico di Maria e di Pietro. Maria faceva una vita ritirata, casa e famiglia la appagavano. Si occupava di opere di beneficenza e aveva iniziato a partecipare alle organizzazioni fasciste per madri e figli e per le donne in generale. Era appagata nei sensi e avrebbe potuto dirsi felice, nonostante avesse una costante incertezza del futuro, e l'incubo che se Giosuè fosse stato male lei non lo avrebbe mai saputo e non avrebbe mai potuto assisterlo. Nei riguardi del marito si sentiva nel giusto; del resto, lui aveva perduto il diritto alla sua fedeltà e, come diceva sua madre, non era saggio dirgli che amava un altro e ne era riamata.

Era notte, Maria stava male di stomaco. Non voleva svegliare Maddalena e scese in cucina a prepararsi acqua e alloro con la scorza di limone. Quasi una pozione, come diceva sua madre: "L'acqua e alloro cura tutti i mali, è il nostro rimedio universale". Le faceva uno strano effetto muoversi da sola, di notte, nella grande cucina che vedeva sempre piena di gente al lavoro, e con tanta luce. Si sentiva sola: non soltanto nella cucina, ma in tutta la casa. Sorseggiava la tisana in piedi, accanto al tavolo, osservando il chiarore che filtrava attraverso le stecche delle persiane.

Poi notò una striscia di luce sotto la porta che dava sull'ingresso. Posò la tazza e andò ad aprirla in punta di piedi: la scala era illuminata, sembrava che qualcuno dovesse arrivare o tornare. Maria scese, curiosa e senza paura, come sotto un incantesimo. In portineria, tutto silenzioso. La porticina pedonale era socchiusa. Che fare? Svegliò Lia, la moglie del portiere – che da quando aveva imparato a leggere e a scrivere era diventata una sua fedele collaboratrice – e le raccontò cosa aveva notato. Lia aggrottò le sopracciglia: "Fimmina è, aspettiamola". Lei sarebbe rimasta nella loggia del portiere e Maria nell'ingresso di casa.

Seduta impettita sulla sedia di legno Savonarola, molto scomoda, Maria aveva dimenticato il suo malessere. Una grande tristezza lo aveva scacciato via. Una delle sue domestiche usciva di notte per incontrare un uomo: chi poteva essere? Poi, il campanello della portineria: Marisa.

Marisa non era soltanto un'impiegata, per lei era anche un'amica. Era schietta, coraggiosa, affidabile. Aveva avuto la forza di lasciare casa in un momento terribile, e ritornava in Veneto ogni anno per stare con la sua famiglia. Maria le prestava libri da leggere e nel suo cuore Marisa aveva preso il posto che era stato di Egle, ora felicemente sposata, e di Maricchia, che si era spenta l'anno prima in casa della nipote, a Palermo.

Marisa era uscita sicuramente per un incontro galante. Che faccio? Ho il diritto di chiederle dov'è andata e da chi?, si domandava Maria; poi considerava le ripercussioni del fatto sulle altre impiegate. Il comportamento di Marisa era un cattivo esempio per le altre persone di servizio, ragazze illibate che lavoravano a casa sua per farsi il corredo. Nessuno le avrebbe sposate, se si fosse saputo che la notte da casa Sala si entrava e si usciva impunemente. Doveva confrontarla.

Marisa era rientrata tranquilla, non si era accorta di essere stata vista da Lia. Quando si trovò faccia a faccia con Maria, sentì la potenza di un rimprovero non fatto. Maria si alzò e, dimentica del discorso che si era preparata, chiese soltanto: "Perché?".

Marisa le si rivolse accorata: "Lei mi ha insegnato che siamo tutti uguali. Quando siamo malate ci manda dai suoi medici, e l'anno scorso, quando avevo mal di denti, mi ha mandata dal dottor Cucurullo. Ci siamo innamorati, e la notte io esco e vado a fargli compagnia. Poi torno". E si sciolse in lagrime. "Forse voi mi capite."

Maria la ascoltava e pensava a quante volte avrebbe voluto la compagnia di Pietro, quando lui la lasciava sola per i suoi giri, e – di recente – quella dell'uomo che amava. Quante volte si era svegliata di notte cercando accanto a sé quel corpo che non c'era, e desiderandolo. Non solo: sapeva che Marisa aveva notato l'andare e venire di Giosuè. Sapeva e non diceva niente. E ora eccola, forse ancora calda degli abbracci del dentista. Non riusciva a condannarla. Poi pensò alle altre ragazze a servizio. Spiegò a Marisa il suo timore che – se si fosse saputo dei suoi incontri notturni – nessuna di loro avrebbe mai trovato marito. "Devi andare via. Ma voglio che tu lo faccia con dignità, e resterai a servizio finché non trovi un altro lavoro. Se lo trovi in continente avrai delle ottime referenze, se invece lo trovi in Sicilia dovrò dire la verità." Le tese le mani, e si abbracciarono come sorelle.

Marisa rimase ancora qualche mese. Lia giurava che continuava a uscire la notte, ma nulla fu detto a Marisa: Maria non voleva rovinarle quegli ultimi momenti di felicità e spiegò l'accaduto a Lia. Che a quel punto si sentì in dovere di informarla che Marisa non era la sola ad aver notato la porticina aperta e le visite notturne: a Girgenti correva voce che Maria avesse un amante, una persona importante ma ancora innominata. Di questo era responsabile Maddalena. "Maddalena sa troppo e parla assai, soprattutto con Caterina, la cameriera della baronessa Tummia."

Maria sapeva che Maddalena era stupida e dunque non del tutto affidabile, ma era anche l'unica persona che aveva portato con sé da casa sua; credeva di poter contare sulla sua discrezione. Il resto del personale era di casa Sala e, tranne Lia, leale ai padroni più che a lei. Lo stesso valeva per gli impiegati dell'amministrazione: tra quelli, Maria credeva di poter contare soltanto su Licalzi, che le era devoto. Insieme erano riusciti a piegare l'opposizione delle cognate al miglioramento delle condizioni dei minatori voluto dal suocero prima di morire. Di recente Carolina, diventata una zitella acida e pettegola, le aveva chiesto di Licalzi: quando lo vedeva, se era bravo, se aveva moglie e figli. In quel periodo Maria andava alla miniera regolarmente; spesso, anziché farsi accompagnare da Leonardo, andava in automobile con l'ingegnere. Era una novità, una cosa moderna. Un giorno, mentre usciva con lui, davanti al portone aveva visto un uomo – sembrava uno di fuori, forse un turista – che scattava fotografie con una macchina senza treppiedi. Sul momento non ci aveva fatto caso, ma adesso ci ripensava.

Il caso volle che fosse proprio Marisa a parlargliene. Aveva trovato lavoro al Nord. Al momento del commiato era scoppiata in singhiozzi.

"Suvvia, forse il dottor Cucurullo verrà a trovarti... chissà se non ci rivedremo qui, a Girgenti, come vicine di casa!" cercava di consolarla Maria.

Ma le lagrime di Marisa erano proprio per Maria. Le raccontò che Giuseppina Tummia, appena saputo che avrebbe lasciato l'impiego, l'aveva fatta chiamare: lei aveva pensato che volesse qualcuna delle sue ricette, invece la baronessa voleva ricattarla. Sapeva che Marisa era uscita di notte per andare dal dottor Cucurullo, e che Maria riceveva in casa un uomo, attraverso la stessa porticina usata da Marisa. Sapeva inoltre che tra lei e la padrona c'era "un'amicizia" – così aveva detto, arricciando il naso – e che probabilmente si confidavano, visto quanto avevano in comune. "Tu sei di fuori, hai un certo modo di vivere, e noi abbiamo il nostro. Mi chiedo se la moglie di mio fratello è degna di continuare ad allevare i figli da sola, a Girgenti." E le aveva spiegato che Pietro, innamoratissimo e fedele, si era dovuto trasferire a Palermo – dove passava più tempo che poteva, solo, con la ménagerie di animali in gabbia nella terrazza – perché in casa tra loro due c'era l'inferno. "A causa di quell'uomo che nottetempo s'impertusa nell'appartamento di mio fratello e si infila sotto le lenzuola di sua moglie, nel letto matrimoniale!" aveva gridato in tono melodrammatico. E poi, con una lagrimuccia: "Mentre il mio povero fratello se ne sta a Palermo, a badare alle sue scimmie!".

Giuseppina si chiedeva se Marisa sapesse chi fosse l'amante di Maria. Marisa aveva risposto di non sapere niente di tutta quella storia. Secondo lei la padrona era una donna onesta e dignitosa.

"Allora dovrò chiederlo alle altre persone di servizio, con il rischio che tutta Girgenti ne sia informata. Poveri nipoti miei!" E Giuseppina aveva parlato a ruota libera. Era molto preoccupata, come del resto le altre sorelle, per i figli di Pietro, Anna in particolare, in età di matrimonio, e con un innamorato. Se era vero che Maria aveva un amante, e che lo faceva entrare in casa di notte, il suo comportamento era indegno di una madre: metteva a rischio la reputazione dei figli e la purezza di Anna. I ragazzi sarebbero dovuti andare a vivere con il padre, immediatamente. Inoltre, l'amministrazione dei loro beni era nelle mani di Maria: il suo amante avrebbe potuto rubare tutto e lasciarli poveri e pazzi! Lei e le altre sorelle erano pronte ad aiutare il fratello in tutto e per tutto, per il bene dei figli, e a prendersi cura di loro e del loro patrimonio.

Maria era sbalordita e sgomenta. Giuseppina sapeva qualcosa, ma non tutto. Era questione di giorni, presto avrebbe saputo anche chi era il visitatore notturno. "Signora, bisogna aver fede!" la incoraggiò Marisa. "Non succederà niente, ma deve mettere a tacere queste donne cattive. Da me non sapranno niente, ma ho sentito dire che l'ingegner Licalzi è innamorato pazzo di lei: deve fare qualcosa!"

"Distruggere la mia felicità," mormorò Maria.

"Esattamente come ha fatto lei con la mia. Per scopi nobili: la reputazione delle altre persone di servizio nel mio caso, e la reputazione di sua figlia Anna nel suo."

Maria fissava il disegno del parquet, desolata.

"Le ho portato questo." E Marisa tirò fuori dalla tasca un

taccuino dalla copertina di cartone marmorizzato, verde scuro. "Spero di averle scritte tutte, sono le ricette dei dolci che le piacciono. Quando le userà, si ricordi che le sono grata e che le auguro la stessa felicità che io ho trovato per un periodo a Girgenti."

Maria temeva che Giuseppina potesse coinvolgere anche Filippo, Nicola e Leonora. Avrebbe distrutto non solo la sua famiglia, ma anche quella di suo fratello.

Qualche giorno dopo si mise in viaggio per Roma. E fu un viaggio in treno che non finiva mai. Esaminava e riesaminava la situazione fino allo spasimo. Talora si perdeva a guardare fuori dal finestrino – il mare, la costa, lo Stretto. Di notte, per quanto potesse contare su una carrozza letto, rimase a occhi aperti accordando il suo trambusto interiore con il ritmo del treno. Si appisolò il giorno seguente, riparata da una veletta: sapeva che l'aspettava una giornata faticosa. Scambiò qualche parola nella carrozza ristorante e passò l'ultima ora a rassettarsi.

Giosuè la aspettava. Fu un incontro lungo e penoso: lei gli aveva raccontato tutto, lui aveva ascoltato in silenzio. "Cosa proponi? Io ti sposerei, ma il divorzio non è contemplato nel nostro ordinamento." Maria gli chiarì che i suoi figli venivano prima di tutto, anche prima di lui. Doveva proteggere la loro reputazione, oltre che gli anni importanti dell'adolescenza. Avrebbe messo Anna in collegio a Roma, subito, e si sarebbero visti più spesso, non più a Girgenti. Ma c'era di più: Maria capiva che Giosuè aveva bisogno di certezze, di un rapporto stabile, e questo lei non poteva più permetterselo. Suggerì che dovessero esser liberi di avere altri legami.

Giosuè non lo accettava. "Tu sei la mia donna, e mi hai usato. A me non pensi? Non ho figli, non ho casa, non ho nemmeno un'identità."

Le propose un'alternativa: lui aveva contatti altrove, in Europa. Potevano andare via. Lui avrebbe trovato un lavoro e i figli sarebbero stati educati all'estero, come già si usava. Sarebbe riuscito a farle ottenere la cittadinanza in un paese dove c'era il divorzio, per esempio. Dovevano esplorare altre possibilità per vivere insieme. Maria lo ascoltava, e capiva che Giosuè parlava d'impulso, senza pensare alle conseguenze di quanto andava proponendo. Lui voleva soltanto lei, ma lei non era soltanto sua. Dopo un confronto penoso e amaro che si prolungò per tutto il pomeriggio, si lasciarono senza neanche un bacio.

Smisero di vedersi e di cercarsi.

Nell'autunno del 1924, Anna si fidanzò con Marco Altomonte, nipote di Sistina Sala. Lei aveva diciassette anni e lui ventidue, si era appena laureato in Giurisprudenza ma non avrebbe esercitato la professione; la sua famiglia possedeva delle terre e lui le avrebbe amministrate. Era un matrimonio socialmente adeguato, e Maria non vedeva l'ora di diventare nonna e di avere dei nipotini.

Era il primo raggio di sole nella sua vita da quando aveva rotto con Giosuè. La musica – in particolare quella che lui le aveva regalato – la confortava sempre, ma si sentiva sola. Pietro non mancava mai di darle dispiaceri. Oltre alla cocaina, le donne, le scimmie e le farfalle, aveva una nuova passione: i quadri moderni dei pittori siciliani. Ne comprava a dozzine e con Leonardo passava ore ad appenderli e a staccarli dalle pareti dell'appartamento di Palermo, a turni di quattro settimane. Spendeva molte piccole cifre che, sommate, rendevano inevitabile l'intervento di Maria.

Lei, dopo aver venduto la maggior parte dei gioielli, era passata agli oggetti d'arte: la trousse d'oro zecchino, vasi, pitture su vetro, crocifissi, acquasantiere smaltate del Cinquecento francese. Ma l'assenza di quegli oggetti e di quei gioielli non si notava; Maria aveva gusto e c'era sempre tanto da esporre e da indossare. Anzi, la casa sembrava persino più bella perché era meno affastellata. A Maria dispiaceva aver perduto alcuni gioielli ai quali era affezionata, ma trovava belli anche quelli falsi e ne teneva da parte qualcun altro di famiglia sui quali Pietro non poteva avanzare nessuna pretesa, come la spilla di diamanti a forma di fiore ricevuta dai genitori per le nozze.

34.
"Son lo spirito che nega"

Ai primi di dicembre del 1926, Maria andò a Modena dai Formiggini. L'amicizia di Emilia le era sempre stata di conforto nei momenti difficili. Maria mostrò all'amica e al marito quello che aveva portato con sé e chiese loro aiuto per venderlo agli antiquari. Aveva anche l'abito da sera celeste delle sorelle Stassi con perle vere e ricamato in oro zecchino, che voleva vendere. Se l'era provato a Girgenti insieme ad Anna, che era più alta di lei e non poteva indossarlo. "Mamma, quanto sei bella! Hai la stessa taglia di quando eri ragazza!" le aveva detto di slancio. Anziché esserne contenta, Maria si era avvilita: non era più bella, era un frutto avvizzito, dentro e anche fuori. La sua tristezza crebbe quando capì che sarebbe ritornata in Sicilia con le valigie pesanti come quando era arrivata: nessuno voleva comprare "roba vecchia".

"Rimani un giorno in più, vieni con noi alla Scala: il *Mefistofele* di Boito inaugura la stagione," le proposero i Formiggini, e Maria acconsentì. Scelse gli orecchini antichi di zaffiri blu montati con perle dorate che si intonavano al vestito, insieme al quale aveva sperato di venderli.

Entrò alla Scala quasi di soppiatto, come un'impostora; era imbarazzata, indossava un abito palesemente fuori moda, anche se un tempo era stato molto bello. Come del resto lei non era più la bella signora ingioiellata ed elegantissima che Pietro aveva portato tante volte all'opera. Per di più, adesso era senza cavaliere.

I Formiggini, consci del suo disagio, le raccontavano storie sulla città. La Scala era rinata in quel periodo: Mussolini teneva alle tradizioni musicali, non per nulla Arturo Toscanini si era presentato nella lista dei fascisti sin dal 1919.

Il palco era di proscenio, prima fila a sinistra, e si raggiungeva dopo una successione di porte smaltate color crema che si chiudevano alle loro spalle. Alla fine del percorso si apriva un'ulteriore porta da cui si accedeva a una piccola anticamera e lì c'era la porticina del palco di proscenio, più largo degli altri della fila. All'ingresso, un salottino di ricevimento: lì, lontano dalla vista, c'erano un divano, alcune sedie e un tavolo, per i rinfreschi dell'intervallo. La parete del palco, a sinistra, era coperta da uno specchio rettangolare che si fermava al rivestimento marmoreo. Tutto – mobili, tappezzerie e tendaggi – era rosso e oro. Le decorazioni lungo le cinque file di palchi e nei due palchi del loggione erano dorate su fondo crema, con sfingi alate dalla testa di leone e motivi neoclassici. Il tendone di velluto del palcoscenico era liscio, di un rosso cupo. Sul soffitto, un semplice, elegantissimo disegno geometrico bianco.

Maria era seduta nella poltrona più vicina al palcoscenico. Tutti i palchi erano gremiti dalla borghesia e dall'aristocrazia milanesi. Il loggione straripava. Nei posti migliori della platea erano seduti i gerarchi fascisti con le mogli. Angelo ed Emilia conoscevano molta gente e indicavano a Maria le persone che potevano interessarle, ma lei continuava a sentirsi una cenerentola di mezza età, restia a fare nuove conoscenze. La tensione e l'eccitazione dell'inaugurazione erano palpabili: la gioia di tornare all'opera, il piacere di farsi vedere e di vedere gente elegante, il genuino amore per la musica e il bel canto; e poi l'aspettativa di qualcosa che si conosce e si ama, e che può stupire sempre, nelle infinite varietà di interpretazioni del canto, dei costumi, della scenografia e della recitazione. Pian piano Maria si scioglieva e anticipava il piacere di assistere alla nuova messa in scena del *Mefistofele* – un'opera che conosceva –, certa che, essendo una produzione scaligera, difficilmente l'avrebbe delusa.

A un tratto, silenzio. Il cicalare della platea si spense, nei palchi tutti tacevano. I musicisti dell'orchestra erano immobili. Dall'interno del palco reale – grande e profondo – avanzavano verso i loro posti uomini e donne di potere, consci della propria importanza e della solennità dell'occasione. Poi, l'inno nazionale e l'intero teatro si levò in piedi. I Formiggini guardavano il palco reale, Maria no. Lei teneva lo sguardo fisso sul palco dirimpetto, imbarazzata; si sentiva ridicola, nell'abito che aveva indossato a quindici anni, come si era sentita l'ultima volta che l'aveva indossato al Circolo Ufficiali di Tripoli.

Il pubblico si sedette di nuovo, il brusio era ricominciato. Maria aveva la sensazione di essere guardata. Il suo sguardo cominciò a vagare e percorreva i palchi di fronte, saliva alla seconda e terza fila. Nel palco reale, proprio lì, contro una colonna scanalata dal capitello corinzio, alta quanto il palco, lì, scuro nell'uniforme di gala del Fascio, c'era Giosuè. L'aveva individuata. Maria ricambiò lo sguardo da lontano, ma non riuscì a sostenerlo e si volse verso il palcoscenico.

Bussarono alla porta. "L'onorevole Sacerdoti porge i suoi saluti all'editore e vi invita nel palco reale," disse la maschera.

Angelo, lusingato, chiese: "Andiamo?".

Maria ringraziò: "Preferisco stare qui, se non vi dispiace".

"Restiamo anche noi?"

Nessuno prese l'iniziativa.

Poco dopo, Giosuè entrava nel palco. I Formiggini non sapevano che lui e Maria si conoscessero. Giosuè rinnovò l'invito e Maria ripeté il rifiuto, promettendo di incontrarli per i rinfreschi del primo intervallo.

L'aprirsi del sipario la sorprese inquieta ma attenta. Prese il binocolo e lo puntò su Giosuè. In piedi, sempre appoggiato alla colonna, la fissava.

L'applauso del pubblico alla fine del primo atto fu assordante; Maria non si era accorta che la maschera aveva fatto entrare Giosuè. "Sono venuto a prenderti. Vieni, avevi promesso." E la portò via.

I rinfreschi erano stati imbanditi nel salotto del palco reale. Sul soffitto a forma di fiore a otto petali erano dipinte leggiadre figure femminili. Il damasco alle pareti era di un beige dorato. Pian piano, Maria cominciava a sentirsi più a proprio agio; bevve champagne. Si sentiva guardata, ma non da Giosuè, che – al suo fianco – parlava animatamente con i Formiggini. Erano gli altri ospiti del palco che avevano gli occhi puntati su di lei. E Maria si sentì di nuovo bella e desiderabile.

I Formiggini e Giosuè le chiesero se voleva tornare a teatro l'indomani. "Grazie, no," disse. "Devo partire."

"Ti accompagno io," disse Giosuè, e aprì una doppia porta di fronte a quella da cui erano entrati. Fece entrare Maria e la seguì, veloce, chiudendo la prima porta dietro di loro. Erano nel buio pesto, non si toccavano. Poi Giosuè l'attirò a sé prendendola per la vita e la sua bocca piombò su quella di Maria, in un bacio lungo e profondo. Brividi veloci. Le prese il volto tra le mani e lo coprì di baci leggeri. Poi aprì rapidamente la porta esterna e fece cenno alla maschera in attesa.

Maria riprese il suo posto solitario nel palco di proscenio mentre le luci si spegnevano e l'orchestra accordava gli strumenti. Entrò il direttore e lo spettacolo ricominciò.

Il giovane Faust incontrava il suo nuovo "socio", gli chiedeva chi fosse: la voce tenorile, romantica, lasciava il posto a quella di basso, seduttiva, ambigua, sensuale. Maria ricordava l'incalzare dell'aria di Mefistofele, ma questa volta il ritratto che il diavolo faceva di sé la catturò: "*È atmosfera mia vital/ ciò che chiamasi peccato,/ morte e mal!*", e più avanti: "*Son figliuol della tenèbra/ che tenèbra tornerà*". E alla fine delle strofe quel "no" scoccato come un colpo mortale, il no dello "spirito che nega". Come avrebbe potuto non cedere il giovane Faust – si chiedeva Maria – davanti a tanta lucidità? Lo spirito che nega, già, e Maria si sentiva costantemente osservata. "*Piansi molto, piansi molto,*" cantava Margherita, "*ma rimasemi nel cor/ sempre fiso il vostro volto.*"

Solletico sulla nuca. Maria, ancora accaldata e scomposta, sollevò la mano. E Giosuè, accucciato dietro la sua sedia, le prese le dita. Era entrato in punta di piedi e si era avvicinato camminando con le ginocchia piegate, per non essere visto e riconosciuto dai palchi di fronte. Le carezzava le spalle nude, con piccoli movimenti circolari. Poi sciolse il fiocco, dietro; lei lo lasciò fare.

Restarono così, lei a far da scudo a Giosuè, ma sentendo la manovra delicata e decisa alle sue spalle, per tutta la scena del giardino.

Alla "notte del sabba" Maria lasciò il suo posto retrocedendo lentamente nel buio, piano piano. Giosuè l'aspettava nel salottino, nudo. Aveva posato la mantella di lei sul séparé di legno traforato per creare una parvenza d'intimità, ma non importava. L'aiutava a tirare i nastri e a disfarsi dell'abito, che posò con cura accanto ai suoi. Maria guardò sopra il paravento: erano al buio e invisibili, anche ai binocoli. Giosuè, dietro di lei, le bisbigliava all'orecchio le parole che una volta le aveva scritto: "Voglio stringerti con le mani la vita nuda, la vita mia, risalire ai grappoli elastici, al collo bianco e caldo, voglio da te un bacio, uno solo, ma il bacio che ti fa impazzire", e nel mentre la carezzava tutta, dall'inguine al collo.

Si buttarono uno sull'altra, nella foga di toccarsi leccarsi baciarsi mordersi; poi si amarono forte, rallentando nei momenti di silenzio, trattenendosi a stento e con dolore, e poi lasciandosi andare quando l'orchestra tuonava e le voci si spiegavano.

"*Riddiamo! Riddiamo! Che il mondo è caduto!/ Riddiamo! Riddiamo! Che il mondo è perduto!*" cantava il coro nella ridda infernale.

Si rivestivano, collosi. I volti sbattuti, vittoriosi. Con gli applausi del secondo atto si sedettero insieme nel palco, i più imperturbabili tra il pubblico, i più concentrati, i più assenti.

L'altra notte in fondo al mare, la romanza più straziante dell'opera, li accompagnò come una trenodia dentro la passione che, consumata, non era placata. "*Abbi pietà di me*," cantava Margherita. Il soprano tendeva le braccia nel vuoto.

Come fa?, pensava Maria. Ha ucciso il figlio, ha ucciso la madre. Si è lasciata sedurre. Invece del coinvolgimento che la romanza automaticamente chiedeva, Maria avvertì qualcosa di comico, le veniva un riso a fior di labbra. E intanto contemplava il suo compagno, il suo Giosuè così bardato e forte ma con una traccia della recente scompostezza compresa tra il colletto bianco e il revers della giacca.

Le veniva quel riso appena percettibile, che non era mai stato suo. Un affondo di violoncello la richiamò a guardare nel golfo mistico e poi a cercare la commozione tra il pubblico. Giosuè, Pietro. Come Leonora, due uomini. No, non era la stessa cosa. E Marisa? "*Ah! Sì, fuggiam... già sogno/ un incantato asil di pace, dove/ soavemente uniti ognor vivremo.*"

Margherita era salva. Era l'amore che la salvava.

Forse sono incinta, pensò. E tornò a fissare il colletto di Giosuè, avrebbe voluto sistemarglielo.

"*Cavaliere illustre e saggio/ come mai vi può allettar/ la fanciulla del villaggio/ col suo rustico parlar?*"

Margherita, vestita di bianco, resisteva alla corte di Faust. C'era dolcezza, tenerezza e insieme insidia, minaccia.

Maria non riusciva a concentrarsi. Era sospesa dentro quella nuova, strana solitudine.

Solo Angelo Formiggini si era accorto che quella donna portava insieme un disagio e una febbre: l'aveva scrutata con quei suoi occhi abituati a forare la corazza degli interlocutori e aveva cercato una via al suo senso dell'umorismo. Avrebbe volentieri coniato uno dei suoi bizzarri motti latini per la bella Maria, ma non gli era venuto in mente niente. Poi, ricordandosi di una storia che la riguardava e che gli era rimasta impressa – ne aveva sentito parlare dalla moglie –, una volta le aveva detto: "E se ci prendessimo un caffè?".

35.

"Ora veni lu patri tò"

Rita Sala nacque il 14 settembre 1927, vent'anni, due mesi e un giorno dopo la sorella maggiore Anna, la primogenita dei coniugi Sala. Pietro era fuori di sé dalla gioia.

La neonata contava tre giorni, e già era una bellezza: aveva i capelli scuri dei Sala, gli occhi vellutati e a mandorla della madre, con le palpebre pesanti "di suo", diceva il padre. Pietro, che aveva superato la sessantina, era orgogliosissimo della neonata, la cui nascita non era stata programmata, ci teneva a sottolinearlo, anzi, era acchiata, come si diceva in dialetto delle belle cose che capitano per nessun motivo logico.

Parenti stretti e qualche amico intimo festeggiavano la nascita nella casa di Girgenti. Erano venuti gli zii Nicola, da Roma, Roberto con la sua innamorata Barbara, da Pinerolo, Filippo e Leonora con il figlio decenne Zino, da Camagni, e le sorelle Sala con i rispettivi mariti e figli. C'erano anche Giosuè Sacerdoti, deputato del regime e presidente della Dante Alighieri, Egle e Andrea Prosio.

"La bambina ha l'ittero; madre e figlia riposano," annunciò Anna. "Riceveranno visite domani." E poi ritornò nella camera di Maria.

Erano rimasti soltanto gli adulti, dopo cena. Il carrello del vino e dei liquori era ancora in terrazza, per ordine di Maria.

Giuseppina, con gli anni, era ingrassata ancora. Faticava

a sedersi, aveva le guance rosse come mele, che mal si accordavano con le labbra sottili e il velo di peluria. Tendendosi pesantemente in avanti chiese al fratello: "Ma come ti venne in testa, alla tua età? Non ti sembra una pazzia?".

"Indisponente sempre fosti, Giuseppina mia, e continui a esserlo!" le rispose Pietro. "Ma ti voglio bene lo stesso. Allora, visto che qua siamo tutti adulti e vaccinati, vi conto come fu concepita 'sta nica..." E ripeté: "Siamo tutti adulti e vaccinati?". Ricevuto l'assenso, continuò: "Non pensavamo di avere un altro figlio, Rita venne per caso. Un bel caso!". Bicchiere in mano, Pietro teneva banco: "Cominciamo dal calendario. I nostri figli sono stati concepiti tutti in autunno: si vede che in quei mesi qualcosa funziona meglio del solito, sia in me che in Maria. Sarà una questione climatica, forse. Maria era tornata da una visita a suo fratello Nicola a Roma, poi era andata dai Formiggini, vecchi amici miei che lei conobbe nientedimeno che durante il nostro viaggio di nozze. Ritornò a Palermo, con il postale, e venne a casa. La prima cosa che mi disse fu: 'Che bel caldo che c'è qui, voglio prendermi un poco di sole'. E dopo pranzo, anziché andare a riposare si stinnicchiò sulla sedia sdraio in terrazza. Si prendeva il sole di dicembre, quello ancora caldo, ed eravamo noi due soli. Io trafficavo con le farfalle... le farfalle sono importanti, perché fu grazie a una farfalla che Maria consentì a prendermi come marito, o meglio, si concesse a me, che ne ero innamorato pazzo. Erano le farfalle di mio cognato Peppino Tummia, a Fuma Nuova. A lei le farfalle piacciono tanto quanto piacciono a me. E quel giorno, tornata dal viaggio, volle entrare nella gabbia delle farfalle che ho costruito sulla terrazza della casa di Palermo. Quelle le si posarono addosso, e a lei piaceva. Mi chiese di metterle sul braccio un poco di pomata al nettare, che mi faccio mandare dall'Egitto e che fa impazzire le farfalle: si spalma sulla pelle e loro si attaccano, così si può ammirarle, studiarle, vedere come si comportano tra loro... E io ubbidii. Lei mi diceva: 'Ancora... ancora qui... ancora là...', e io spalmavo dove diceva lei... Era bello vederla con le braccia coperte di farfalle... lo sapete che mia moglie è bellissima! Dopo un poco Maria ne ebbe abbastanza di pomata e di farfalle e mi chiese di prepararle un bagno con i sali e le erbe profumate, una mia specialità. Io glielo preparai, nella mia stanza da bagno. Basta, lei andò a farsi il bagno e ci rimase assai, faceva le cose che io le ho insegnato per rilassarsi...". Pietro ammiccava. "Le chiesi se potevo entrare, con una scusa, e la vidi che si metteva l'olio profumato sulla pelle, con la piuma di struzzo... Anche quello gliel'ho insegnato io... Poi lei mi disse: 'Fatti anche tu il bagno con i sali, e te lo metto io l'olio con la piuma di struzzo'... Finì come finì... E venne 'sta nicarella."

"Ma che conti?" borbottò Giuseppina.

Giosuè era stato sul punto di intervenire, tanto gli era sembrata offensiva nei riguardi di Maria e di *sua* figlia quella storia oscena sciorinata da Pietro. Aveva dovuto allontanarsi durante quel soliloquio, accolto dagli altri con grandi consensi e risate, e ripetersi più volte che quella messinscena di Maria era fondamentale per il bene di Rita. L'indomani avrebbe conosciuto sua figlia: non vedeva l'ora, ma era anche ansioso. Avrebbe dovuto trattarla come la figlia di Pietro, per sempre.

La mattina dopo, Anna era andata a bussare alla sua porta verso le otto. "Mamma dice che, se vuoi vederla, questo è il momento opportuno. Rita ha preso la poppata e si sta addormentando. Così poi potrai andare al tuo appuntamento." Maria gli aveva anche organizzato la scusa per vedersi da soli e poi scappare da quella casa!

Giosuè non era mai entrato di giorno nella camera da letto di Maria. Era emozionato. Da lontano veniva una ninna nanna:

O figghia mia, lu Santu passò
E di la bedda mi spiò
E iu ci dissi ca la bedda durmia,
Dormi figghia di l'anima mia,

dormi figghia di l'anima mia
Vo vo vo vo
Vo vo vo vo

Figghia mia fa la vo vo
Vo vo vo vo
Vo vo vo vo.

Era Maria che cantava. Giosuè sentì Anna che le chiedeva: "Posso fare entrare Giosuè?".

"Certo," rispose lei. "Per favore, vai in cucina e chiedi che ci portino un caffè per lui e una limonata zuccherata per me?"

E poi aveva ripreso a cantare la prima strofa della ninna nanna:

Ora veni lu patri tò,
E ti porta la siminzina,
La rosa marina e
Lu basilicò,
Vo vo vo vo.

E ripeté "*ora veni lu patri tò*", fin quando Giosuè non ebbe tra le dita il piccolo pugno di sua figlia Rita.

Prima di partire, Giosuè aveva chiesto di parlare a solo con Maria.

"Nicola e Leonora mi chiedono di proporti qualcosa di inconsueto e anticonvenzionale, da considerare. Nicola vorrebbe un figlio da Leonora, e lei è disposta ad averlo. Sappiamo che il matrimonio tra Filippo e Leonora non è e non può essere felice, per motivi chiari: lui guadagna troppo poco per le aspettative di lei. Nicola non vuole causare ulteriori dispiaceri a Filippo; è innamorato di Leonora da molti anni e vorrebbe la possibilità, che sarà negata a me, di conoscere bene e intimamente suo figlio, e passare del tempo con lui nei suoi primi anni di vita. La proposta è che tu ospiti in casa tua il figlio di Nicola con la balia, e poi la bambinaia, per tre o quattro mesi l'anno, così che Nicola possa venire ospite da te e godersi il figlio. Verrebbe anche Leonora, di tanto in tanto, e la famiglia sarebbe riunita. Questo eviterebbe ulteriori umiliazioni a Filippo: a Camagni si parla già troppo di questo 'terzetto'... così lo chiamano. In cambio, Nicola ti offre di andare ospite da lui a Roma, quando vuoi e con chi vuoi, per periodi lunghi o brevi, portandoti Rita, così che anche io possa conoscerla. Potremmo anche incontrarci noi due, a casa sua. Possiede altri appartamenti nello stesso palazzo."

Maria promise di pensarci dopo averne parlato con Filippo, che avrebbe dovuto essere al corrente e approvare quanto proposto.

E così avvenne.

36.

1935. Date oro alla patria

Maria si era svegliata presto. Si era fatta il caffè da sola: le spiaceva far scendere dal letto le persone di servizio soltanto per lei. Attraverso le stecche delle persiane filtrava la luce del primo sole, che indorava le colonne dei templi sparse nella valle come un presepe. In fondo, il mare brillava turchino come un sipario pronto a levarsi.

Con tutto quel mare era come vederlo, il tempo. Passava e sembrava non toccare la sostanza delle cose. Il paesaggio pareva restare lo stesso. La somma dei giorni si mescolava al lento moto delle acque. Quante volte si era sentita tutt'uno con quella inquieta apparente immobilità. Eppure, uno dopo l'altro gli eventi avevano toccato anche la sostanza delle cose, e il tempo aveva segnato Girgenti e l'Italia.

Bastava voltarsi indietro e la sequenza dell'accadere rivelava gli eventi in prospettiva, come volti in un'infilata di specchi. Era questo, come sentiva dire in giro, appartenere alla Storia, la Storia con la esse maiuscola?

Dopo la nascita di Rita, ogni anno, a fine novembre, Maria andava a Roma con le figlie. Alloggiava all'Hotel d'Inghilterra. Era una visita autunnale gioiosa: si facevano le compere natalizie, ci si incontrava con amici e parenti. E Maria rivedeva Giosuè. Quell'anno, il 1935, era andata da sola, ospite di Angelo ed Emilia Formiggini: Giosuè era da alcuni mesi presso l'ambasciata italiana a Washington, per una missione diplomatica delicata. Non le scriveva.

Il viaggio aveva anche un altro scopo: donare la fede nuziale alla patria in risposta all'appello del duce per contenere il danno causato dalle sanzioni economiche imposte all'Italia dalla Lega delle Nazioni in seguito all'invasione dell'Abissinia.

Giosuè le mancava, moltissimo. Più di quanto avrebbe creduto. Erano stati mesi solitari: di riflessione, pulizia interiore e ricerca – di un nuovo equilibrio in cui lui, adesso, non aveva posto.

Eppure, la sorte era stata generosa con lei: una famiglia solida, il matrimonio con un uomo ricco che l'aveva molto amata, tre bravi figli, l'indipendenza economica e una casa bellissima. Viveva in un'epoca che magnificava la tecnica, che accorciava le distanze, che allargava le prospettive. La sensazione di entrare in un grande futuro acuiva il desiderio di cambiamento, di conoscere e di provare nuove esperienze. Di allargare i limiti della propria conoscenza.

Ciò nonostante, Maria si sentiva prigioniera. Non aveva ottenuto quello che desiderava: studiare musica, lavorare, guadagnarsi il pane quotidiano. E l'amore vero e a viso aperto, dichiarato al mondo, non quello nascosto e negato a cui era costretta. Certe volte, l'amore con Giosuè le sembrava sbagliato e quasi incestuoso.

Maria aveva deciso di andare a Roma per pagare l'obolo richiesto dal duce, per Giosuè, che credeva in quell'uomo ridicolo e dall'aspetto sgradevole che si trasformava in Messia quando parlava alla nazione per radio o dal balcone di piazza Venezia. Eppure era un mondo falso, lo sentiva, da figlia di suo padre. Nonostante tutto, però, quello che Mussolini aveva creato sembrava solido, vero, esaltante – e pauroso. Il popolo delirava per lui, gli uomini cercavano di copiarne i modi e l'aspetto, le donne sognavano la sua alcova.

Il cinematografo aveva rimpicciolito il mondo, e lo aveva unito. Il pubblico che affollava le sale si modellava sugli attori, che diventavano un tutt'uno con i loro ruoli. Maria adorava la Garbo: se la ricordava come Mata Hari sedurre il giovane Ramón Navarro sotto l'immagine della Madonna, ma soprattutto non smetteva di tornare alla scena di *La regina Cristina* in cui la protagonista ha passato una notte d'amore con l'ambasciatore spagnolo e tocca ogni oggetto della stanza per non dimenticare mai più quella locanda isolata nella neve.

Le sanzioni la riportavano alla realtà. Sempre la stessa: dura, difficile, sofferta. Cattiva. Maria ricordava la crudeltà della guerra e della conquista in Africa alla ricerca di una presenza imperiale che era diventata un retaggio del passato. Il razzismo contro i neri. E contro gli ebrei, in Germania. Le parole di Giosuè sulle sevizie che avevano accompagnato la conquista della Libia.

Consegnare la fede nuziale era un gesto simbolico. Spezzava anche l'ultimo legame con Pietro. Quale futuro si prospettava per i figli? Quale equilibrio avrebbero trovato? Lei certo non poteva indicare loro la via, come avevano fatto con lei i suoi genitori. Che vita sarebbe stata la loro? E quella di Giosuè? E la sua? E se fosse stata infelice, per quale motivo prolungarla?

La morte dei suoi genitori aveva rafforzato la concezione della vita che le era stata inculcata. Suo padre era stato accudito fino all'ultimo da una moglie adorante e adorata. Titina si conzava per lui come se andasse all'opera: polvere di riso, belletto, capelli acconciati con cura, abiti diversi ogni giorno e uno spruzzo del profumo che lui preferiva, per dargli un addio glorioso e sensuale.

Caparbia, Titina lo aveva poi raggiunto come voleva lei, velocemente, rifiutando il cibo: un atto di amore e di egoismo. Pensare a se stesse: non era questo il diritto che veniva negato alle donne, e che tante non osavano nemmeno concepire? Il ruolo della donna era procreare, accudire e servire.

Maria lo rinnegava. Lei voleva essere felice, e per riuscirci aveva bisogno d'amore. Sempre.

A che scopo prolungare la vita? Inacidire, avvizzire. I sensi che si atrofizzano, e poi svaniscono. La morte era un'alternativa soddisfacente. Raggiungibile. Allora avrebbe potuto essere felice. Come suo padre, Maria non si sentiva cristiana. Era convinta, come lui, che il suo spirito avrebbe sorvolato la terra insieme ad altri, in venti leggeri o tempestosi, a volte calandosi per raccogliere semi e polvere da trasportare altrove, inaccessibile al dolore. Avrebbe goduto la bellezza del mondo e aiutato a perpetuarla.

Era andata da sola a donare la fede di Pietro. Un momento esaltante e funereo. Si era trovata in una fiumana di persone, poi in coda. Infine si era sfilata l'anello dal dito e lo aveva consegnato all'uomo seduto dietro a un tavolo con accanto un bilancino da gioielliere e un librone.

Fatto quello che doveva, aveva cercato la solitudine. In mezzo alle piante. Era andata al Pincio. Quel giorno il giardino della Casina Valadier era deserto. La natura – anch'essa crudele e superlativamente egoista – la calmava, sempre. Camminava, e le si risvegliavano i sensi: annusava una foglia, toccava la corteccia di un tronco, guardava nel denso fogliame degli alberi, ascoltava il fruscio delle ali degli uccelli che si lanciavano in volo, a stormi, dai rami più alti.

Anche lei avrebbe voluto poter morire come i suoi genitori. "Si muore quando si vuole morire," ripeteva sua madre. Mai come allora, Maria avrebbe voluto morire. Nella pace del Pincio.

Un rumore dietro di lei. Un uomo camminava lungo il viale centrale: i movimenti scoordinati, arruffato, biascicava in un dialetto che Maria non capiva, prima piano, poi forte, sguaiato. Alcuni uomini in camicia nera scendevano gli scalini della Casina, diretti anche loro in giardino – la passeggiata del dopo pranzo. Lo scemo si era fermato, li aspettava. Li apostrofò, e sembrò un beffardo saluto a braccio teso. Maria, dietro i cespugli, lo osservava. Due degli uomini in camicia nera avevano lasciato il gruppo e si dirigevano verso di lui. Una o due parole soltanto, un ordine, ma lo scemo continuava a biascicare e loro, sganciati i manganelli, lo picchiarono senza pietà, rapidamente, lasciandolo a terra sanguinante.

Un'ingiustizia gratuita, e di troppo. Maria non poteva morire, per i figli adulti, Anna e Vito, e per Rita, bambina. Doveva continuare a professare il suo credo silenzioso, come i suoi amici Angelo ed Emilia. E i molti di cui avvertiva, sicura, l'esistenza.

37.
Lettera da Buenos Aires

Da quando era morta Maricchia, Maria si rivolgeva per conforto a Marisa, che ormai viveva da anni a Buenos Aires. Si scrivevano poco ma con regolarità, raccontandosi la loro vita di donne amministratrici del patrimonio familiare. Il marito di Marisa conduceva da sapiente ristoratore i locali – erano già quattro –, mentre lei si occupava dell'amministrazione e della gestione del personale. Le due donne facevano paragoni tra l'Italia e l'Argentina, e Marisa rinnovava spesso l'invito ad andare a trovarla a Buenos Aires.

Maria aveva aperto l'ultima lettera pregustando il piacere di sentire l'amica vicino attraverso i suoi racconti. Invece era una lettera sconvolgente: Marisa le scriveva che continuavano ad arrivare molti ebrei tedeschi in fuga dalle leggi razziali di Norimberga, certi che per loro la vita sarebbe peggiorata, e tanto. Loro – che dopo aver combattuto in guerra rivestivano posizioni di rilievo nella società, nell'esercito e nel parlamento – inizialmente non avevano fatto caso alla recrudescenza dell'antisemitismo, e quasi la giustificavano da un punto di vista politico: era necessario per contrastare i comunisti russi e i rivoluzionari di tutta Europa. Condividevano quel punto di vista, e credevano in una democrazia che sarebbe stata diversa sia dal comunismo sia dagli eccessi del capitalismo; soltanto dopo avevano capito che era autentico odio contro gli ebrei, un odio dalle radici profonde che si estendeva con straordinaria forza a omosessuali, zingari e in generale a chiunque non appartenesse alla cosiddetta razza ariana.

Marisa ravvisava l'embrione di un atteggiamento simile in

Mussolini e nel fascismo, e faceva notare a Maria che l'opposizione al "madamismo" e le leggi che vietavano i matrimoni misti tra italiani ed etiopi erano indizio sicuro che Mussolini avrebbe condiviso l'antisemitismo di Hitler.

Noi italiani abbiamo sempre accettato i figli "dell'amore". Mio marito conosce dei militari che volevano portare in Italia moglie e figli: erano contenti, vedevano i loro figli come italiani, seppur di sangue misto. Ma il fascismo scoraggia quello che chiama "meticciato", e considera inferiori e senza diritti quei figli di italiani e di donne etiopi. Adesso rende illegali i rapporti sessuali con i neri: anche questa è una legge razziale.

In Argentina la situazione era ben diversa: Giosuè avrebbe potuto trovare lavoro, Maria avrebbe potuto portare con sé i figli. C'era terra, chi voleva vivere bene ed essere libero aveva la possibilità di farlo. E Marisa concludeva – rivelando una preoccupazione che allora parve esagerata – implorandola di parlarne con Giosuè.

Mademoiselle, diventata la governante di Rita, le aveva raccontato di gente che non era ebrea ma non era neppure di sangue ariano; e in particolare di una famiglia di amici che provenivano dalla Romania. Si sentivano sotto attacco e non voluti a Monaco, dove vivevano: anche loro convinti che le cose sarebbero peggiorate, si erano trasferiti in Svizzera.

In quanto agli ebrei, Mademoiselle raccontava già da tempo di umiliazioni atroci inflitte a professionisti che erano stati persino eroi della Prima guerra mondiale: un avvocato amico di una famiglia presso la quale aveva lavorato, un principe del Foro di Berlino, era stato costretto dalle SS a camminare per strada in mutande, con un cartello in cui lo si denunciava come nemico del paese e avvocato disonesto.

Maria non avrebbe saputo con chi parlarne se non con Emilia Formiggini, che però sembrava non volesse sentirne. Questo la preoccupò ancora di più, perché solitamente Emilia era attenta e curiosa. Ne aveva accennato a Giosuè prima che partisse per gli Stati Uniti.

Erano ancora una volta a Roma, a pranzo da Alfredo. Giosuè le aveva detto che avrebbe lasciato il posto in parlamento per diventare presidente di due organizzazioni: "Sarai contenta di sapere che si tratta dell'Associazione Nazionale Famiglie dei Caduti in Guerra e dell'Unione Italiana di Assistenza all'Infanzia. Nel frattempo, continuerò la mia consulenza al ministero della Difesa. Mi piacerebbe fare qualcosa nel campo dell'istruzione, ma bisogna aspettare che ci sia una poltrona vuota".

"Perché hai lasciato la politica?" aveva chiesto Maria, subito ansiosa.

"Non per i motivi che pensi tu. Il duce a volte parla a vanvera. Tra i suoi uomini di fiducia ce ne sono alcuni che non amano gli ebrei, ma io sono a posto: sono laico, non frequento la sinagoga. Molti non sanno neppure che sono ebreo. In più, il caso vuole che le mie amicizie siano quasi tutte tra non ebrei. Ho fatto tanto per lo stato, e finora Mussolini ha sempre rispettato chi lo ha aiutato. Perlomeno, che io sappia."

"Dunque non ne sei proprio sicuro."

"Sono tranquillo."

Eppure Giosuè non era stato sereno né da Alfredo né dopo, nell'intimità.

La corrispondenza con l'Argentina, frattanto, era diventata penosa: in ogni lettera Marisa le raccontava notizie tristissime della Germania. Maria decise che non ne avrebbe più parlato con Giosuè.

In quel periodo era conscia come non mai della propria età. Aveva quarantasei anni e sentiva che lui, che ne aveva tre di più, avrebbe ancora potuto rifarsi una vita e avere figli: forse, andare all'estero con lei, Rita e probabilmente anche Vito e Anna sarebbe stato peggio dei fastidi che avrebbe potuto creargli un regime che scimmiottava quello tedesco senza osare toccare gli ebrei amici del fascismo.

38.
L'"Almanacco della donna italiana"

Maria amava i ritmi delle stagioni. Sempre, nella prima settimana di gennaio, riandava col pensiero agli anni passati e pianificava quello appena iniziato. Era un momento di serenità, dopo le feste di Natale. Pietro aveva montato il magnifico presepe napoletano aiutato dai figli e soltanto con Rita, la sua beniamina, l'albero di Natale. Rita univa la famiglia e aveva portato in casa la felicità. Giosuè, ritornato dall'estero, aveva molti incarichi in Sicilia e Maria lo vedeva spesso; gli scriveva regolarmente e gli mandava fotografie di Rita. Giosuè, a sua volta, le mandava libri e riviste. Ogni anno le faceva arrivare per posta l'"Almanacco della donna italiana", che conteneva anche un calendario nel quale annotare le date importanti.

Come ogni anno, seduta alla scrivania della sua camera, Maria slegò lo spago, svolse la carta del pacco e finalmente liberò dall'involucro il libro che l'avrebbe accompagnata per i successivi dodici mesi.

Prima di mettere via quello dell'anno precedente, lo sfogliò e rilesse l'introduzione di Silvia Bemporad:

Amiche collaboratrici e lettrici antiche e nuove, vi chiamo oggi a raccolta per chiedere il vostro concorso ad un'opera utile per la numerosa schiera di donne che lavorano o per necessità o per bisogno del loro spirito o – quel che è meglio – per contribuire al bene sociale... Sappiamo che un numero sempre crescente di donne deve rinunciare alla gioia di formarsi una fami-

glia, e spesso provvedere col lavoro a sé e ad altri; sappiamo che molti vedono il lavoro della donna fuori dalla cerchia domestica con occhio ostile, quasi fosse oggi possibile farne a meno nelle fabbriche, nelle scuole e negli ospedali. Come se essi stessi fossero disposti a dare pane e tetto alle donne sprovviste di mezzi e private di lavoro che non hanno alcuno che possa mantenerle. È necessario che si sviluppi un senso di solidarietà femminile che valga a rendere più sereno e apprezzato il sacrificio e la fatica di quelle che chiamerei api operaie, sacrificio gravissimo per quelle – e sono molte – che avrebbero le doti necessarie per diventare api regine.

L'"Almanacco" era pieno di informazioni interessanti. Nel 1935 aveva offerto statistiche sulla presenza femminile nelle università. Nella facoltà di suo padre, Giurisprudenza, c'erano 10.118 uomini e 391 donne. In Medicina e chirurgia, 9960 contro 341. In farmacia la differenza era minore (1594 contro 1137), e addirittura gli uomini erano in minoranza quando si passava a Lettere e filosofia (951 contro 1769). Lo stesso "Almanacco" commentava negativamente la preponderanza delle donne insegnanti e proponeva una divisione equa, al cinquanta per cento.

Nelle ventidue corporazioni che rappresentavano i lavoratori italiani di categoria c'erano soltanto cinque donne. Bisognava che le donne si accostassero alle carriere sindacali e corporative, e che l'orientamento professionale fosse esteso non soltanto alle studentesse ma a tutta la popolazione femminile della nazione.

Maria aveva una speciale predilezione per la rassegna di moda: si sentiva davvero italiana quando indossava un abito cucito in una sartoria torinese, con scarpe e borsa fiorentine, cappello milanese, sciarpa di seta veneziana, gioielli romani e passamaneria del Sud. E dopo le sezioni dedicate alle attività delle associazioni nazionali e delle federazioni professionali sindacali, in fondo, c'erano le pagine che preferiva, quelle della *Rubrica di vita pratica.* Vi si offrivano consigli per una saggia amministrazione, su come calcolare le spese, dividere i denari a disposizione e fare economia, pur mangiando e vivendo bene. La vita pratica di Maria era quella di una madre con un marito inaffidabile.

Rita aveva compiuto qualche mese prima otto anni. "Una bambina senza nonni!" dicevano gli altri, perfino le cognate, dimenticando che la loro madre viveva proprio in casa di Pietro.

Maria aveva smesso di accettare la comoda diagnosi di "pazzia" e aveva voluto mettere la suocera alla prova con Rita neonata: la portava con sé nelle sue stanze e la allattava davanti a lei. Le monache rabbrividivano per la sfrontatezza e temevano per l'incolumità della bimba. E se quella gliela avesse strappata dal seno e l'avesse gettata a terra?

Durante l'allattamento Maria murmuriava arie, canzoncine e filastrocche, parlava alla bambina. E coinvolgeva la suocera, come non aveva mai fatto quando Anna e Vito erano piccoli.

"La vedi, nicare'? Questa è tua nonna... è la mamma di tuo padre, tua sorella Anna si chiama come lei."

Sentendo il proprio nome, la suocera interrompeva il lavoro e rimaneva immobile con la matassa di lana nella mano sinistra, il filo tra l'indice e il pollice della destra, come sotto un incantesimo, l'occhio vacuo su madre e figlia. E ascoltava.

"Cu è?" chiedeva, confusa.

"È vostra nipote, mia figlia," rispondeva Maria.

La vecchia accennava l'inizio di un sorriso, ma non riusciva a completarlo.

"È figlia di Pietro," continuava Maria.

Lo sguardo della suocera si incupiva. "Pietro? Pietro..."

"Vostro figlio!"

"No, no, no... no, Pietro no..." Sembrava spaventata.

Maria non capiva.

Aveva provato a forzarla con una domanda: "Non volete che vi tolgano Pietro, è vero?", e poi: "Voi gli volete bene... è vostro figlio".

Rita, dalla sua cesta, aveva cominciato a piagnucolare e Maria aveva dovuto darle conto. Quando si era rivolta di nuovo alla suocera, si era accorta che non aveva ripreso il lavoro: piangeva.

Maria giocava con Rita e la chiamava: "Amore mio, amore mio". La suocera ascoltava, attenta; si era guardata intorno, per assicurarsi che non ci fossero le monache, e poi aveva chiesto: "Figlia d'amore? Tua figlia, figlia d'amore?".

Maria l'aveva guardata perplessa, mentre la suocera incalzava, concitata: "Mio marito vuole figli... poi li scippa, li scippa...". E aveva preso ad arruffare la lana come un'indemoniata.

Maria non conosceva le circostanze della nascita di Pietro. Si era risolta infine a chiedere alla moglie di Leonardo, i cui genitori erano stati a servizio dai Sala. Dopo l'iniziale riluttanza, Rosalia le aveva spiegato che il vecchio cavaliere Sala, il nonno di Pietro, desiderava immensamente un nipote maschio. Dopo la nascita della prima femmina, Anna era caduta in uno stato di prostrazione e rifiutava il marito. Il cavaliere Sala allora si era rivolto a Giovannino: sperava che prendesse moglie e che fosse lui a dargli il nipote maschio tanto agognato. "Ma quello unn'era cosa! E allora il cavaliere ci disse a suo figlio Vito: 'Tu masculo sei, e lei fimmina è: il nipote maschio me lo dovete dare!'." Le donne di casa raccontavano che le urla della povera Anna raggiungevano la luna quando il marito faceva il suo dovere; e dopo la nascita le toglievano i neonati per paura che li ammazzasse. Aveva il terrore del marito e dei figli.

Da allora Maria aveva preso l'abitudine di portare Rita dalla nonna ogni giorno; tra le due si era stabilito un rapporto tutto speciale: era Rita che, crescendo, badava alla nonna, non viceversa. Si erano volute bene, a modo loro, finché Anna non era morta, tranquilla, nel sonno.

Rita aveva avuto anche un compagno di giochi: Stefano, figlio di Leonora e figlioccio di Nicola. Crescevano come fratelli, perché Stefano passava molto tempo nella casa di Girgenti. I rapporti tra cognate erano affettuosi ma superficiali. Leonora informava Giosuè dell'arrivo di Maria e a volte riceveva da lui lettere e regali per lei. Della loro vita privata, Leonora e Maria non parlavano.

Vito era stato un ragazzo modello: obbediente, calmo, attento. In collegio, a Roma, aveva studiato musica e dopo la licenza liceale si era diplomato al Conservatorio. L'amministrazione dei beni di famiglia non lo appassionava; avrebbe preferito fare carriera come musicista, ma si rendeva conto di dover prendere, prima o poi, il posto della madre. La sua attività principale era, finché poteva, divertirsi suonando in casa con una comitiva di amici. Coltivava il jazz e non sempre la cosa veniva vista di buon occhio. Ormai uomo, sembrava disinteressato al matrimonio, ma si sapeva che era innamorato di un'insegnante di pianoforte di Girgenti, più vecchia di lui.

Maria sperava che Anna avrebbe avuto una vita diversa dalla sua, e che avrebbe lavorato. Ma Anna, a ventinove anni, sembrava non avere alcun desiderio né di lavoro né di matrimonio. Maria non la incoraggiava perché aveva subìto una grossa delusione: si era ripresa, ma al suo futuro non aveva più voluto pensare. Sembrava paga di vivere in casa, di fare da seconda mamma a Rita; inoltre, aveva una vita molto attiva nella comitiva dei giovani di Girgenti e le piaceva viaggiare.

Era accaduto che, dopo aver frequentato il collegio a Roma, Anna era ritornata a Girgenti con una gran voglia di godersi la vita: aveva diciassette anni, era allegra e amava la compagnia. In collegio aveva fatto buone amicizie e spesso viaggiava con la madre e Rita, anche nel Nord Italia, andando a trovare amici di famiglia.

Il fidanzamento con Marco Altomonte, nell'autunno del 1924, era arrivato dopo un corteggiamento serrato: Anna all'inizio non era interessata, ma lui, brillante e disinvolto, era riuscito a conquistarla. Sapeva sorprenderla con piccoli regali e pensieri che dimostravano quanto fosse attento a ogni sua parola.

In quel periodo, al teatro Comunale di Girgenti si tenevano rappresentazioni di compagnie d'opera itineranti. Sarebbe stato scomodo per Marco tornare a Naro a tarda notte, dopo gli spettacoli, e Maria si era offerta di ospitarlo. Permettere che due fidanzati dormissero sotto lo stesso tetto era un comportamento molto moderno, ma Maria non aveva dubbi che fosse giusto, e Pietro, che viveva a Palermo e andava regolarmente a Girgenti, l'aveva assecondata.

Lia non stimava Marco. Maria se ne rendeva conto dalle sue mezze parole, ma tendeva a interpretarle come un'estensione dell'antipatia che Lia nutriva per Sistina, dalla quale era trattata come una serva. "Non mi piace questo, sta troppo a casa vostra," diceva Lia. Maria le rispondeva che non faceva male a nessuno, e che Anna ne sembrava contenta. "Mah!" E Lia la guardava, in attesa di una spiegazione. Ma Maria optava per il silenzio. Un'altra volta Lia le aveva riferito che Marco, nell'ansia di fare regali graditi alla fidanzata, chiedeva spesso consiglio alla sua cameriera personale, Tildina. Anche allora, Maria non aveva detto niente.

Maria era in camera, si passava sulle gambe la palla di cera egiziana che Pietro le aveva regalato. Bussarono alla porta: era Lia.

"Presto, vestitevi! Quei due stanno facendo cose tinte assai nella stanza r'u zito della signorina Anna!"

Si diressero immediatamente verso le camere degli ospiti. Le persone di servizio che incontrarono lungo i due corridoi, indaffarate o che fingevano di esserlo, le seguivano con occhi consapevoli.

Davanti alla porta della stanza di Marco, Maria sussurrò: "Lia, sei sicura?".

"Ascoltate voi stessa."

Maria posò l'orecchio sulla porta e quando Lia le chiese se poteva aprire, annuì.

Entrarono in punta di piedi, le tende erano chiuse. Nella penombra, si fermarono ai piedi del letto. I sospiri e i rumori non lasciavano dubbi su quanto era in corso. Gli occhi si erano adattati alla semioscurità: culo all'aria, Marco ansimava. Sotto di lui, Tildina gemeva. Maria guardò i piedi frementi di Tildina, poi sentì il grido soffocato di lei mentre Marco le si abbandonava addosso.

A un suo cenno, Lia accese la luce centrale. "Vestitevi!" ordinò Maria, creando scompiglio nel letto.

Senza pietà, assistettero in silenzio alla vestizione dei due. Tildina non trovava le sue cose, e in piedi, le spalle curve, la mano sul pube, cercava affannosamente calze, sottoveste e mutande buttate in terra nella foga. Le mutande erano andate a finire accanto a Lia, che non si era spostata per aiutarla e la osservava sprezzante mentre lei, ancora nuda, si piegava per raccattarle.

Marco, dopo essersi tirato su le brache, cercò di spiegarsi: "Non è come voi pensate...".

"Zitto." Ma fu lo sguardo di Maria, più di quella parola sussurrata, ad ammutolire il giovane.

Quando furono entrambi pronti – Marco aveva dovuto aspettare che Tildina finisse di vestirsi –, Lia ordinò loro che si rassettassero i capelli. "Fuori," disse poi alla cameriera con un cenno della mano, e la seguì.

Maria fece lo stesso con Marco: lo guidava da dietro, "a destra", diceva, arrivati alla fine del corridoio, "a sinistra", alla fine dell'altro. Giunti nell'atrio, Maria lo precedette e aprì la porta: "Vattene. E non farti vedere mai più".

Delusa e umiliata, Anna non aveva dubbi: avrebbe rotto il fidanzamento, Marco non era degno di lei. Maria ne fu sollevata. "Cercheranno di farti cambiare idea, e insisteranno," disse alla figlia, "se vorrai riprendertelo, rispetterò la tua scelta."

Le cognate, inorridite dal comportamento di Maria che consideravano eccessivo – quelle cose succedevano in tutte le famiglie –, ancora una volta tirarono fuori i sospetti, in qualche caso le accuse, che lei avesse o avesse avuto amori adulterini; chi parlava dell'ingegner Licalzi, chi di un personaggio importante di Roma, chi addirittura del professor Paci, l'archeologo che regolarmente accompagnava a Girgenti gli studiosi che chiedevano di vedere la collezione di Pietro.

Per Maria, assistere al dolore di Anna e alle pressioni dei Sala sulla figlia era pesante. Ma Anna tenne duro. Poi gli Altomonte giocarono l'ultima carta: si presentò in casa Sala il vescovo in persona. Era stato implorato – volle calcare su quella parola, *implorato* – dalla famiglia, e soprattutto da Marco, di fare una visita a loro, fedeli che lui stimava enormemente. "La compassione e il perdono sono elementi fondamentali," disse lui, e chiese ad Anna di avere pietà per la debolezza della carne del giovane. "Marco è stato concupito e sedotto da quella cameriera... ha ceduto," fu la sintesi del prelato. Chiedeva ad Anna di pregare il Signore affinché le desse la forza e la compassione per perdonare Marco, che mai più ci sarebbe ricaduto.

Anna promise che ci avrebbe pensato, e se avesse cambiato idea avrebbe subito avvertito Sua Eminenza.

Se le altre sorelle avevano rinunciato, Giuseppina era determinata a incastrare Maria. Aveva stretto i rapporti con Leonora, e cercava di indagare. Era sicura che ci fosse un uomo, e non di Girgenti; doveva essere uno di fuori. Arrivò al punto di sobillare Pietro: doveva presentare un'istanza al Tribunale perché gli fosse affidata l'amministrazione dei beni dei figli, adducendo a pretesto il fatto che, nella vecchiaia, era ritornato saggio e aveva abbandonato lo stile di vita dispendioso della gioventù. Prima di farlo, si era consultata con un avvocato, che aveva accennato la questione al prefetto. Paolini avvertì immediatamente Giosuè.

Giorni dopo, il presidente del Tribunale di Girgenti convocò l'avvocato e lo rimproverò severamente per avere calunniato la signora Sala e avere divulgato informazioni ricevute da clienti, peraltro infondate: Pietro Sala era stato tacciato di essere un cornuto, e la signora un'adultera. Il presidente gli fece capire che avrebbe dovuto valutare se informarne i suoi superiori. La faccenda, gli disse, sarebbe potuta arrivare fino al Gran Consiglio Fascista.

Spaventatissimo, con una serie di pretesti e spiegazioni farraginose l'avvocato riuscì, sia pure a fatica, a liberarsi di Giuseppina. E lei, a malincuore, si zittì.

39.

Credere, obbedire, combattere

Maria e Giosuè si erano rivisti a Palermo nell'agosto del 1937. Mussolini e il re andavano alle grandi manovre dell'esercito, nella Valle del Belice. Maria portava Rita a fare i bagni a Mondello, un piccolo porto di pescatori diventato un centro balneare modernissimo, con uno stabilimento sulle acque.

Giosuè alloggiava al Grand Hotel des Palmes, con altre persone venute al seguito delle manovre ma non facenti parte del governo. Non si vedevano da due mesi, e Maria lo aveva trovato in gran forma; i nuovi incarichi gli piacevano e finalmente aveva il tempo di prendere lezioni di pianoforte dalla famosa insegnante tedesca Madame Stutz, che viveva a Città del Vaticano. Erano felici di ritrovarsi, e Maria avrebbe pernottato in albergo con lui, mentre Rita e Anna sarebbero andate ospiti in casa Carta, parenti dei Savoca il cui figlio maggiore, Pippo, corteggiava Anna.

Qualcosa in Giosuè le faceva pensare che non fosse del tutto limpido con lei; sentiva in lui una grossa preoccupazione, che non gli dava requie. Maria si chiedeva se avesse avuto una donna. Nel loro rapporto questo era contemplato, anche se dopo la nascita di Rita Giosuè le aveva detto che avrebbe cercato di evitarlo.

Le notizie dalla Germania erano sempre peggiori, e già da un anno in Italia erano state promulgate le leggi razziali. Si sentiva parlare di ebrei che si trasferivano a Parigi o altrove. Nonostante ciò, l'Italia era rispettata in tutta Europa, il Regno era diventato un Impero e le sanzioni imposte dalle Nazioni Unite avevano unificato il paese e creato un patriottismo insperato. Costante era l'impulso all'istruzione, "e questo," sosteneva Giosuè, "basterebbe a rendermi fiero di essere fascista".

"Ma ti sei dimesso, hai rinunciato alla politica," obiettò Maria.

Lui le fece una carezza: "Fammi vedere le fotografie di Rita".

Era vero che per la gioventù fascista c'era l'istruzione obbligatoria e, oltre alla cura della salute, era prevista anche l'attività sportiva. Era vero che i cittadini del Regno si stavano trasformando in italiani grazie al servizio militare obbligatorio, alla diffusione della radio in ogni famiglia, al cinema e alla crescita della stampa nazionale. Era vero che per i poveri e per i tanti che tiravano a campare la qualità della vita continuava a migliorare: di fronte a questo, contava ben poco che il fascismo fosse una dittatura. Era vero anche che la risposta delle donne italiane alla richiesta di donare la fede nuziale per aiutare il duce contro le sanzioni economiche delle Nazioni Unite per l'invasione e annessione dell'Etiopia dimostrava una nuovissima volontà, anche delle donne, di far parte dell'Italia.

Ma tutto questo si basava su una divinizzazione del duce, dopo i successi della politica espansionistica in Albania e in Etiopia, sostenuta dall'intera nazione. Le sue parole erano riportate a caratteri cubitali sulle superfici esterne di palazzi, fabbriche e case: CREDERE, OBBEDIRE, COMBATTERE. Maria considerava le manovre nella Valle del Belice l'apice dell'entusiasmo dei siciliani per il fascismo, ma non di tutti i siciliani. Tra questi c'era lei, Maria Marra, che aveva cercato di sentirsi genuinamente fascista e non c'era riuscita.

Coloro che avevano dubbi e perplessità non osavano manifestarli. Lei doveva parlarne ancora una volta con il suo uomo, per la sua stessa sicurezza, e incoraggiarlo a riavvicinarsi a un governo per il quale lei stava perdendo qualunque stima.

Maria pregò Giosuè di adoperarsi per ottenere un incarico governativo; quello sì che l'avrebbe protetto, e soprattutto avrebbe alleviato le sue paure. Lui le aveva risposto con insofferenza: "Basta lastime, sei proprio una mamma siciliana! E poi, se il governo non ti piace perché vorresti che io ne facessi di nuovo parte? Il fatto è che Mussolini è diventato un personaggio europeo di rilievo, e non intende essere da meno di Hitler. Per adesso gli è amico, perché sa che Hitler ha l'esercito più potente d'Europa, Inghilterra inclusa: ben addestrato, e con armi nuovissime. Ci sarà una guerra, lo sappiamo tutti. Se si allea con Hitler la vittoria sarà più rapida, e allora Mussolini tornerà a fare l'italiano, un dittatore che ha a cuore il bene del suo popolo".

L'indomani mattina, alle manovre, Giosuè ottenne i posti in tribuna per lei, Anna, Rita e Pippo e promise che avrebbero cenato tutti insieme al ristorante dello Stabilimento Balneare di Palermo.

Per Maria era doloroso constatare l'entusiasmo del popolo per il duce; forse Giosuè aveva ragione, ed era lei che esagerava. A cena si sforzò di essere allegra, ma non ci riusciva. Poi, quando Anna e Pippo lasciarono il tavolo per vedere la luna sul mare, rimasero loro tre: Giosuè, Rita e lei. Capitava di rado. Maria aveva lo sguardo vago, quello di quando era preoccupata. Giosuè fece scorrere la mano sul tavolo e sfiorò la sua: "Maria...". Lo sguardo e il tocco dicevano tanto.

Rita, come se se ne fosse accorta, le prese l'altra mano; anche lei cercava di confortare la madre, per qualcosa che non sapeva ma che – lo sentiva – la turbava.

"Non è niente," mormorò Maria. E poi: "Vuoi dei grissini? Sono buonissimi".

Immediatamente, Giosuè porse il cestino a Rita. Lei prese un grissino e cominciò a sgranocchiarlo, senza togliere la mano da quella della madre.

"Ne vuoi un altro?" le chiese Giosuè, la voce tenera.

"Grazie, basta così," disse Rita. Allungò il braccio, e posò saldamente l'altra mano su quella di lui.

Rita di certo non sapeva, ma altrettanto certamente sentiva.

40.
Via San Callisto

Nel giugno 1938 Maria era a Roma, ospite di Nicola, con la scusa di andare al matrimonio della figlia di una coppia di amici.

Pranzò da Alfredo con Giosuè. Compito, attento, affettuoso, lui voleva sapere di tutti e di Rita in particolare. Il benvenuto del proprietario era stato espresso con una goffaggine nuova, e dagli altri tavoli Giosuè veniva guardato di sguincio, quando non addirittura si cercava di evitare il suo sguardo. Lui non se ne curava, o forse era rassegnato, come se non fosse la prima volta.

Maria ne aveva parlato con Ilaria Paolini, che sapeva del loro rapporto. Ilaria le aveva confermato che la situazione degli ebrei, dopo le leggi razziali, era bizzarra: non tutti erano trattati alla stessa stregua. Si offrì di organizzare una cena in casa sua, invitando il cugino, un cardinale, che aveva espresso il desiderio di rivedere Giosuè; si stimavano, e quell'incontro avrebbe potuto essere utile a entrambi.

Così avvenne. Dopo cena, il cardinale si appartò con Giosuè sulla terrazza. Da lì si vedeva tutta Roma illuminata: uno splendore. Maria li osservava; il cardinale passò una carta da visita a Giosuè, che la guardò e poi la mise in tasca.

Giosuè la riportava da Nicola alla guida della sua Augusta.

"Com'è andata con il cardinale?" chiese Maria.

"Mi ha offerto aiuto, se dovessi averne bisogno. Ho fatto

molto per loro, ai tempi dei Patti Lateranensi. Ma non sarà come tu temi, il duce non è stupido. Non oserà danneggiare il paese privandolo del contributo che gli ebrei danno all'industria, all'economia e al mondo accademico. E non allontanerà dalla vita pubblica e dalla società civile coloro che hanno combattuto con onore nella Grande guerra e nelle campagne d'Africa, e che sostengono il fascismo."

"Ma Angelo la pensa diversamente."

"Angelo è un sognatore. Ed è depresso, come tutti gli uomini spiritosi," tagliò corto Giosuè.

"Allora parla con il duce, rassicurami!" lo implorò Maria.

Da allora Giosuè le scrisse una sola volta, ai primi di ottobre, facendo riferimento alla conversazione avuta a Roma. Le espose in modo conciso il suo pensiero sulle leggi razziali: erano state promulgate per accontentare Hitler, e null'altro. In sostanza, lui e altri ebrei fascisti di antica fedeltà non ne sarebbero stati toccati. Per rasserenarla, le confermava di aver chiesto un colloquio col duce, sul quale non avrebbe mancato di aggiornarla.

Dopodiché, silenzio totale.

Maria aveva sviluppato una dipendenza dalle lettere di Giosuè. A metà novembre, rosa dalla preoccupazione, aveva deciso di anticipare la solita visita a Roma per le compere dei regali. Ne aveva informato Leonora ed Emilia Formiggini, e nessun altro. Le figlie l'avrebbero raggiunta a metà dicembre; Anna, fidanzata a Pippo Carta, un chirurgo palermitano, avrebbe comprato anche gli abiti per il corredo. Maria era scesa all'Hotel d'Inghilterra, dove lei e la famiglia occupavano sempre le stesse stanze. Appena arrivata, ricevette un telegramma di Emilia Formiggini: la informava del suicidio di Angelo e le chiedeva di raggiungerla a Modena. La notizia di quel suicidio, che la stampa aveva fatto passare completamente sotto silenzio, fu un colpo al cuore. Il suo primo pensiero: e Giosuè?

Angelo Fortunato Formiggini era un uomo ricco e con una cultura vastissima, sempre aperta ad approfondimenti e sollecitazioni. Aveva fondato una casa editrice e diverse collane, molte di successo, e riviste. Aveva collaborato con il regime ed era stato il primo a evidenziare la necessità di un'enciclopedia nazionale. Ma non aveva mai digerito Giovanni Gentile e la sua Filosofia di Stato. Al di là di questo, le ragioni di una profonda, amara disillusione erano così evidenti da sospingerlo in pensieri senza ritorno. Aveva pianificato il suicidio in segreto e nei minimi dettagli: lasciata la moglie a Roma, dove avevano casa, era ritornato nella sua Modena, e lì si era gettato dalla Ghirlandina al grido di "Italia! Italia!", in un gesto di sfida al regime in cui così profondamente aveva creduto e che tanto aveva sostenuto. Angelo aveva mantenuto la fede e una specie di devozione nei riguardi di Mussolini, nonostante non andasse d'accordo con alcuni gerarchi e fosse rimasto disturbato dall'atteggiamento del regime nei riguardi degli etiopi. Infine, marchiato come ebreo – dunque nemico e inferiore –, e per giunta spogliato della cittadinanza italiana, non aveva retto.

Maria era rientrata a Roma ai primi di dicembre, depressa e preoccupata. Giosuè non si era messo in contatto con Emilia, nemmeno una telefonata di condoglianze. E neppure con lei, benché Leonora gli avesse fatto recapitare un biglietto in cui gli comunicava – come concordato – che era arrivata in città.

Dopo la nascita di Rita, Maria e Giosuè avevano preso accordi dettagliati su come rimanere in contatto senza destare sospetti. Lui le avrebbe scritto almeno una volta alla settimana, inviando le sue lettere al fermoposta. Avrebbe telefonato con cautela e di rado. Maria invece non gli avrebbe mai scritto – la polizia segreta e i servizi di spionaggio controllavano la posta dei deputati e degli uomini di potere, nella speranza di trovare materiale per ricattarli. Leonora informava Giosuè, con un linguaggio in codice, delle visite di Maria a Roma. Se Maria avesse avuto urgenza di parlargli, glielo avrebbe fatto sapere tramite Leonora o Nicola. In caso di emergenza gli avrebbe telefonato di persona, usando una frase concordata. Ma tranne una volta, quando Rita si era ammalata di polmonite, di urgenze ed emergenze non ce n'erano state. I loro incontri, a Roma o in Sicilia, erano sempre suggeriti da lui, che le sottoponeva diverse possibilità di ora, data e luogo.

Maria era sicura di trovare in portineria – come d'abitudine – una lettera di benvenuto di Giosuè. Nulla. Leonora le aveva confermato di aver mandato il biglietto. Ogni giorno Maria chiedeva se c'era posta; non ce n'era mai. Cominciava a temere l'assurdo: che Giosuè fosse fuggito in Argentina, come lei aveva suggerito in passato, o altrove; che fosse morto all'improvviso. Ma in quel caso lo avrebbe saputo dai giornali. Poi rifletteva e contemplava la possibilità che, come per Angelo Formiggini, il questore avesse espressamente ordinato di non diffondere la notizia. Escludeva che Giosuè si fosse disamorato di lei: quello no, non era possibile.

Avevano parlato più volte, dopo la nascita di Rita, dell'eventualità che uno dei due morisse, e di come l'altro ne avrebbe mantenuto vivo il ricordo attraverso i cunti.

Doveva frugare nella memoria, mettere insieme informazioni, ricordi e avvenimenti su Giosuè, e scriverli per Rita nel caso in cui lei fosse morta. Sapeva che Anna e Vito, i suoi fratelli ed Egle avrebbero tenuto vivo per Rita il ricordo di lei, sua madre. Ma solo lei poteva custodire per sua figlia la memoria di Giosuè. Di lui, Rita non domandava.

Bisognava anche parlarne con Giosuè, e chiedere cosa voleva che venisse detto a sua figlia. Maria avrebbe avuto bisogno di lettere, carte e fotografie, da cui attingere. Un bagaglio di memorie che avrebbero creato ritornando all'abitudine di gioventù, quando, nel giardino di casa Marra a Camagni, parlavano fitto di loro stessi, delle loro esperienze e dei loro pensieri. A Modena, mentre ascoltava Emilia, Maria si era resa conto di non sapere nulla delle notti, dei sogni e dei risvegli di Giosuè: erano l'anello mancante nella catena di informazioni sulla sua vita quotidiana. Maria decise di rischiare e di scrivergli di persona; avrebbe lasciato la lettera, scritta come un poema, in una busta da consegnare a chi avesse portato una lettera indirizzata a lei. Giosuè l'avrebbe presa, lo sentiva.

Consegnata la busta al portiere, Maria si diede per malata e rimase in camera a ricamare accanto al balcone, per scrutare fuori semmai lui fosse venuto.

Venne il giorno dopo. Lo riconobbe dall'andatura. Era vestito da sacerdote; un cappello nero a tesa larga gli riparava il volto. Aveva ritirato la busta che lei gli aveva lasciato e la stringeva in mano.

Non ho mai trascorso una notte intera con te.
Non so
come ti addormenti, com'è il tuo risveglio, se il tuo sonno è interrotto e quando;
se ti svegli nottetempo per i pensieri,
se leggi prima di addormentarti, o se ti svegli di notte per leggere.
Non so
se ricordi i tuoi sogni,
se hai mai avuto incubi o semplicemente brutti sogni.
Non so
se ti svegli soddisfatto e riposato,
se hai ansie e brutti presentimenti.
Non so
se ti svegli assetato, e di cosa.

Vorrei saperlo.

La risposta, lasciata poco dopo dal portiere, fu lapidaria: *Alle sei di sera, al bar Luci di via San Callisto. Tutta la settimana.*

Maria lasciava l'albergo, speranzosa e fragrante di pulito, come una quindicenne al primo incontro con l'innamorato. Alle mandorle e ai pistacchi sgusciati, al pecorino con il pepe che gli portava sempre dalla Sicilia, aveva aggiunto una bottiglia di marsala e dei fichi secchi. D'impulso, non aveva portato con sé una camicia da notte voluttuosa, aveva preso quella di cotone di ogni giorno, semmai Giosuè non avesse "voluto".

Non conosceva bene il reticolo di passaggi e stradine della Roma papalina; inoltre, il taglio di via della Conciliazione aveva sconvolto il quartiere, povero e degradato, e lei, abituata alla vecchia Roma medioevale, si confondeva. Grazie alle indicazioni di un fruttivendolo, però, era riuscita a raggiungere via San Callisto con facilità e in anticipo. Sedette al bar Luci, impaziente. Al tavolo vicino, una coppia di innamorati, occhi negli occhi. E nessun altro. L'orario era passato, erano le sei e un quarto. Il cameriere si era avvicinato, e lei ordinò una limonata. Ma non riusciva a berla, aveva la gola chiusa, eppure salivava. Non riusciva a controllare il desiderio di lui, voleva vederlo toccarlo baciarlo subito – sulla bocca, sul collo, sulle mani, nel bar stesso, nel portone di casa, per le scale. Ma di Giosuè non c'era traccia.

Un tocco sulla spalla. Seguì silenziosa il sacerdote con il cappello a tesa larga. La coppietta seduta al bar li osservava perplessa. La grossa chiave di ferro entrò, come mano in un guanto, nella toppa di un portoncino schiacciato tra altre case a schiera, che si aprì facilmente, scricchiolando. Era una costruzione stretta, a tre piani, col tetto spiovente. La scala era ripida, gli scalini sbreccati. Giosuè le fece segno di salire per prima. Non le aveva ancora detto una parola. Maria si voltò: "Che cosa faccio?". Lui si portò l'indice alle labbra e bisbigliò: "Qui non si deve parlare. Siamo in soffitta, faccio strada". Le tolse dalle mani la borsa della spesa – Maria sussultò a quel semplice tocco – e la superò.

Erano sull'ultimo pianerottolo, molto stretto. Una luce fioca illuminava due serbatoi per l'acqua e un armadio sgangherato. Giosuè lo aprì: era vuoto. Fece scorrere il fondo, mostrando un varco; vi entrò e, dopo aver fatto entrare Maria, fece scorrere nuovamente il fondo dell'armadio. Poi si tolse l'abito talare e lo appese con cura a un chiodo. Era un po' dimagrito. Il sottotetto era piccolo; lo riempivano un sommier, un tavolo e due sedie. In fondo, cataste di scatole di cartone e lungo i lati, dove il soffitto spiovente quasi toccava il pavimento, una fila di libri. In mezzo, una struttura in muratura che arrivava fino al soffitto, come la cabina di un ascensore. Su un lato, un pianoforte; sull'altro, una portafinestra dai vetri oscurati, che Giosuè faticò per aprire: dava su un terrazzino interno, ricavato nel tetto spiovente, invisibile da fuori. C'erano due cantari, con solidi coperchi di legno, un lavandino di ferro appoggiato su un treppiedi e un piccolo serbatoio con un rubinetto. Su un filo di ferro teso tra due chiodi era stato messo ad asciugare un paio di calze. Una scopa e una paletta pendevano da un chiodo.

"Minuscolo ma sufficiente. Alla Gregoriana mangio alla mensa e posso usare un bagno con altri..." Giosuè la guardò dritto negli occhi, duro, "...giudei."

Le cinse la vita. "Vuoi?"

La prese sul sommier, con foga, senza darle il tempo di spogliarsi. Poi di nuovo, e di nuovo ancora. Come adolescenti affamati.

"Non credevo che fosse così importante, per te, dormire insieme," diceva Giosuè. Uno di fronte all'altra, a gambe intrecciate, erano sul sommier.

Lui le prese un piede; lo copriva di piccoli baci, poi l'altro. La massaggiava, a palma aperta, a cominciare dai piedi, poi passava ai polpacci, alle cosce, come se volesse scioglierle i muscoli, mentre lei lo maniava. Poi Giosuè si mise in ginocchio. Si guardarono negli occhi. Deciso, portò indietro le caviglie di Maria e quando la schiena di lei fu saldamente sul letto, la prese di nuovo.

Mangiavano pane e formaggio, fichi secchi e vino. Giosuè le spiegava che sarebbe rimasto nascosto alla Gregoriana, i cattolici lo avrebbero protetto. “Ti scriverò al fermoposta di Palermo. Ce la faremo. Mi mancherai. Come io mancherò a te.”

“Se ci sarà la guerra e uno di noi morisse, è possibile che l'altro non lo venga mai a sapere...” Maria era desolata. “Non saperlo, questo è un vero grande dolore: non sapere.”

“Il fatto è che, una volta diventato spirito, volerei da te,” le rispose lui. “Tu lo sai, noi due non possiamo dimenticarci. Mai. Ti starei sempre attorno, carezzerei le tue guance, mi infilerei sotto le tue lenzuola, assaggerei quello che mangi!”

Maria aveva freddo, e lui le aveva messo un mantello sulle spalle. Lei gli baciò le dita. “Come farai, ora che sei un prete?” gli chiese.

Ma lui fece finta di non capire. “Esattamente come prima. I prelati si trattano bene, qui. In quanto al resto e alla liturgia, credo che sarei in grado di celebrare una messa, o i rituali valdesi della Tavola, grazie a tua madre e a Maricchia.”

“Quanto rimarrai a Roma?”

“È da decidere. Se entriamo in guerra rapidamente, da qui potrei essere utile alla diplomazia. Se il conflitto si estenderà, probabilmente andrò altrove: conventi del Sud, preferibilmente in Sicilia. Per esserti vicino, e conoscere meglio Rita.” Esitò. “Ha l'intelligenza e la capacità per il liceo classico. Maria, vorrei che fosse istruita nelle scuole pubbliche. La vicinanza con altri giovani meno fortunati la renderà più forte, durante la guerra.”

“Sei sicuro che la guerra scoppierà?”

“Senza alcun dubbio. Potrebbe essere veloce, e finire con la vittoria del Patto d'Acciaio: saremmo fagocitati dai nazisti. L'alternativa sarebbe un conflitto lungo e globale. Dall'esito imprevedibile.” Tacque.

Tornò sulla scelta della scuola per Rita. “Le scuole di Palermo sono ottime. Ti dispiacerebbe passare nella casa di Palermo il periodo scolastico? Sarebbe più facile anche per noi due: ci terremo in contatto attraverso il fermoposta, ma non saprai dove sono. Spero di trasferirmi lungo la costa del basso Tirreno, da monastero a monastero. I trappisti e i gesuiti mi hanno offerto aiuto.” Poi, abbassando la voce, aggiunse che presto sarebbe andato via da quella soffitta: Roma era sempre più piena di tedeschi.

Parlare di guerra aveva immalinconito Maria.

"Dai, suoniamo il nostro *Notturno* di Chopin a quattro mani?" fece lui, e si avvicinarono al pianoforte.

"Ci sentiranno? Non è pericoloso?"

"Probabilmente sì, ma non è pericoloso, anzi. Penseranno che sia Madame Stutz a suonare. Almeno ho questo conforto."

La musica, come sempre, esprimeva meglio delle parole i loro sentimenti, e li rafforzava nella consapevolezza che cent'anni prima un giovane polacco aveva provato le stesse sensazioni che provavano loro, e le aveva scritte sullo spartito.

Era tardi. "Dormiamo," disse Giosuè. "È per questo che sei venuta, vero?"

Erano esausti. Fu Maria a insegnargli come dormire in uno spazio esiguo: abbracciati, le gambe intrecciate e le braccia di lui avvolte intorno alla vita di lei.

Nel dormiveglia mattutino, Giosuè le sfiorava il seno: "Scrivevi *Non so se ti svegli assetato, e di cosa*. Ho la risposta: dei tuoi seni. Mi piace toccarli, stringerli, leccarli, pizzicarli. Succhiarli". E la baciava tutta. Poi si era tirato indietro, per vederla meglio.

"Da sempre," disse, e la carezzava.

"Che cosa significa?"

"Mi sveglio assetato di te, e dei tuoi seni, da quando eravamo ragazzini. E li ho visti. Dovrei vergognarmene... Spesso ti vestivi, spesso ti mettevi vicino alla finestra. La tendina era stretta e il ricamo a traforo. Ti guardavo dalla mia camera con il binocolo. E mi eccitavo. Come ora."

41.

La morte di Pietro

Nel settembre 1939 Rita frequentava il ginnasio Garibaldi di Palermo. Era nel centro della città, in un monastero francescano espropriato alla Chiesa e usato dapprima come convitto e poi come scuola. Vivevano nel palazzo dei Sala, vicino al teatro Massimo, dove Pietro e le sue sorelle avevano ciascuno il proprio appartamento.

Rita era stata allevata soltanto da sua madre e come lei voleva, nonostante fosse la figlia prediletta di Pietro, ben contento di non essere coinvolto in faccende che ormai considerava triviali. Maria aveva assecondato con entusiasmo il suggerimento di Giosuè che Rita frequentasse la scuola a Palermo, anziché andare in collegio. Dopo il matrimonio, Vito e Beatrice – "la pianista", come la chiamavano in famiglia – avevano preso pieno possesso dell'appartamento di Girgenti. Nel palazzo di Palermo, invece, il piano nobile era stato diviso in due appartamenti indipendenti, uno per Maria e uno per Pietro: si manteneva una parvenza di unità familiare a pranzo – tutti insieme – e nei rapporti sociali. Era quello che facevano anche tanti altri, visto che il matrimonio era indissolubile. Maria era infelice a palazzo Sala, ma non per la vicinanza di Pietro: adesso che avevano ognuno la propria vita, conversavano gradevolmente; ogni pomeriggio, finiti i compiti, Rita andava dal padre e si divertivano con le scimmie. Questo permetteva a Maria di fare visita a zia Elena, vedova ormai da anni, che si alzava dal letto sempre più di rado.

Il problema erano le cognate, che occupavano gli altri

piani del palazzo. Facevano di tutto per renderle la vita difficile – in particolare Giuseppina, che sembrava ossessionata dalla malevolenza: si vedeva dalle taliate che le lanciava quando si incontravano. Maria continuava ad amministrare di persona le proprietà dei figli; il dottor Puma la teneva informata sull'andamento delle colture ed era in contatto con il ragioniere per la contabilità, mentre l'ingegner Licalzi si occupava delle miniere, che davano profitti, seppur modesti. Maria andava a Girgenti quando era necessario e stava molto a tavolino a fare conti e a curare gli investimenti. C'erano sempre beghe sui beni in comune con le cognate, nonostante le loro quote fossero minime. Maria trovava sgradevole incrociarle per le scale e sentirle parlare con Pietro in terrazza: non mancava mai una frecciata contro di lei. Si rifugiava volentieri da zia Elena, che avrebbe desiderato averla vicina e si era offerta di metterle a disposizione il secondo piano della villa.

Rita era felice: adorava la scuola, gli insegnanti le piacevano e andava d'accordo con tutti. Aveva fatto molte amicizie, anche tra le famiglie che frequentavano. Anna – andata sposa a Pippo Carta – abitava vicino e la coccolava come una figlia: la portava ai concerti al Politeama e al cinematografo.

Convinta di un'immediata vittoria, l'Italia dichiarò guerra a Francia e Gran Bretagna il 10 giugno 1940. Il porto di Palermo era il centro di smistamento di uomini, armi ed equipaggiamento per l'esercito che combatteva in Africa. Oltre ai cantieri navali, a Palermo erano stati costruiti grandi serbatoi sotterranei in cemento per la nafta, straordinariamente funzionali e moderni. La città era nel mirino dell'aeronautica francese stanziata a Tunisi e in Algeria, da dove il 23 giugno – tredici giorni dopo la dichiarazione di guerra – partirono gli aerei del primo bombardamento. Erano vecchi biplani carichi di bombe piccole, atte più a incutere paura che a uccidere. L'obiettivo dei francesi era il porto e lo mancarono, colpendo l'abitato e uccidendo venticinque persone. Nessun altro bombardamento francese causò un tale numero di morti.

Durante il primo anno di guerra i bombardamenti furono rari, e concentrati sul porto. Nessuno lasciò la propria casa, la vita cittadina continuava come prima. I falsi allarmi, tuttavia, erano molti. I palermitani si erano rassegnati alle sirene che suonavano più volte durante la giornata, al rischio costante ma non grande. Avevano smesso di correre nei rifugi. Erano diventati spericolati e certe volte morivano proprio per questo. Palazzo Sala non fu mai colpito.

Non più libero di viaggiare, e ormai anziano, Pietro aveva sostituito il gioco con due passioni: gli animali e i lavori manuali.

Oltre alle farfalle, allevava delle bertucce somale, chiamate scimmie catarrine. Di taglia medio-piccola, prive di coda e dal folto pelame rossiccio, erano molto intelligenti e abituate al contatto con gli esseri umani. Le teneva in una grande gabbia, simile a un gazebo, in terrazza, ma ogni giorno le portava in casa per qualche ora e le lasciava libere. Gli piaceva mangiare frutta insieme a loro.

Pietro decorava le cornici delle tele che acquistava da giovani artisti, e spesso – come non volesse perdere la fama di scialacquatore – a prezzi esagerati. Le dipingeva e poi vi incollava vetrini dorati, borchie di ottone, e perfino nastri, che poi verniciava. Non erano brutte, e certe volte erano persino migliori dei quadri che incorniciavano. Leonardo era il suo aiutante.

Morì all'improvviso in una giornata di fine marzo del 1941. Aveva settant'anni, e non godeva di buona salute. Per via di una debolezza inspiegabile alle gambe camminava poco e, diventato duro di udito, faceva la vita dell'eremita, lui che adorava la compagnia ed era stato un brillante raconteur. Le sorelle andavano a trovarlo di rado. Pietro era ossessionato dalle cornici e dalle scimmie, due passioni costose. Bisognava trovare banane e altra frutta al mercato nero, una ricerca che – come quella dei barattoli di colla, della vernice dorata o addirittura con polvere d'oro – diventava ogni giorno più ardua. Pietro stava chino sul lavoro per ore, incollando i vetrini e inalando l'odore denso e pungente, inebriante, della colla. La faceva annusare anche a Masina, la sua scimmia preferita.

Leonardo raccontò di averlo trovato dentro la gabbia delle scimmie, con la porta chiusa, bocconi, insanguinato. Già morto. Era caduto malamente e si era ferito: le scimmie si erano date da fare per soccorrerlo, e poi lo avevano accudito a modo loro. Aveva tra le dita residui di colla, ma non sul dorso delle mani: le scimmie li avevano leccati via. Adesso una si reggeva in piedi a stento, e le altre non erano da meno. Masina, rimasta accanto al padrone, cercava di togliergli pidocchi immaginari.

Il feretro, conzato come si poteva, era stato esposto nel salone. I cordoglianti erano tanti: oltre a Maria, Anna con il marito, Vito con la moglie, e Rita, c'erano le sorelle di Pietro con le rispettive famiglie, parenti e amici. Nessuno dei Marra era potuto venire da Camagni. Come sempre, dinanzi alla morte le divergenze tra familiari conobbero una tregua. E come sempre, la tregua durò poco: fino all'inumazione.

Quella sera, Maria sentiva rumori per le scale. Si era affacciata: Leonardo e il portiere scendevano portando in spalla sacchi pesanti: i cadaveri delle scimmie. "Signurì," disse Leonardo, "mi piange il cuore che 'u patruni murì... ma mi piange assai di più di doverci dare da mangiare, a 'ste scimmie, mentre tanti puvirazza muoiono di fame!"

Morto Pietro, Maria lasciò il palazzo e si trasferì con Rita da zia Elena.

Le dichiarazioni di guerra alla Jugoslavia e alla Russia, rispettivamente nell'aprile e nel giugno del '41, dicevano che il conflitto non si sarebbe concluso velocemente. I tedeschi avevano preso il controllo dell'isola; Maria ne era turbata e li evitava, ma gli altri parenti li intrattenevano in casa e li invitavano in gita nelle loro campagne. I bombardamenti continuavano senza danni gravi e senza grosse perdite di vite umane.

Nell'autunno del 1942 le incursioni aeree erano aumentate, e così il numero dei morti. Gli aerei inglesi stanziati a Malta erano dotati di bombe molto potenti; i loro bombardamenti distrussero le navi da guerra ormeggiate nel porto e l'intera zona portuale. Nonostante ciò, continuarono.

La città era piena di rifugi: il cartello rettangolare, con una mano bianca in campo blu chiusa a pugno e l'indice puntato sulla parola RIFUGIO, era dappertutto. Grandi e bambini impararono a distinguere il suono delle cannonate italiane dal fragore dello scoppio delle bombe: il primo ispirava fiducia, perché era la difesa dell'esercito. Poi calava un silenzio pesante.

Durante i bombardamenti le luci venivano spente; le mura si muovevano, un terremoto che veniva dal cielo con epicentri diversi e scosse di varia intensità. Quando la bomba colpiva un palazzo o cadeva nelle vicinanze, la struttura intera ondeggiava. Le mura – tutte, perfino quelle portanti – oscillavano. Dal tetto squarciato pioveva sulle scale una cortina di polvere. Chi non era sceso al rifugio rimaneva immobile, al buio, terrorizzato.

42.
Le lettere di Giosuè

Dopo la notte trascorsa in via San Callisto, Maria aveva rivisto Giosuè tre anni dopo, un pomeriggio di primavera del 1941, nell'abbazia dei benedettini di San Martino delle Scale. A lei piaceva pensare che fosse stato sempre lì, sulla montagna, con Palermo ai suoi piedi. E che dunque, in un certo senso, dall'abbazia non avesse mai smesso di vederla. In effetti era stato così: l'aveva cercata, l'aveva spiata, l'aveva avuta vicino anche negli anni di lontananza, attraverso il pertugio della scrittura. Lettere e lettere l'avevano inseguita e raggiunta, come gesti, come atti d'amore.

Le automobili private potevano ancora circolare, ma il carburante scarseggiava. Lei era riuscita a trovarne un bidone, e Leonardo l'aveva accompagnata con la Fiat. La strada in salita attraversava un bosco di macchia mediterranea – lecci, querce, carrubi; a ogni curva rivelava scorci meravigliosi, in basso, sulla Conca d'oro. Il mare ingrandiva man mano, Monte Pellegrino acquisiva gravitas e una propria vita. Maria era ansiosa. In quegli anni di separazione, il solo contatto con Giosuè era stato attraverso le lettere di lui, inviate al fermoposta di Palermo, a cui lei non rispondeva. Il colloquio sarebbe durato mezz'ora, secondo i tempi scanditi dalla regola benedettina. Si sentiva minuscola ai piedi dello scalone monumentale, concepito per ostentare la potenza dell'Ordine. Seguì il frate che aveva aperto la porta e la conduceva nella biblioteca. Sul tavolone, degli incunaboli. In piedi, accanto alla finestra, Giosuè vestito da monaco. "Qui ci sentono?" aveva chiesto lei, appena entrata, e aveva posato la busta con le foto di Rita sul tavolo.

"Probabilmente sì." La voce di Giosuè era carezzevole. Sedettero, vicini. Lui studiava le fotografie di Rita, avidamente. "Ora che è proprio una signorinella, la somiglianza con gli occhi di mia madre è forte..." Poi, rivolto a lei: "E tu come stai?", con la dolcezza di chi dice *Io ti amo, e tu?* La risposta di lei – "Sto bene e sono contenta di essere qui" – aveva l'intensità di un *Ti amo quanto tu ami me.* Si scrutavano, volto, collo, capelli nell'ansia di scoprire i cambiamenti degli anni di lontananza; gli occhi passavano in rivista ogni ruga, piega, neo per ricostruire la persona amata e il suo passato.

"Raccontami com'è fatta la tua giornata, così potrò pensare a te e immaginarti." Giosuè aveva rotto il silenzio. Quella richiesta, come una formula magica, li aveva riportati immediatamente nel gazebo del giardino di Camagni, quando erano ancora ignari che da quella complicità innocente sarebbe nato un amore tormentato. Parlarono e parlarono, occhi negli occhi.

Arrivò il momento del congedo. "Abbi fede, Maria: questo inferno finirà e noi ci saremo." Giosuè le strinse le dita con forza, tanto da farle male. E fu quello l'unico contatto, l'unico richiamo alla felicità che ben conoscevano. Poi spalancò la porta, scoprendo il frate che origliava appizzato al buco della serratura.

Nel dicembre 1942 il provveditore agli Studi di Palermo aveva decretato la chiusura di tutte le scuole del Comune dal primo gennaio 1943, a causa dei bombardamenti diurni. Gli alunni sarebbero stati promossi d'ufficio alla classe successiva con i voti del trimestre che si sarebbe concluso a dicembre; Rita avrebbe perduto un anno di studi e c'era rimasta malissimo, ma il decreto era saggio. Le scuole di Palermo erano perlopiù vecchi conventi sommariamente adattati e in cattive condizioni: il pericolo di crolli era più che concreto: allontanare i giovani da Palermo era necessario.

La saggezza della decisione del provveditore agli Studi era stata confermata proprio quel Natale da una beffa degli inglesi. Quarantadue bombardieri partiti dalla base di Malta erano spuntati in formazione da dietro i monti. Suonarono le sirene, i cittadini corsero nei rifugi. I motori rombavano, gli aerei che volavano su Palermo presero a sganciare, anziché bombe, mappe dell'Italia sulle quali erano segnate le città già bombardate – Torino, Milano, Genova, Cagliari, Napoli, Taranto e Catania – e volantini con su scritto: *La vera guerra si avvicina, perché vi bombarderemo.*

Il 7 gennaio, una nuova incursione amichevole: questa volta lanciarono volantini con la scritta *Buon anno.*

A distanza di poche ore le Fortezze Volanti, i potenti quadrimotori Boeing dell'aviazione statunitense, apparvero nel cielo di Palermo per il primo bombardamento americano a tappeto in Europa. Il *Bersagliere*, un cacciatorpediniere carico di munizioni, fu colpito e affondato nel porto in nove minuti. Poi fu la volta della città, del centro storico.

Ritornarono il 23 gennaio, e poi di nuovo e di nuovo ancora. Nel 1943 Palermo soffrì i peggiori bombardamenti, quelli pesanti, a tappeto e da parte di due eserciti alleati: quello americano, dall'Africa e di giorno, e quello inglese, da Malta e di notte. La città e i suoi abitanti non avevano requie. La propaganda fascista derideva i nemici e parlava di una vittoria non lontana. Il patriottismo era ancora saldo e i renitenti alla leva erano scarsi. In compenso, tra i ricchi aumentava il numero di coloro che corrompevano per essere riformati.

Maria non temeva i bombardamenti, era certa che non ne sarebbe rimasta vittima. Non voleva morire. Lei si sentiva nel giusto, e voleva vivere, e vivere con Giosuè. Dopo la guerra. Lei aspettava lui tanto quanto lui aspettava lei. Era la sua donna, e semmai sarebbero morti insieme. Giosuè le parlava sempre più d'amore. Maria lo attribuiva alla guerra e alle bombe, che acuivano la volontà di sopravvivere come individuo e come specie. Con l'intensificarsi dei bombardamenti, che – ne era certa – Giosuè osservava dall'alto, le sue lettere profondamente erotiche colpivano nel segno. In ognuna c'erano una frase, un saluto, una speranza che entravano nell'immaginario di Maria e lo agitavano, la accendevano e la confortavano.

21 dicembre 1938

Tu hai diritto al mio pensiero, al mio sangue, alla mia vita. Tu sei la mia donna. Maria, io non ti posso dire cosa tu sei per me. Bella, bella, bella, Maria bella, Maria mia bella, Maria tutta quanta mia e tutta quanta bella, Maria, Maria, Maria... io metto nello scrivere, nel pronunciare il tuo nome, tutta la mia passione, tutta la mia tenerezza, tutto il mio respiro. Mi odi? Mi vedi? Ho la testa in fiamme, la mano mi trema: pure mi faccio forza; attingo nel pensiero di te la forza di vincere i disordini delle mie fibre malate.

4 gennaio 1939

Tu non sei in questa casa: ma sei dentro di me fino al delirio. Morire insieme; morire insieme, sì: perché la nostra felicità spaventi il mondo, perché il mondo sappia dov'è arrivato l'amor nostro. Vuoi? Vuoi? Maria, sia tu benedetta, ora e sempre.

12 marzo 1939

Io, Maria, che dubito di tante cose, io che il troppo pensare ha fatto così incerto ed esitante. Io, ho una certezza, salda, incrollabile, superba. Che l'amor tuo sarà la consolazione di tutta la mia vita, che assorbirà tutte quante le mie potenze affettive, tutta quanta la mia capacità d'amare.

Maria, Maria bella, Maria buona, ti stringo tra le braccia sino a soffocarti, ti sollevo di peso, incollo le labbra sulle tue labbra, ti bevo l'anima, la vita, ti bevo tutta quanta.

8 gennaio 1940

Maria, ho scritto questa lettera lentamente: ho scritto una frase e poi sono rimasto un quarto d'ora a pensare. Mi è parso un modo di stare più a lungo con te, Maria mia, anima mia, sospiro mio. Con te cui mando tutti quanti i miei baci.

12 gennaio 1940

Ogni volta che ti scrivo, faccio mentalmente la nota di tutte le cose grandi e piccole che ti voglio dire, ma poi dimentico sempre qualche punto.

10 marzo 1940

Forse starei un po' meglio se potessi lasciare da parte qualunque occupazione dello spirito; ma ciò mi riesce impossibile, qui, dove il lavoro è la sola mia distrazione. Piantare gli studi, venirmene a tremare d'amore fra le tue braccia: sì; ma questo non si può. Allora... allora io vado avanti come meno peggio è possibile, sostenuto dalla speranza di Palermo. Palermo significa Maria, amore, gioia, voluttà, conforto, pace, sorriso, bellezza, tripudio.

15 maggio 1940

C'è un angolo del cuore, c'è una piega del tuo corpo dove non sia penetrato il mio pensiero, dove non si sia posata la mia bocca? Come potrei abbellire la tua bellezza che ho misurata e posseduta? Piuttosto, piuttosto bisognerebbe quasi che tu fossi meno bella, che io ti sapessi meno deliziosa... ed ecco che adesso dico una sciocchezza! Maria, tu sei quella che sei. Tu sei la Maria che mi tolse alla freddezza, alla nimistà con le quali consideravo tutte le donne. Voi, signora, così come siete, bianca, odorosa, elastica, dolce, mi avete sedotto l'anima e turbata la carne insanabilmente. Restate come siete, come vi conosco, come vi voglio! Voglio i tuoi piedi nudi sulla mia faccia. Voglio la tua carne nuda contro la mia carne, ti voglio nuda tutta quanta per farti gridare, per farti torcere, per farti morire, per morire gridando su te, con te. Più... più... più...

11 luglio 1940

Voglio la tua bocca, intendi? Tu non vuoi suggere la mia vita? A te il midollo delle mie ossa fino all'ultima goccia. Dammi le tue mani bianche e rosee, ricercami tutto, fino alle sorgenti della vita. Sotto le tue mani, contro la tua bocca, nelle tue carni io voglio stemperarmi sino alla morte.

7 febbraio 1941

Io non sono innamorato di te, io vivo di te...
Maria, sai dove ti bacio oggi? Sulle palpebre, e sulla punta delle dita!

1 aprile 1941

Era comparsa, si era affacciata un poco dai balconi del cielo, aveva sorriso: a un tratto non si vide più. Di chi parla Giosuè? Maria ha indovinato, parla della primavera. Abbiamo avuto tre giorni di cattivo tempo, d'acqua e di vento, che mi hanno offuscato la visione della stagione nostra. Che importa? Tornerà per non andarsene più, ha lasciato i segni della sua prima apparizione. I marciapiedi sono costeggiati da una fila di acacie che stendono i rami nudi e secchi al cielo. Un solo ramo di una sola di queste piante è già vestito di foglioline verdi. Tutti i giorni esamino a uno a uno gli alberi. Tutti i giorni faccio il calcolo di quanto si allungano i giorni. Prima, i lumi si accendevano alle cinque meno dieci minuti, ora alle cinque e mezzo. E ora che ti scrivo, dopo aver interrotto un momento questa lettera per darmi in mano al barbiere, l'azzurro e il sole sono tornati, mentre un'ora addietro era tutto grigio. Viene la primavera, Maria; arriva la nostra amica.

4 aprile 1941

Non più una sola acacia si veste di foglie, ma tutte, e tutte le robinie; c'è già un'aria di primavera; in questo punto che ti scrivo odo un gorgheggiare insistente di uccelli, il cielo è azzurro; al sole ieri non si poteva stare, tanto era caldo.

A Palermo era diventato difficile trovare da mangiare. Tutti avevano la tessera annonaria, ma il mercato nero era la norma. I Sala e i loro amici non soffrivano la fame: erano benestanti e dalle loro campagne ricevevano polli, capretti, frutta, cacio e grano; inoltre, avevano amicizie tra i militari, anche tedeschi.

A soffrire la fame, invece, erano i poveri. Zia Elena fu sconvolta dalla morte del nipote di una cameriera. La madre del bimbo l'aveva portato dalla sorella, in fin di vita. Il piccolo aveva lo stomaco gonfio e braccia e gambe come stecchini, e i fratelli maggiori erano emaciati. La zia decise allora di trasformare in orto il giardino della villa e, su suggerimento del parroco, di aiutare le famiglie del personale e qualche altra famiglia povera del quartiere.

Maria aveva cominciato ad aiutarla, finché era diventata l'organizzatrice di quell'attività. Le piaceva, perché pensava a Giosuè, e immaginava di dialogare con lui. Quanto cacio compro? Dove posso trovare pentoloni di rame? Chiedo al direttore di Villa Giulia se mi consente di raccogliere la menta che cresce nelle aiuole? Il pensiero di Giosuè era costante a ogni bombardamento. Lui, dovunque fosse, era nascosto in una soffitta, in una cantina, nella cella di un convento, e non poteva scappare.

43.

Scirocco

Era il 3 maggio 1943. Maria si era svegliata presto, nonostante la nottata. La sera precedente le sirene sembravano impazzite, tanto avevano urlato. Sollevandola con la sua sedia, avevano trasportato zia Elena al rifugio ricavato nella cripta della ex chiesa di San Francesco, e avevano aspettato. Ormai si conoscevano tutti, al rifugio; era un appuntamento quasi quotidiano. Alcuni gruppi familiari – come quelli delle sorelle di Pietro – stavano tra loro e basta; rispondevano ai saluti a fatica, non offrivano il loro cibo e non accettavano quanto offerto da amici e conoscenti: calia, mandorle, un pezzettino di sfincione o di pane nero, una nespola. Molti invece, dopo l'iniziale sconforto, abbandonavano boria, timidezza e diffidenza e si integravano nel gruppo. Ci si aiutava, si confortavano quelli che piangevano, si accudivano insieme malati e bambini. Raramente, nelle lunghe attese o durante i falsi allarmi, si conversava piacevolmente – era impossibile. Eppure, a volte i vecchi giocavano a scopa usando uno sgabello come tavolo.

Vigeva tra tutti una norma non scritta: se un membro di un gruppo familiare era assente, non si chiedeva dove fosse né se ne parlava. Maria si era accorta di certi sguardi pietosi suscitati dall'assenza di Rita, a Carini con Anna e la famiglia del marito, e aveva carpito dei commenti: "Una ragazza così bella!", "Con quegli occhi orientali!", "Giovanissima...". Le veniva da urlare: *Smettetela, tutti! La mia Rita è viva e contenta!*, ma non sarebbe stato giusto. Maria non reagiva a quei

pietosi commenti: guardava altrove. E comunque non avrebbe nemmeno saputo come gridare: non aveva mai alzato la voce, nemmeno da bambina. Non ce n'era mai stato bisogno.

Maria sentiva fortemente la mancanza dei figli. Anna e Vito, dopo aver completato la loro educazione in collegio a Roma – in ottemperanza ai desideri del suocero, morto prima della nascita di Rita –, erano tornati a vivere con lei a Girgenti; si erano sposati ambedue nel 1939 ed erano ancora senza figli. Anna e Pippo avevano casa a Palermo, mentre Vito e Beatrice vivevano nel palazzo di Girgenti e si occupavano della collezione di antichità.

Anna era sfollata a Carini, dai genitori di Pippo. I giovani avevano formato una comitiva, della quale facevano parte anche gli adulti. Rita, a quindici anni, aveva un corteggiatore, Paolo Carta, cugino del cognato. Maria andava a trovarli in treno. Non si sapeva mai quando i treni sarebbero arrivati: lungo la ferrovia litoranea c'era un vagone con una mitragliatrice che durante le incursioni aeree veniva ricoverato nei tunnel e poi, secondo le necessità, veniva spinto nuovamente fuori. Una volta sulla tratta, bloccava il traffico.

Entro la fine di giugno bisognava prendere una decisione sull'istruzione di Rita. Le scelte erano diverse: ritornare a Girgenti e stare in casa di Vito e Beatrice per frequentare la scuola, rimanere con la madre a Palermo ed essere educata in casa, privatamente, oppure andare a Camagni da Filippo e Leonora e frequentare la scuola locale. Maria pensava anche che bisognava tenere in considerazione la simpatia per Paolo Carta. All'età di Rita, lei si apprestava a sposare Pietro. Se quella simpatia fosse diventata amore, e poi matrimonio? Maria sorrideva: le piaceva partecipare alla vita sentimentale delle figlie, da complice. E sognare.

Quanto a sé, Maria non aveva alternative: sarebbe rimasta a Palermo. Lo voleva. Non per tenere compagnia e badare all'amatissima zia Elena – l'ultima della generazione dei genitori –, e nemmeno per la cucina dei poveri che sfamava molta gente, in cui lei credeva tanto quanto la zia e che la gratificava enormemente. Maria voleva rimanere a Palermo per amore. Per non mancare all'appuntamento alle Poste di via Roma, per essere disponibile al primo cenno di Giosuè, per nutrire il suo sentimento attraverso le lettere. Per il proprio piacere. In questo si sentiva nel giusto, anche nei confronti di Rita.

Negli ultimi tempi aveva temuto per l'incolumità di Giosuè. E se una bomba l'avesse ucciso? No, non era possibile. Giosuè non voleva morire. E non sarebbe morto.

Maria aveva parlato con sua madre della volontà di morire e della capacità di portarla a compimento. *Si muore quando si vuole morire*. Il suo posto era accanto a Ignazio. Maria la implorava di bere e di mangiare, la vita andava avanti e lei avrebbe potuto continuare a goderne attraverso figli e nipoti. "No, questa è la soluzione giusta, perfetta. Prima o poi vi lascerei. Questa volontà è un dono fatto a pochi, a coloro che hanno conosciuto grandi felicità e grandi infelicità. Io sono tra questi."

Quando per l'ennesima volta Titina aveva rifiutato la tazza di brodo che Maria le porgeva, l'aveva implorata: "Lasciami fare quello che mi sento di fare. Lascia che la gente muoia, se lo vuole. La morte può essere un atto d'amore".

Appoggiata alla ringhiera del balcone, Maria guardava lontano. Dal primo piano la strada non si vedeva, e nemmeno le aiuole dei giardinetti di piazza Castelnuovo, di fronte alla villa di zia Elena. Le cime fiorite delle jacarande e i rami dei ficus Benjamin, piantati sui due lati della strada, crescendo si erano intrecciati ed erano stati potati a formare un tappeto di verzura sospeso nell'aria, che finiva all'inizio del viale della Libertà. Lì si vedeva, attraverso le foglie frangiate delle palme, il teatro Politeama, al cui progetto aveva collaborato zio Tommaso. Facilmente individuabile dall'alto, correva meno rischi di essere bombardato rispetto alle fabbriche, ai condomini di impiegati e artigiani e all'affollatissimo centro storico, dove i palazzi nobiliari erano circondati dai catoi in cui i poveri vivevano accatastati uno sull'altro.

Giosuè sosteneva che nel conflitto armato non conveniva bombardare i monumenti. "Per costringere il nemico alla resa bisogna bombardare soprattutto le zone popolari: lì muore tanta gente, si decimano le famiglie, si creano mutilati e si squarcia l'anima di un popolo. Ora lo so: l'aggressione militare non è mai la scelta giusta; ci va di mezzo chi non ha colpa." Non a caso, dunque, il teatro Massimo e il teatro Politeama, circondati da grandi piazze, erano stati risparmiati, e con loro il Palazzo Reale, la Cattedrale e il Duomo di Monreale. I bombardamenti di Palermo, onorata dal regime con il titolo fascista di Città Mutilata, lo dimostravano.

Maria non voleva morire sotto le bombe. Oltre il Politeama il cielo era azzurro intenso, in fondo c'era la distesa blu cobalto del mare: ogni mattina lei voleva godere di quella vista stupenda e pensare che anche Giosuè poteva goderla da lontano, dovunque fosse, e nel futuro da quel balcone, insieme a lei.

Una figura scura si avvicinava affannata. Maria strinse gli occhi per mettere a fuoco: era un frate, e si dirigeva verso la casa di zia Elena. Che cercasse lei?

Fratello Licata si era presentato a villa Savoca alle nove in punto: portava una busta indirizzata alla "signora Maria Sala", con in basso a sinistra la sigla SPM.

"L'indirizzo sulla busta è palazzo Sala, in via Pignatelli Aragona," aveva spiegato alla portinaia di villa Savoca, "e lì andai." Ma il portiere di palazzo Sala lo aveva informato che la signora Maria, vedova Sala, era andata a vivere in casa della zia. Dunque fratello Licata si era presentato a villa Savoca: aveva ordine di consegnare la busta direttamente alla signora Sala e di accompagnarla a Casa Professa – così voleva il rettore, padre Giordano.

Maria si rassettò di gran corsa, prese il pan di zucchero, le mandorle e i pistacchi sgusciati che teneva pronti 'nsammai Giosuè fosse spuntato, la busta delle fotografie più recenti di Rita e, dopo un rapido bacio alla zia, scese per raggiungere il frate.

Tirava vento di scirocco e faceva molto caldo. Palermo era vuota. Attraversarono il giardino di piazza Castelnuovo; nel silenzio, il raglio di un asino, seguito da altri ragli; da dove venivano? Non c'era anima viva. Mancavano le automobili private, per via del divieto di circolazione, ma non c'erano nemmeno gli automezzi dell'Asse (italiani o tedeschi) o le carrozzelle da nolo. Da via Dante scendevano in fila una decina di carretti, carichi di frutta, verdura e ortaggi e diretti al mercato del Borgo Vecchio. Come i fedeli alle processioni, fratello Licata e Maria si fecero di lato e si fermarono per assistere al loro passaggio.

L'odore della terra umida ancora attaccata alle verdure e agli ortaggi e il profumo delle arance tardive davano una parvenza di normalità. Quell'odore risvegliava i sensi. Come un flash, Maria ricordò le parole scritte da Giosuè prima che si rivedessero, nell'autunno del 1941, dopo l'incontro a San Martino delle Scale:

Se tu consenti ai miei desideri folli, se anche tu vorresti impazzire e far tutto ciò che io voglio, che le tue labbra si posino su tutta la mia carne, che non una piega del tuo corpo sfugga alla mia bocca, che io ti possegga tutta quanta dalla punta dei piedi alla cima dei capelli, allora io ardo e vibro come se ti fossi vicino. Se non sempre, almeno qualche volta le lettere facciano l'effetto che farebbero le mani unite alle mani, le bocche unite alle bocche. Non ti lagnare che questo effetto sia doloroso, è più doloroso, credimi, per me.

E le tornò alla memoria il loro primo incontro dopo quella lettera.

Giosuè era nell'entroterra palermitano, a Mezzojuso, ospite di un monastero di fede greco-ortodossa. Lei era arrivata da Palermo, con la corriera. Era scesa al bivio e aveva fatto la salita a piedi, da sola. Aveva incrociato contadini in groppa ai muli diretti nei campi e un gregge che andava nella sua stessa direzione, verso il paese, occupando tutta la carreggiata. Il gregge le si era allargato attorno – le campanelle al collo delle pecore tutte un tintinnio – e poi ondeggiando si era ricomposto, sempre con lei al centro. In paese aveva visto due militari tedeschi seduti al tavolino di un bar. Per il resto, era come se la guerra non avesse nemmeno sfiorato quel pugno di case. Le istruzioni erano di attraversare il paese e di continuare a salire ancora verso il bosco di castagni attorno all'eremo. Anche quell'anno, il priore aveva invitato tutta Mezzojuso a condividere la raccolta in quella che ormai da tempo era diventata una sagra vera e propria, in cui si cantava, si arrostivano le castagne, si mangiava e si ballava. Maria passò in mezzo alla folla in cui i monaci si mescolavano ai paesani.

Lo aveva individuato subito, sotto il grande castagno davanti alle rocce. Giosuè, in tonaca, la aspettava. Senza nemmeno salutarsi, lui aveva cominciato a salire su per la collina in direzione di un gruppo di castagni carichi. Lei lo seguiva. Erano in piena vista, e la conversazione era blanda – sulla famiglia e sugli amici – e ad alta voce, per essere sentiti. Più salivano, più la gente diradava.

Si chinavano a raccogliere le castagne cadute, si sussurravano le cose loro, ma la tensione uccideva le parole. Comunicavano attraverso sguardi e sospiri. Il desiderio di quegli anni e di quelle lettere si acuiva. Maria guardava di sguincio Giosuè; lui raccoglieva le castagne con rabbia, come se fossero i baci che avrebbe voluto darle, e le gettava nel cestino. Con mani rese più forti dai lavori nell'orto, aveva preso a strappare erbacce e a staccare i rami teneri di piante selvatiche per ammucchiarli ai piedi di un muretto a secco, come per un giaciglio. E poi la guardava, concupiscente. Lei raccoglieva le castagne, senza preoccuparsi se fossero mature, a una a una, lenta, come se fossero parti del corpo di Giosuè e dicessero: *Carezzami, prendimi.*

La voglia di lui era insopportabile; Maria evitava di guardarlo. Poi, d'istinto, si era allontanata. Voleva che lui la vedesse, e che vedesse il suo corpo. Indossava un vestitino di lana leggera con la gonna godet, che rivelava le sue forme. Non osava guardarlo negli occhi; girava attorno al castagno e alzava le braccia per raggiungere i rami più alti, poi li scuoteva. Ai suoi piedi, Giosuè raccoglieva le castagne. E la osservava; riprendeva mentalmente possesso del corpo amato.

Era stato un supplizio dei sensi.

44.
I bagni ebraici a Casa Professa

Via Ruggero Settimo era deserta. Costeggiavano veloci le file di negozi, al pianterreno di palazzi dalle persiane serrate, abbandonati dai proprietari sfollati. Alcuni erano chiusi, le serrande abbassate. Superati piazza Massimo e i Quattro Canti, presero la seconda traversa, dopo l'Università, ed entrarono nel quartiere dove si trovava Casa Professa. Fratello Licata aveva accelerato il passo; guizzava come un pesce nel labirinto di stradine, vicoli e passaggi: era nel suo territorio.

Imboccarono via del Ponticello. "C'era un ponte, qui?" chiese lei.

Fratello Licata divenne loquace: "Tempi addietro, un fiume passava da qui. Kemonia, si chiamava. Poi l'infossarono. Quannu chiovi assai, quello cerca il letto unni nascìu, e porta l'allagamento. Io c'ero qui, nel '31, quannu Palermo lago diventò. Si cunta che acque duci assai avìa, 'stu Kemonia!".

Via del Ponticello finiva in uno slargo molto grande sul quale dava il complesso seicentesco di Casa Professa, che includeva la monumentale chiesa del Gesù, con oratori, cappelle, biblioteca, collegio e le abitazioni dei gesuiti attorno ai due chiostri. Il fratello portinaio congedò bruscamente fratello Licata e attraverso un dedalo di corridoi condusse Maria nel chiostro centrale. La fece entrare in una stanza al pianterreno. Era spoglia: cinque sedie, un tavolo e, alla parete, un crocifisso. "Vado ad avvertire il rettore che siete arrivata. Aspettate qui," le raccomandò, con uno sguardo che la diceva lunga.

La luce entrava da una finestra rifatta nell'Ottocento, molto alta; si intravedevano parte del portico del secondo piano e un grosso triangolo di cielo. Maria cercava di immaginare come si sarebbe svolto l'incontro con Giosuè; non ci riusciva, era troppo agitata. E ora? che succederà?, si domandava. Questa guerra, questi morti... che futuro avremo?

Il fratello portinaio aveva spalancato la porta per lasciar entrare padre Giordano, il rettore, e Giosuè, anche lui in abito talare. La tunica attillata dei gesuiti gli donava. Sembrava ringiovanito, mani e volto abbronzati. Il rettore rimase con loro per i convenevoli; poi fece portare del caffè d'orzo e li lasciò soli.

Maria sorseggiava la bevanda, imbarazzata. Fu Giosuè a prendere la parola. Aveva appreso dal rettore che le scuole di Palermo erano state chiuse: quando avrebbe riaperto il ginnasio Garibaldi? Che cosa faceva Rita, nel frattempo? Doveva assolutamente imparare bene l'inglese, le sarebbe servito, in futuro. Poi, la domanda che gli premeva, a voce bassa: "Sa di avere sangue ebreo?". "No, no," rispose in fretta Maria, e cercò la mano di Giosuè. Lui trasalì; le strinse le dita, forte, e poi la lasciò andare. "Non toccarmi. Io qui sono conosciuto come un gesuita."

Il suono della sirena. Subito dopo, si aprì la porta: il fratello portinaio, rimasto di guardia, annunciava che il rettore gli aveva ordinato di portarli al rifugio. Furono inghiottiti dalla folla di popolani dell'Albergheria, entrati nella casa dei gesuiti attraverso l'edificio confinante. Si dirigevano tutti verso la scala a chiocciola al centro del chiostro, da cui si scendeva in due grandi cisterne costruite nel Seicento per l'approvvigionamento idrico del collegio di Gesù. Il vocio era assordante. La chiamata delle sirene era un evento quasi giornaliero; i bambini dell'Albergheria giocavano a riconoscere la nazionalità degli aggressori dal rombo dei motori: 'mericani? Inglisi? Francisi? Ci si muoveva senza affanno, chiacchierando, quasi dimentichi del pericolo e della realtà. A volte la gente rimaneva in casa, per pigrizia, o per proteggere i propri beni dagli sciacalli che vagavano sotto le bombe e talvolta perdevano la vita. Nel tempo, i gruppi familiari avevano conquistato spazi riservati e si comportavano come se fossero a casa loro: i bambini bisticciavano, piagnucolavano; le mamme li rimproveravano. Solo quando cominciavano i sibili e le esplosioni, quello specchio distorto della socialità quotidiana si infrangeva. Le famiglie facevano mucchio, gli adulti stretti gli uni agli altri, i piccoli ai piedi. Ovunque era un agglutinarsi di figure avviluppate in abbracci lagrimosi. Ed era un biascicare di preghiere e invocazioni ai santi. Con l'intensificarsi delle incursioni aeree, la gente aumentava e lo spazio diminuiva.

Giosuè aveva afferrato il braccio di Maria ed erano rimasti così, schiacciati l'uno contro l'altra. Il fratello portinaio – che, ligio agli ordini, non li aveva abbandonati – l'aveva notato. Cercava di incrociare lo sguardo del rettore, che era non lontano da loro, con altri gesuiti – una macchia nera nella folla variopinta.

Maria pensava a Rita e pregava che non le fosse successo nulla. La mano di Giosuè arrivava, quasi invisibile, a sfiorarle la nuca, a suscitare ineffabili ondate di benessere. Lui l'amava. "Non mi dispiacerebbe restare così per sempre," le sussurrò all'orecchio. Poi un nuovo boato. Vicinissimo. Il silenzio.

Gli aerei nemici avevano svuotato la stiva delle loro bombe e ritornavano alla base. La gente risaliva rassegnata. Alcuni si attardavano, meditabondi, per paura di trovare la loro casa sventrata. Padre Giordano si era avvicinato; parlava fitto con Giosuè della comunità ebraica palermitana nel corso dei secoli.

"Se non vi dispiace rimanere, vorrei farvi vedere il posto di cui vi parlavo." E li condusse nella seconda cisterna. Lì, il calore, l'umidità e la puzza di sudore e urina erano insopportabili. I pochi rimasti raccattavano le loro cose per fuggire da quell'inferno. Una giovanissima mamma cercava di portare fuori i suoi tre bambini; i due maggiori, finalmente liberi, a turno sfuggivano alla sua presa e correvano lungo le pareti della cisterna, con gridolini di eccitazione, toccando e raccattando da terra qualunque cosa – pietre, carta, bucce di frutta e sterco. Maria si era fermata a osservarli; sorrise: la vita dei bambini riprendeva normale, subito. "Andiamo," la esortò Giosuè, e posandole la mano su un fianco la incoraggiò a seguire il rettore.

Uno stretto passaggio nella parete della cisterna – ci si doveva calare – immetteva su un pianerottolo illuminato dall'alto attraverso una grata di ferro. Di fronte, un'apertura rettangolare dava su un altro piccolo invaso. Una scala stretta stretta portava alla superficie. Il gesuita fece gli scalini a due a due e sollevò la botola che chiudeva il varco: la luce invase il pianerottolo, rivelando che quella che sembrava una cisterna era invece una vasca scavata nella roccia e tuttora piena d'acqua. Padre Giordano si era portato degli specchi non più grandi di una carta da gioco; collocandoli nei punti prestabiliti e manovrandoli abilmente era riuscito a portare i raggi di sole all'interno della caverna. "Ecco la vasca."

Giosuè era già dentro. Scavata nella roccia e poco profonda, la vasca, chiaramente di origine antichissima, era tuttora invitante: l'acqua era limpida, con stupendi riflessi smeraldo. Da una parte sporgeva una roccia piatta. Nella parete opposta erano state ricavate due conche, simili ad alcove, una accanto all'altra. Lì l'acqua sembrava più profonda. Giosuè, rimasto in piedi sul bordo, attento a non bagnarsi, raccolse un po' d'acqua nelle mani e la assaggiò. "È dolce, di sorgente."

"Il fiume Kemonia," spiegò padre Giordano, "è stato interrato quando costruimmo il complesso di Casa Professa." Poi si rivolse a Maria: "Ai tempi dell'invasione musulmana questo quartiere fu occupato dagli ebrei; avevamo trovato reperti che lo confermavano, ma nulla dei luoghi adibiti ai bagni rituali. Si pensa che sotto la chiesa di San Nicolò di Tolentino ci siano i bagni maschili, e questi sembrano essere quelli femminili. Li abbiamo scoperti quando abbiamo asciugato le cisterne per usarle come rifugio".

"Non sono bagni veri e propri, come quelli romani o gli hammam," intervenne Giosuè. "Qui ci si immergeva dopo essersi lavati altrove, è un rito purificatorio da eseguire dopo il mestruo e il parto e prima del congiungimento nel matrimonio."

L'acqua trasudava direttamente dal fiume attraverso la pietra porosa che lo copriva, e aveva vita propria. Era limpidissima, come se fosse stata miracolosamente depurata da alghe, licheni e insetti. Maria vi immerse un dito e se lo portò alla bocca. La voce del sagrestano che chiamava il rettore era sovrastata da strilli di bambini e dal grido di una voce acerba, da ragazzina: "Aiutatemi, tutto cadìu! I fasola! I fasola!".

Era la giovane madre di prima. Ai suoi piedi c'era un sacchetto di pezza, vuoto. Sul terriccio, tutto intorno, i fagioli. Teneva il bimbo più piccolo sul braccio sinistro, e tratteneva con l'altro quello di mezzo, di non più di due anni, che cercava di divincolarsi scalciando e mordicchiandole la mano. Il più grande correva come un indemoniato lungo il perimetro della cisterna ormai vuota, conscio del guaio che aveva combinato facendo finire per terra il preziosissimo cibo, portato dalla madre per paura che le fosse rubato dalla casa incustodita. Maria la raggiunse e si mise a raccattare i fagioli.

"Signor rettore! Signor rettore! Vi cercano!" chiamava il fratello portinaio.

Il rettore provò a fare fretta a Maria. Lei alzò la testa e disse: "È il pranzo di questa famiglia, vi raggiungo dopo". E continuò a raccogliere.

"Signor rettore! Signor rettore!" ripeteva dall'alto la voce.

Il rettore diede un ultimo sguardo alle due donne, e uno di sguincio a Giosuè, che si era messo da parte. "Lui," e calcò su quel "lui", "deve venire con me: sono io il suo guardiano oggi." Poi, rivolto a Maria: "Ci raggiunga quando ha finito!". E, con una punta di sarcasmo: "Con comodo".

La mamma, i tre figli e il sacchetto di fagioli risalivano la scala a chiocciola. Maria invece era ritornata alla vasca. Aveva mani, ginocchia e piedi sporchi. Si tolse i sandali; li aveva comprati da un calzolaio che aveva usato come cinghie i resti di un copertone trafugato dall'ammasso. Li immerse nell'acqua per sciacquarli. Li calzò ancora bagnati. Si sentiva come un nuotatore pronto a tuffarsi. Solo che lì l'acqua non superava il mezzo metro. Era sul primo gradino. Dai piedi bagnati saliva un grande benessere, come se assorbissero nuova linfa, e lei stesse cambiando. Scese cautamente dentro la vasca, sollevandosi la veste. Il fondo non era per niente scivoloso, l'acqua le arrivava alle ginocchia. Il senso di benessere saliva e saliva, e la trasportava in un altro mondo.

Quella mattina Maria si era concessa il lungo bagno che solitamente faceva la sera e ora capiva che era tutto preordinato: doveva essere pulitissima per immergersi in quell'acqua pura, rigenerante. Per uno scopo. Sentiva di essere "nel giusto", anche se non capiva bene cosa dovesse fare per rimanervi. Era protetta, guidata dall'alto. Non era stato il caso. E senza pensare ad altro, convinta di essere sola e che lo sarebbe restata per il tempo necessario, perché così doveva essere, si sfilò il vestito, la sottoveste, il reggiseno, li piegò per bene e li ripose con cura in un incavo del muro. Camminando nell'acqua bassa si avvicinò alla conca che le aveva indicato Giosuè. Lì, l'acqua era più profonda. Maria si calò e si rannicchiò in posizione fetale – non sapeva perché, ma così doveva essere, nella posizione di un feto nel grembo materno.

Poi allungò le gambe e si immerse completamente, capelli inclusi. Quando aveva tirato su la testa grondante si era sentiva nuova nuova, come un neonato. Pulita. Purificata. Per il suo sposo.

Si era rivestita in fretta, ancora bagnata, per paura che venisse qualcuno. Sul pianerottolo esitò. La botola era stata lasciata aperta per lei, ma non era per lei – non sarebbe stata "nel giusto" se avesse salito la scala riservata alle donne ebree.

Lei era Maria. Sarebbe stata una mancanza di rispetto. E usò la scala del rifugio.

Seduti su una panca sotto un limone, Giosuè e padre Giordano la aspettavano chiacchierando ancora del bagno ebraico. Maria, imbarazzata, si ravviò i capelli bagnati con le dita. Nessuno dei due parve far caso al suo aspetto. Si incamminarono silenziosi, ma invece di fermarsi nel punto in cui si erano incontrati prima, proseguirono sotto il portico. Padre Giordano aprì una porta e li invitò a entrare: "Lì c'è da mangiare e tutto il resto, tornerò tra un'ora". E si allontanò a passo veloce.

Maria guardò Giosuè: "Che succede ora?".

Lui richiuse la porta alle loro spalle. "Quello che vuoi tu, Maria mia."

45.

9 Maggio 1943. Sotto le bombe

Iniziò con il rombo cupo degli aerei; poi da sud e da sud-est, da dietro i monti, spuntarono nel cielo squadre di quadrimotori americani, le Fortezze Volanti che puntavano verso la città. Nel giro di pochi minuti Palermo era al buio, coperta dalle sagome di centinaia di apparecchi. In formazione compatta, avanzavano e si abbassavano sulla città. Esterrefatti, i palermitani, dalle finestre e in strada, guardavano quella scena apocalittica senza cercare riparo, come ipnotizzati. Non riuscivano a concepire che gli americani volessero sterminarli.

Le bombe martellarono Palermo fino a quando il ventre delle Fortezze Volanti fu svuotato; mentre tornavano alla base, altri aerei spuntarono da dietro le montagne, pronti a sganciare le loro bombe, in una sequela infinita foriera di distruzione e lutti.

Palermo fu devastata da Monreale al porto, da Boccadifalco alla stazione, dalla foce del fiume Oreto fino alle falde di Monte Pellegrino. Ma non era ancora tutto. A missione compiuta, il perimetro del centro storico si illuminò come se dagli inferi fosse spuntata una muraglia di fuoco puzzolente che impediva la fuga alla gente bloccata nei rifugi e nelle case: era l'effetto delle bombe incendiarie al fosforo.

Maria aveva passato giorni felici, nel ricordo dell'incontro con Giosuè a Casa Professa. Avevano sfidato la guerra e riaffermato la vitalità dell'amore; lei aveva creduto che ci fosse un futuro per loro, e che il peggio fosse alle spalle. Giosuè pensava che la sconfitta dell'Asse fosse imminente; parlava con convinzione, come se ne avesse la certezza, e lei gli credeva. Il bombardamento del 3 maggio aveva colpito palazzo Riso – sede del Fascio – e la antistante piazza Bologni proprio durante le celebrazioni della Giornata dell'Impero e il conferimento del titolo simbolico di Città Mutilata a Palermo. Il complesso di Casa Professa, non lontano, aveva subìto danni ingenti. Un intero chiostro, oratori e cappelle interne, abitazioni dei gesuiti e il collegio erano in macerie. La chiesa del Gesù era stata duramente colpita: la cupola, il tetto e parte della volta centrale erano crollati.

Maria era piombata di nuovo nella disperazione. Al fermoposta non c'erano lettere per lei. Che Giosuè fosse tra le vittime? Era andata a Casa Professa, sperando che qualcuno le dicesse se avevano identificato i cadaveri dei religiosi, ma nessuno sapeva con certezza quanti e chi fossero i morti. Era rimasta fuori, nella piazza sconquassata, davanti alla chiesa distrutta, come se potesse interrogare le rovine per sapere dove fosse Giosuè. Nella luce abbagliante di mezzogiorno sembrava un fantasma, scura scura dentro lo sfarinare della polvere. Si muoveva con passo incerto lungo le mura laterali, che avevano resistito e trattenuto i detriti nella navata. Rovesciandosi all'interno, le macerie avevano coperto gli altari delle cappelle laterali, le sculture del Serpotta e le esuberanti decorazioni murali. Quando era andata a trovarlo, Maria ricordava che Giosuè, al momento del congedo, aveva cercato di prolungare la sua visita: l'aveva portata in chiesa per mostrarle il mischio tramischio – un tipo d'intarsio di marmi multicolori –, costringendo il fratello portinaio a seguirlo dentro la chiesa, accessibile al pubblico, dove sarebbe stato bene non farsi vedere. Era stato il suo modo di dimostrare a lei e a se stesso che l'isolamento sarebbe terminato presto.

La gente dell'Albergheria rimasta senza casa, adulti e picciriddi, cercava di racimolare tutto quanto poteva essere usato o venduto. Anche Maria si era arrampicata sulle montagne di macerie – il marmo, il gesso dei bassorilievi, l'intonaco lucido e quasi abbagliante in cui erano conficcate le travi del tetto –, nella vana speranza di trovare qualcosa che appartenesse a Giosuè. Entrambi avevano continuato a credere che si sarebbero rivisti e che avrebbero superato la distruzione e la morte del periodo bellico. Ma ora tutto faceva pensare il contrario.

Maria cadde in uno stato di profondo abbattimento, aggravato da un fatto disturbante di cui era stata testimone Rita.

Scampato il bombardamento di Palermo, Rita era ritornata a Carini con Anna e ai primi di giugno erano andati tutti in gita nella casa di campagna di Paolo Carta per celebrare il raccolto del grano con una grande famiata di pane e sfincione nell'aia. L'annata era stata particolarmente buona e sull'aia ventosa si lavorava ancora secondo il metodo antico, con la spagliatura: i covoni venivano sparsi a formare un tappeto di spighe che tre muli bendati calpestavano per separare i chicchi di grano dalla paglia e dalla pula. Poi, i contadini affondavano i forconi in quel mare giallo e lo alzavano controvento: la paglia, più leggera, veniva spinta più lontano a formare un cumulo e per terra rimanevano solo i chicchi e la pula, che veniva a sua volta eliminata ripetendo l'operazione con le pale di legno. Rita era tra i "cittadini" che seguivano curiosi le diverse fasi del lavoro.

Ogni volta che gli inglesi partivano da Malta in formazione per bombardare Palermo sorvolavano quella campagna, e così avvenne anche quel giorno. Uno dei caccia, anziché tirare dritto con gli altri bombardieri, compì una stretta virata, ripassò sopra di loro a bassissima quota e iniziò a mitragliare l'aia in cui gli uomini spagliavano. Nel fuggi fuggi generale si vedevano gli zampilli di terra e paglia sollevati dalle raffiche delle mitragliatrici, sparate in una direzione ben precisa: il mezzadro. Quello se n'era reso conto ed era rimasto fermo, impietrito al centro dell'aia, finché crollò a terra morto. Solo allora il caccia inglese riprese quota e raggiunse la sua formazione.

L'uccisione di quel contadino inerme, per puro divertimento, sconvolse Rita. In particolare, temeva che la madre potesse morire a Palermo durante i bombardamenti e voleva che raggiungesse lei e Anna. Maria accolse il richiamo delle figlie e passò con loro una settimana. Poi volle ritornare a Palermo.

Era un giugno caldo e afoso. La gente sfollava dove poteva. Zia Elena si rifiutava di lasciare casa e i poveri che sfamava – ora a caro prezzo, comprando il cibo al mercato nero. Maria viveva in perpetua attesa di notizie. La visita quotidiana alle Poste era diventata un calvario. Cercava il nome di Giosuè nelle liste delle vittime e il non trovarlo non le era di alcun conforto. Anzi si disperava, pensando che probabilmente era conosciuto con un altro nome, e si dava da fare per essere ammessa alle visite dei cadaveri delle vittime non identificate. Il che spesso le era negato perché non poteva dare il vero nome di Giosuè.

Il 13 giugno, il giorno dopo un bombardamento, Maria ritornò a Carini: era il compleanno di Pippo. Tutti i figli erano insieme e la pressavano perché lasciasse Palermo. Lei resisteva.

"Dicci la verità: perché?" le chiese Vito senza tanti giri di parole.

"Non dirmi che zia Elena e i poveri sono più importanti di noi!" gli fece eco Anna.

"Allora, perché?" incalzava Rita.

Lei non era riuscita a dare una risposta, si limitava a ripetere: "È la mia vita, e non morirò".

"Che ne sai?" obiettò Rita.

"Certe cose si sentono," insisteva Maria, "tua nonna 'sentiva' la morte e la vita, e 'voleva' morire, quando avvenne; non so come spiegartelo, è irrazionale, ma così è."

La sera, prima di andare a dormire, Rita entrò in camera della madre. L'aria era ferma, il caldo insopportabile. Maria, in camicia da notte, era distesa sul letto, sveglia, la testa rivolta verso la finestra.

"Mamma, sei sciupata. Stai male?"

"Non sto bene, ma non è nulla di preoccupante."

"Che cos'hai?"

"Ho un dolore."

"Quale? Dove?"

"È un dolore mio, che non potete curare."

"Mamma che dici, ti porto dal medico!" Rita aveva appoggiato la mano sulla spalla della madre, per indurla a girarsi verso di lei. Maria continuava a fissare la finestra.

"Lasciami stare, non è una malattia."

"Dimmi cos'è che ti rende infelice."

"Queste cose capitano."

"Condividere le preoccupazioni e i dolori, me lo hai insegnato tu, fa bene a tutti."

"Non è giusto pesare su di voi."

"Non è giusto che non parli con i tuoi figli... Nemmeno a me puoi dirlo?"

Maria non si muoveva. Nessuna risposta. Rita aspettava, poi sbottò: "Mamma, nemmeno a me? Anche se ho gli occhi della madre di Giosuè?".

Maria rispose con un prolungato silenzio. Le restituì uno sguardo consapevole, lontano dall'intesa ma liquido di emozione.

Rita si distese, come per cercare o offrire compagnia. Fece passare qualche tempo, poi si levò. Girò attorno al letto e trovò la madre addormentata, le guance gonfie, il cuscino umido.

L'indomani Maria lasciò i figli e prese il treno per Palermo. Il giorno seguente, il 15 giugno, ci fu un secondo bombardamento, poi un altro il 27.

46.
All'opera dei pupi

Maria sapeva di aver deluso i figli. Si era comportata da egoista, e non se ne pentiva: in quel momento Giosuè e la cucina dei poveri erano le sue priorità. Suonava il pianoforte di malavoglia, scegliendo il mestissimo *Notturno* di Chopin, opera 27; quando la zia aveva visite ricamava in disparte, e se era il caso interveniva per ravvivare la conversazione; e poi si prendeva cura della zia, la cui asma era peggiorata. Era inconsolabilmente mesta. Pochi se n'erano sorpresi: Palermo era spopolata e gli abitanti rimasti in città erano, come lei, sull'orlo della disperazione.

La zia, caparbiamente decisa a rimanere, non si occupava quasi più della cucina dei poveri. Maria lavorava ogni giorno insieme alle persone di servizio e ai volontari: puliva le verdure, cucinava con le donne e ascoltava assiduamente la radio, per avere informazioni fresche. La sera era stremata. In casa, la paura di ritrovarsi soli sotto un bombardamento era diventata un vero incubo. Le differenze di classe si erano attenuate: nel pomeriggio, le domestiche prendevano con sé i loro lavori – rammendi, argento da lucidare, biancheria pulita da piegare, lenticchie da cui togliere fili di paglia e pietruzze – e si raccoglievano nell'anticamera di zia Elena o perfino in salotto, nella comune attesa degli aerei nemici, delle sirene, dei boati delle bombe, delle urla dei feriti e dei loro parenti.

Maria andava alle Poste puntualmente, come se fosse un voto.

Era il 28 giugno. Il giorno prima c'era stato un altro bombardamento. Passando da via Bara, Maria aveva notato un pezzo di carta inchiodato sulla porta di un magazzino chiuso:

IL CANTASTORIE DON PAOLO APRILE
PRESENTA
LA STORIA DEL PALADINO ORLANDO
A VILLA GIULIA, OGGI,
ALLE ORE CINQUE DEL POMERIGGIO

La città resiste e rinasce, pensò. Poi aveva precisato meglio quel pensiero: ma non io. E aveva accelerato il passo. Superata la chiesa di Sant'Ignazio all'Olivella – una bomba aveva distrutto la cupola centrale e il transetto, lasciando intatti la facciata barocca e i due campanili gemelli –, la strada piegava a destra e procedeva fin dietro il palazzo delle Poste. Ogni giorno, guardandosi attorno, l'elenco dei danni si allungava. I bombardamenti continuavano e c'erano mura pericolanti da abbattere, edifici colpiti da tempo e crollati tutto a un tratto, strade ingombre di detriti, tegole, legni e infissi. Uno scempio. Le rovine erano diventate patrimonio comune di poveri, vagabondi, bande di accattoni e cani randagi che si aggiravano in mezzo alle macerie. Dai pertugi, spesso maleodoranti, spuntavano ratti pelosi, e dall'alto arrivavano gabbiani in cerca di rifiuti.

Maria non riceveva posta dalla fine di aprile. Giugno volgeva al termine, e lei era sempre più certa che Giosuè fosse morto. Un gatto, accovacciato sugli scalini di una putìa chiusa, la guardava senza interesse.

Il palazzo delle Poste, rivestito di marmo grigio e costruito nello stile razionalista del regime, troneggiava sulla nuovissima via Roma, un rettilineo tagliato sventrando due quartieri antichi. Una larga scalinata portava all'ingresso monumentale, scandito da dieci gigantesche colonne prive di base e di capitello dietro le quali scorreva un porticato spoglio e dalle pareti lisce, con arcate in corrispondenza dei varchi tra le colonne. Vi si aprivano le porte delle sale riservate al pubblico. Il rivestimento di marmo si arrestava a circa tre quarti dell'altezza del porticato; in alto, pareti e volte erano dipinte di rosso pompeiano. Giosuè aveva invitato Pietro e Maria all'inaugurazione, nel 1934, e poi aveva mostrato loro l'edificio. Maria sentiva ancora la sua voce: "Il rosso dell'intonaco, in contrasto con il grigio, dà un tocco di profondità alla facciata: ha trasformato un casermone poderoso in un edificio di vibrante eleganza". Le aveva fatto notare, negli uffici riservati alla direzione, gli affreschi di Benedetta Cappa, un'artista del movimento futurista. "Il regime ha voluto abbellire la nostra Palermo barocca con il meglio del razionalismo; in questo caso, la pittura di un'artista donna. E ci è riuscito," aveva detto lui, orgoglioso del "suo" regime fascista. Allora. Nove anni prima.

Tutte le impiegate del fermoposta la conoscevano; Maria vi andava da quattro anni. Non le chiedevano nemmeno l'identificazione. L'impiegata allo sportello le fece cenno di avvicinarsi, aveva una lettera in mano. Maria si schiuse in un sorriso, il primo dopo tanto tempo. Giosuè era vivo! Si mise da parte e aprì la busta: *Maria mia, so che ci rivedremo tra cinque giorni a Casa Professa, voglio dirti soltanto che non vedo l'ora di abbracciarti*. Guardò la data sul timbro: il 27 aprile. Si appoggiò al marmo freddo. Gelido. "Signora, signora!" la chiamava l'altra impiegata del fermoposta. Maria non voleva pietà, e finse di non sentire. Quella continuava: "Signora, signora! C'è un'altra lettera! Questa è più recente, per voi!".

La donna le porse la busta attraverso lo sportello. Maria ringraziò, mentre il cuore le saltava in petto: la M del suo nome era più alta del dovuto – si sarebbero rivisti, era il codice ben noto. Uscì sotto il portico a leggere: *All'opera dei pupi, alle undici del mattino, il 2 luglio; oppure, l'indomani alla stes-*

sa ora. Porgilo alla cassiera, che saprà cosa fare. Le lettere di Giosuè avevano due toni: quello imperioso, appassionato e carnale, quando non c'era speranza di rivedersi presto, e l'altro – lapidario, preciso, razionale – quando si trattava di organizzare un incontro.

La schiena contro una colonna, gli occhi bassi sul foglio, Maria, felice, piangeva senza ritegno.

Anziché ritornare sui suoi passi verso piazza Politeama, andò avanti verso la stazione Centrale e poi imboccò via Lincoln diretta a Villa Giulia. Don Paolo Aprile era circondato dal suo pubblico: bambini del popolo, senza scarpe, stracciati, e anziani. Lo guardavano ammirati. Era molto amato, si vedeva. Poi, quando si era fatta l'ora, aveva preso dal suo aiutante la spada di legno ed era salito sul palco per cuntare *La battaglia di Orlando e Rinaldo*, gli intrighi, gli amori e i tradimenti che il pubblico sapeva a memoria. Elencava i nomi dei personaggi – paladini, giganti, guerrieri – in un crescendo musicale, ritmico, che aiutava a visualizzare volti e corpi. Anche Maria ascoltava 'u cuntu, le parole di don Paolo accendevano l'immaginazione e facevano viaggiare la fantasia.

Tornò a casa tardi, serena.

All'opera dei pupi, le aveva scritto Giosuè.

Vi erano stati per la prima volta nell'estate del 1937, poco prima che Rita compisse dieci anni.

Prendevano il gelato in piazza Massimo, loro tre soltanto. Giosuè aveva proposto la visita tra un cucchiaino e l'altro di spongato di caffè con panna, come se fosse un pensiero improvviso.

In realtà era stato tutto concertato e don Paolo Aprile, puparo e figlio d'arte, li aspettava insieme ai figli e agli allievi. Suo nonno, capostipite di una famiglia di opranti palermitana, era stato tra i primi a far evolvere i pupi "armati" – soggetti cavallereschi delle gesta dei paladini di Carlo Magno contro i Mori – legandoli alle mode letterarie del Seicento e del Settecento, e poi all'opera lirica dell'Ottocento: aveva dato forma a un repertorio modulare ma regolamentato, così che il pubblico potesse trovare i suoi eroi, riconoscerli, attenderli a ogni nuova avventura. I paladini, alti meno di un metro, indossavano splendide corazze metalliche dalla faroncina coloratissima e un elmo con pennacchi e piume, al fianco la spada nel fodero. Il puparo li manovrava dai lati del palcoscenico attraverso un ferro-guida che perciava la testa e si agganciava al busto, e un altro ferro che comandava il braccio destro. Le ginocchia erano articolate e il braccio sinistro era tenuto da un filo. I comandi rigidi della bacchetta conferivano ai movimenti immediatezza ed energia; lo spettacolo era musicale – attraverso il piano a cilindro suonato a mano – e vocale, perché l'oprante dava voce ai pupi; il combattimento era fragoroso ed elettrizzante. I pupi, inclusi i personaggi minori – donne e Mori –, erano unici, in quanto ogni puparo fabbricava i suoi: scolpendo il legno e dipingendolo, sbalzando i metalli per le armature, cucendo le vesti.

Don Paolo aveva spiegato tutto questo a Rita con parole semplici, mentre le mostrava i dettagli degli abiti e dei copricapi – dai turbanti agli elmi – dei quali lui e i suoi allievi erano artefici. Le aveva offerto anche piccoli assaggi di recitazione, insegnandole a muovere i pupi – la mano sinistra reggeva il pupo, mentre la destra dava i movimenti – perché tagliassero gambe e mani e perfino decapitassero i nemici.

Rita era affascinata. Aveva notato che il suonatore del piano a cilindro, seduto all'estrema destra, ai piedi del palcoscenico, era poco più grande di lei: girava la manovella attento, gli occhi fissi sul maniante nascosto dietro la quinta, invisibile al pubblico ma non a lui. "È mio figlio Totò: dev'essere attento, 'sperto e veloce a obbedire al mio ordine – gli basta una taliata, una smorfia o l'indicazione velocissima del numero della musica con le dita, mentre manovro il pupo," spiegava don Paolo, "e chiddu muto rallenta, affretta i tempi e cambia il ritmo..."

Superata quella prova, Totò sarebbe passato ai ruoli dietro le quinte: aiutante di palcoscenico, combattente di terza, poi di seconda e infine di prima quinta. "Dopo, addiventa oprante vero e proprio, com'a mmia!" aveva concluso don Paolo, fiero.

"Posso diventare vostra allieva?" aveva chiesto Rita.

"Nonzi." Don Paolo aveva scosso la testa: l'opera dei pupi era un'arte riservata ai soli uomini, che fino a pochi anni prima erano stati anche gli unici ad avere il diritto di assistervi.

"Allora, potrei diventare contastorie," aveva buttato lì Rita, sin da allora pronta a trovare un punto di accordo.

"Nonzi! 'U cuntastorie masculu avi a essiri!"

Risero tutti, tranne madre e figlia. Giosuè guardò Maria e si carezzò la mano sinistra: era il loro modo di significare un abbraccio di conforto sulle spalle.

Erano le undici del mattino di venerdì 2 luglio 1943. Maria – profumata e con la borsa piena di limonata, mandorle e albicocche – si era presentata all'opera dei pupi di don Totò Aprile, figlio di don Paolo. Lo spettacolo sarebbe iniziato nel primo pomeriggio. Accanto alla loggia della cassa, un neonato nel suo cesto, in terra; alla cassa, la giovanissima madre dal seno turgido. Prese il pizzino, lo lesse e gridò: "Totò, veni cca!". Un giovane uomo sollevò la tenda che divideva l'ingresso dalla platea; come se conoscesse Maria, la fece entrare.

Lo spazio angusto e immerso nell'oscurità era attraversato da cinque lunghe panche. Il sipario era abbassato. Totò aprì una porticina che portava sul palcoscenico e la guidò per gli scalini ripidi. Lì, tutto era pronto per lo spettacolo; i pupi appesi al filo di ferro, ai loro posti; quelli delle scene seguenti appesi nelle file di dietro, nascoste dalle quinte. Attraversarono il palcoscenico. Dietro un'altra tenda, altri scalini e un ambiente grande che fungeva da retro-palcoscenico, deposito, officina, soggiorno. Ai lati, su scaffali alti e profondi, erano allineati cesti pieni di teste di legno, alcune già intagliate, mani, piedi e gambe; altri cesti erano destinati agli accessori – elmi, armature, spade. E altri ancora contenevano stoffe, passamaneria, piume, pezzi di cuoio, cinghie, fibbie. Da parete a parete correvano fili di ferro attaccati a ganci dai quali pendevano decine e decine di pupi: re, vescovi, cavalieri, fanti, briganti, servitori e carusi; regine, damigelle e serve; Mori, monaci e giullari. In un angolo, un fornello a carbone, alcune pentole e una bacinella, piatti e posate.

Giosuè, vestito da monaco benedettino, era seduto a gambe incrociate su un materasso gettato a terra. Si mise in piedi e ringraziò Totò: "Te ne sarò sempre grato". E quello: "Dovere, per quanto faceste voi per mio padre!". Risalì sul palcoscenico e scomparve.

Giosuè fece per abbracciare Maria; lei era esitante: "Siamo soli?" chiese. Ma non aspettò la risposta.

Giosuè sgranocchiava le mandorle. Diceva che il Vaticano lo avrebbe aiutato a trovare una sistemazione adeguata, e nel frattempo sarebbe rimasto da Totò per riabituarsi alla vita sociale, in attesa della libertà. Aveva bisogno di biancheria, abiti civili e scarpe.

"Perché non vieni da zia Elena? Ti nasconderemo in casa, nessuno ti troverà," suggerì Maria speranzosa.

"L'esito finale della guerra non è assolutamente prevedibile," rispose lui. Bisognava andare cauti. Nel caso improbabile di una vittoria dell'Asse, lui, in quanto ebreo, sarebbe stato deportato in un campo di concentramento. L'emigrazione negli Stati Uniti o in Sudamerica sarebbe stata la scelta migliore. Se l'Asse fosse stato sconfitto, correva il rischio di essere imprigionato dagli Alleati come gerarca fascista: era conosciuto perché aveva partecipato a delegazioni militari in visita negli Stati Uniti e in Inghilterra e a trattative diplomatiche. Era saggio rimanere nascosto, e aspettare che il Vaticano sondasse presso l'AMGOT – l'American Military Government Occupied Territories – per avere conferma che lui non sarebbe stato arrestato in quanto ex membro del governo fascista. Si trattava di aspettare qualche settimana, non di più.

"E poi?" chiese Maria.

"Poi vedremo." E si guardarono.

Parlavano sottovoce. Nel frattempo il pubblico entrava rumoroso – vuciare di bambini e di vecchi – e Totò e il suo assistente salirono sul palcoscenico, pronti a cominciare lo spettacolo. La musica del piano a cilindro si diffondeva nella sala. Il sipario si alzava e la voce tonante di Totò annunciava *'U cuntu di Orlando*. Giosuè e Maria seguirono lo spettacolo senza vederlo, in piedi, il braccio di lui sulle spalle di lei. Era iniziato il combattimento: le spade si incrociavano e sul palcoscenico e tra il pubblico aumentava il baccano, era tutto un gridare. "Vieni," disse Giosuè, e la guidò verso un angolo cieco. Si tolse la tonaca e le prese il volto tra le mani. "Ti do un bacio che ti farà impazzire, e poi tu me ne darai uno come sai tu, che farà impazzire me."

Maria tornò dal puparo per due settimane: vedeva Giosuè ogni giorno. Aveva fatto amicizia con Francesca, la moglie di Totò. Aveva diciotto anni, e si era sposata alla sua stessa età. Gli inizi della sua vita matrimoniale erano stati drammatici: durante un bombardamento il teatrino era stato colpito – i danni erano stati lievi, ma non avevano più potuto lavorare. Bisognava riparare la porta alla meglio, trovare altre panche e mettere a posto i pupi. Quando il marito era stato chiamato alle armi lei, che era incinta, si era rifiutata di lasciarlo e lo aveva seguito.

Dato che Francesca non poteva presentarsi in caserma, Totò aveva trovato una grotta su un monte non lontano, talmente piccola e bassa che non ci si poteva stare dentro in piedi: una specie di tana, con paglia infestata da pulci e cimici. L'avevano ripulita col fuoco e lei era rimasta nascosta lì per due settimane, in attesa del marito che ogni giorno saliva e le portava il suo rancio.

Poi, come Dio volle, erano riusciti a riportarla nel paese della madre, dov'era nato il loro bambino, e Totò, ferito, era stato congedato.

"Nella mia vita ho conosciuto il paradiso, il purgatorio e l'inferno," diceva Francesca con un sorriso dolcissimo, e guardava il figlio. "Questo sarà figlio d'arte, come suo padre."

Maria cercava in casa della zia quello che era rimasto del suo corredo: i mutandoni di battista, lenzuola, centrini, tovaglie; abbandonato il ricamo, preparava camicine e grembiulini per il neonato e ogni tanto aggiustava abiti vecchi della zia per farne camicette o gonne per Francesca.

47.

Una passeggiata insieme per Palermo

Maria si era data da fare per trovare l'occorrente per vestire Giosuè. Aveva spiegato alla zia che era spuntato all'improvviso dal puparo vestito da benedettino, senza abiti tranne quello che portava addosso; doveva rimanere nascosto fino a quando non fosse stato chiarito se era ricercato dai fascisti. Ai figli aveva detto lo stesso. Trovargli i vestiti non era stato difficile, perché Vito, pur essendo più basso, aveva la sua stessa taglia, e a Giosuè andavano bene anche alcuni capi appartenuti a zio Tommaso. Il problema era trovargli le scarpe: dai tempi dell'autarchia, caucciù e cuoio erano diventati una rarità. Le venne in aiuto la portiera della zia, che nel corso degli anni aveva messo da parte per rivenderle le scarpe gettate dai padroni. Gliene diede una selezione: "Quelle che sceglie saranno un regalo".

Il 17 luglio Giosuè, vestito e calzato, fece la sua prima passeggiata per Palermo. Stare tra la gente lo confondeva. Avevano deciso di andare al porto. Era l'imbrunire e via Maqueda si riempì improvvisamente di divise americane. Sembravano avere tutti una meta. E infatti. Davanti a una casa trasformata in bordello si assiepavano militari bianchi e neri, chi ubriaco, chi con bottiglie di birra in mano. Vuciavano dalla fila in attesa del loro turno. Più in là, uscivano da una porticina. Alcuni dovevano reggersi al muro e procedevano lenti, diretti chissà dove. Finché non arrivarono due jeep della sicurezza e i soldati della polizia militare fecero prontamente il loro lavoro. Nel fuggi fuggi generale qualcuno veniva raccattato e spinto dentro l'automezzo. Giosuè strinse forte il braccio di Maria: sentiva tutto il degrado della "liberazione".

Il litorale, appiattito dalle bombe, era derelitto e poco visitato. Guardavano Monte Pellegrino. "Ti immaginavo lì, nella caverna della santa," diceva Maria. Aveva passato il braccio sopra il suo, ma le sembrava di essere lei a sostenerlo. Cercava di immaginare le sensazioni di Giosuè libero dopo cinque anni passati a nascondersi. Era confuso? Esilarato? Cosa provava di fronte alle rovine causate dai bombardamenti?

Giosuè non rispondeva: guardava il mare, come se volesse scappare. Le chiese di ritornare a casa, dal puparo. Poi, al sicuro nel retro del teatrino, le spiegò che quando lasciava il monastero per incontrarla viaggiava coperto da un sacco. Maria capì che avrebbe dovuto aggiornarlo su tutto quanto era successo alla città, alla famiglia, agli amici e in politica. Si rese conto di averlo tenuto al corrente su famiglia e figli, ma di non avergli detto della morte di Pietro. Di lui non parlavano mai.

Quando glielo disse, Giosuè rimase pensieroso. "Allora sei libera di prendere un secondo marito... se ti vado ancora bene..." E le carezzò la guancia, a un tratto timido.

Si temevano altri bombardamenti e Giosuè preferì non lasciare la sua tana. Lei andava ogni giorno ad accudirlo; gli portava cibo e qualche leccornia, come la frutta secca, e pensava anche alla famiglia di Totò e Francesca. Parlavano di tutto, limitandosi al passato; nessuno dei due osava pensare al futuro, sebbene la frase *Allora sei libera di prendere un secondo marito* non fosse stata dimenticata.

La notizia dello sbarco degli Alleati sulla costa tra Gela e Licata il 10 luglio era arrivata velocemente, correndo di bocca in bocca. La radio taceva o diceva menzogne. Maria non sapeva se c'erano stati conflitti armati, e se c'erano state vittime, se città e paesi avevano capitolato dinanzi all'avanzata nemica o avevano resistito. I bombardamenti a tappeto continuavano sulla costa meridionale per aprire la strada alla fanteria americana, nella Sicilia occidentale, e a quella britannica a oriente.

Vito era sfollato a Fuma Vecchia. Anna e Rita rimanevano a Carini.

Il 22 luglio 1943 il generale americano Keyes, affiancato dal generale italiano Molinero – che era il comandante di Palermo e si era arreso volontariamente –, fece il suo ingresso a Palermo nell'esultanza della folla. Tre giorni dopo, al Gran Consiglio del Fascismo, Mussolini fu estromesso dal governo del Regno su proposta del gerarca Dino Grandi. Soltanto sei dei presenti votarono per lui, contro i diciannove che sostennero Grandi.

Mussolini andò da Vittorio Emanuele III, certo di imporsi su di lui, ma fu arrestato e confinato al Gran Sasso. Per la Sicilia era l'inizio di un'amministrazione americana – l'AMGOT, per l'appunto –, che emetteva moneta in lire e che sarebbe rimasta in vigore per diversi anni. L'esercito tedesco aveva abbandonato l'isola attraversando lo Stretto di Messina. La mafia, rinfrancata dall'appoggio della malavita americana formata dagli emigranti, sosteneva l'AMGOT.

Giosuè, ancora ospite di Totò, era riuscito a mettersi in contatto con sua sorella, che era emigrata con la famiglia negli anni trenta e viveva a Filadelfia. Aveva investito i denari ereditati con Giosuè dalla madre e lo aveva invitato a raggiungerla: avrebbe avuto di che vivere con agio.

Lui fremeva in attesa di notizie dal Vaticano, che finalmente arrivarono. L'AMGOT gli avrebbe dato via libera e il suo passato fascista sarebbe stato cancellato: bisognava però aspettare la conferma dall'alto. Nell'attesa poteva lasciare Totò e andare altrove senza farsi vedere troppo in giro.

Zia Elena lo accolse con il calore di cui era capace. Si stava spegnendo. Maria invece era occupatissima; le condizioni a Palermo erano peggiorate, non si trovava nulla e il mercato nero prosperava. La cucina dei poveri continuava sotto di lei.

I figli erano stati informati della presenza di Giosuè dalla zia, ma nessuno dei tre aveva espresso il desiderio di andare a trovarlo. Giosuè ne aveva sofferto, soprattutto per Rita. Parlò a lungo con Maria su come riconquistare la figlia e rivelarle alla fine le proprie origini. In poche settimane era ritornato quello del 1937: ambizioso, determinato, pronto ad approfittare di quanto gli veniva offerto. Pensava al futuro; lo attraeva il mare, l'idea di andare all'estero – in America, in particolare. Era finalmente con Maria, per sempre. La felicità era raggiungibile.

Di giorno si vedevano pochissimo, tranne che per la passeggiata pomeridiana, all'imbrunire, che aveva sempre la stessa meta: il giardino botanico, tuttora deserto o poco frequentato. Allora parlavano di loro e del futuro.

Quella sera camminavano lungo il viale fiancheggiato dagli alberi bottiglia, i tronchi coperti di grosse spine; le chiome sfoggiavano fiori giallo-rosati. "La nostra vita è come questi alberi," disse Giosuè, "bisogna arrampicarsi evitando le spine, i campi minati, e tutte le altre brutture, per raggiungere la cima, tutta fronde e fiori... e poi..." La guardò: "E poi godersela!".

Maria annuì, silenziosa.

"Non hai nulla da dire?"

"Sono stanca, Giosuè, tanto stanca. La tua prigionia è stata dolorosa, ma sana. Leggevi, studiavi e lavoravi in giardino; pensavi. Io mi sono trovata nella guerra, con morti in famiglia, figli da seguire, la zia da accudire, le proprietà a cui badare: campagne, miniere, l'ammasso del grano... e poi qui a Palermo tre anni di bombardamenti, di scempio, e l'impegno della cucina... sono stanca."

"Scusami, avrei dovuto immaginarlo." Giosuè le prese la mano e gliela baciò. "Ci penseremo dopo al nostro futuro insieme, e a Rita..."

"E ad Anna e Vito," lo corresse Maria.

Poi la notte, nell'intimità della stanza di lui, la voglia di vivere e amarsi ritornavano potenti in entrambi.

Ma Giosuè non riusciva a non parlare di andare via. Maria, restia a prendere una decisione, in fondo avrebbe preferito rimanere in Sicilia accanto ai figli maggiori.

"Me lo mettesti tu in mente di andare in Sudamerica da Marisa, ricordi?" le fece notare lui.

"Sì, anni fa. Rita era bambina, adesso è una donna. Alla sua età io ero già sposa. Ha un corteggiatore..." E poi: "Perché vuoi lasciare il posto dove siamo nati e cresciuti?".

"Voglio crescere. E per crescere bisogna cambiare. Qui le cose non andranno bene, saranno anni difficili. La situazione italiana sarà incerta e i popolari cattolici formeranno un partito forte, opposto al comunismo. Il socialismo in Italia è finito."

"Io voglio rimanere qui, e aiutare la nazione." E poi Maria lo guardava con l'occhio stanco. "Mi sento vecchia per ricominciare tutto da capo."

"Ascoltami, Maria: io non ho scelta, *devo* ricominciare da capo, qui o all'estero. Le opportunità sono tutte all'estero, in America, anche per i tuoi figli. Non verresti anche tu, con me?" E cercò di tapparle la bocca con un bacio.

Lei lo accettò, a lungo. Poi ritornò sull'emigrazione: "Certo che verrò con te, se non ho altra scelta. Sono la tua donna. Ma perché costringermi a tanto e così presto? Pensiamoci insieme, e pensiamo a Rita: vediamo cosa vuole fare lei".

48.

Voluta e amatissima

La riunione dei figli, tanto desiderata da Maria, avvenne prima del previsto e per necessità. Zia Elena si era spenta nel sonno l'ultima domenica di agosto. Nel testamento aveva nominato erede universale Maria; una decisione prevedibile, dato l'affetto che la legava a lei, ma non gradita a Nicola, Filippo e Roberto.

La sera del funerale erano rimasti a casa soltanto i figli di Maria e i rispettivi coniugi. Lei e Giosuè erano usciti per una passeggiata, e i figli discussero la posizione di Giosuè in famiglia. Non l'avevano visto al funerale, perché in assenza del placet dell'AMGOT era rimasto in casa, nella sua stanza. Agli zii materni era stato detto che era ospite di Maria e che, per delicatezza, preferiva tenersi in disparte. Agli altri non era stato detto nulla.

"Avete visto? C'è del tenero tra loro." Anna era sicura di quello che diceva. "Lo vedo da come lui la guarda, e non mi sorprende: ora mamma è vedova. Secondo me lui ne era innamorato sin da ragazzo."

Vito non era d'accordo. Tra la loro madre e Giosuè c'era sempre stato un grande affetto, erano cresciuti insieme, ma a suo parere quella era soltanto una nuova tenerezza, dovuta alla situazione difficile in cui si era trovato Giosuè. Dopotutto, era stato praticamente prigioniero nei monasteri. E in passato aveva avuto molte donne. "In ogni caso, a me non sembra una cosa seria!"

Rita ascoltava, curiosa. "Da quant'è che te ne sei accorta, Anna?"

"Maricchia me lo diceva quando ero piccola, che lui era innamorato di mamma. E ora mi sembra chiaro che a lei fa piacere badargli: si vogliono bene."

"E Maricchia che cos'altro ti diceva? Lui piaceva a mamma, quando erano giovani?" insisteva Rita.

"Giosuè era un uomo di grande fascino, intelligentissimo, e anche bello. Piaceva a tutti. Era un famoso rubacuori, me lo hanno detto i miei amici romani."

Vito era preoccupato. "Non dirmi che mamma se lo vuole sposare!"

Anna rispose che non aveva nessun indizio o sospetto di nozze. "Tra di noi possiamo dirlo: mamma ha avuto un matrimonio infelice, non ne vorrà un altro."

"Ma papà le voleva bene..." mormorava Rita.

"Chiamalo bene!" Anna scrollò le spalle. "Riempirla di debiti, costringerla a vendere i gioielli per pagarli... tutte cose di prima che nascessi tu, brutte assai. Mamma non te ne parla perché è buona."

"Papà con me era tanto affettuoso," insisteva Rita.

"Anche con me era buono... quando voleva!" Anna doveva dire tutta la verità alla sorella, e aggiunse: "Tu eri viziata, perché eri la piccola, e nata per sbaglio...".

"Che significa?"

"Papà raccontava non so che scena tra mamma e lui in terrazza, tra le farfalle. Un ritorno d'amore..."

"Non ero voluta, allora?" Rita c'era rimasta male.

Anna l'aveva abbracciata. "Certo che eri voluta, e voluta assai! Mamma avrebbe desiderato molti figli, ma papà no."

Intanto Maria e Giosuè erano tornati a casa. Lui si era ritirato nella sua camera, lei aveva raggiunto i figli.

"Mamma, io sono una figlia voluta o nata per sbaglio?" le chiese a bruciapelo Rita.

"Voluta e amatissima, come tua sorella e tuo fratello," rispose Maria, calma. "Che domande sono queste?"

“Parlavamo di matrimonio. Ci stavamo chiedendo se Giosuè ti corteggia e vuole sposarti,” disse Vito, teso.

“Giosuè è il mio più vecchio amico, da sempre. Venne in casa nostra all’età di sei anni, alla morte di suo padre, e ci rimase.”

“Mamma, non rispondi alla domanda,” intervenne Rita. “Ti corteggia?”

“Un corteggiamento tra noi due sarebbe fuori luogo.” Il tono di Maria era serio.

“Allora vuole sposarti?” insistette Vito.

“Sposare o no, è irrilevante. Gli voglio molto bene. Saremo sempre vicini, comunque.”

“Lui è apolide. Il fascismo gli ha tolto la cittadinanza, perché è ebreo. Tu ora sei ricca di tuo... ricordatelo, mamma,” la ammonì Vito.

Maria si era alzata, le mani sulle spalliere delle sedie delle figlie.

“Vergognati Vito, di quello che dici! Sappi che Giosuè mi ha sempre aiutata senza alcun interesse che non fosse il mio bene. È stato lui a prepararmi per gli esami di maestra, studiava i testi e poi insegnava a me. Quando ero disperata e cercavo denari per pagare i debiti di vostro padre, dovetti andare a Roma ospite da zio Nicola per vendere gioielli e oggetti: nessuno voleva comprarli. Vostro padre chiamò Giosuè, che allora era deputato, chiedendogli di aiutarmi, e lui se li comprò di tasca sua, senza mai dirmelo. Pagò una cifra superiore a quello che valevano, che mi permise di pagare tutti i debiti senza dover vendere la collezione di antichità. Me lo ha detto zio Nicola, Giosuè non me ne ha mai parlato. Mi ha sostenuta nelle decisioni difficili sulla miniera e nelle difficoltà con certi brutti tipi. Mi è stato vicino quando sono morti i miei genitori. Non ha mai chiesto nulla in cambio. E quando le vostre zie Sala tentarono di impugnare il testamento del nonno facendo anche accuse pesanti contro di me e l’amministratore delle miniere, fu lui che riuscì a evitare scandali e vergogne. Dovresti essergli grato.”

E tacque. Lo guardava, offesa.

“Scusami, non volevo...” mormorò Vito.

Dopo il funerale iniziarono le visite di lutto. Giuseppina Tummia, rimasta vedova, e Carolina si erano trattenute a Palermo. I fratelli di Maria e Leonora avevano chiacchierato con Giuseppina, che li aveva informati delle "ingerenze" di Maria negli affari della famiglia Sala, fino alla sua investitura come amministratrice dei beni dei figli. Maria adesso si era fatta nominare erede universale dalla zia, era riuscita un'altra volta a mettere le mani su soldi destinati ad altri.

"Era brava ad abbindolare i vecchietti, sin da giovane. E ha continuato con vostra zia... avrei tanto da raccontarvi!" E Giuseppina scuoteva la testa.

"Andiamo a prendere un caffè da Caflisch?" suggerì Leonora.

E lì tra un pasticcino e l'altro, Giuseppina vomitò tutto il veleno che aveva dentro contro Maria. Quelli lo bevevano avidamente. Alla fine, Giuseppina girò il coltello nella piaga, certa che i tre erano rimasti molto male per la mancata eredità: "Detto tra noi, non sono nemmeno sicura che Rita sia figlia di mio fratello e che abbia diritto ai beni della famiglia Sala. Da vostra sorella ci si aspetta di tutto: capace che questo Giosuè Sacerdoti ha denari fuori, nascosti, come tanti gerarchi fascisti, e che in verità sia un milionario... magari è per questo che vostra sorella se lo vuole sposare".

Leonora aveva sperato molto nell'eredità di zia Elena: Nicola, che possedeva appartamenti a Roma, da anni riceveva poco e niente dagli inquilini che non erano scappati e le passava pochi denari. Lei e i due fratelli sostenevano che Maria avrebbe dovuto rifiutare l'eredità e dividerla in parti uguali con loro. Così decise di vedere che aria tirava. Alla prima occasione avrebbe cercato di parlare con Giosuè a solo, con una scusa.

L'opportunità le fu offerta pochi giorni dopo. Parlavano dell'AMGOT, come tutti, e lei espresse il desiderio di imparare l'inglese. Giosuè lo aveva studiato e lo parlava bene; Leonora gli chiese consigli.

Si appartarono in uno dei salotti interni. Dopo aver ricevuto le risposte alle sue domande, Leonora chiese:

"È vero che pensi di andare in America? E come farai a vivere lì?".

Lui le spiegò che aveva denari in America, investiti dalla sorella, e di non avere preoccupazioni economiche.

"E a chi lascerai tutta questa ricchezza?" chiese lei, impertinente.

"Non ci ho pensato. Sicuramente ai miei familiari."

Erano accanto alla finestra che dava sul cortile. In quel momento Rita e Anna passavano lì sotto, e lo sguardo di Giosuè cadde su di loro. Leonora colse in quello sguardo una grande tristezza, e intuì cosa c'era sotto. L'avrebbe usata, quell'intuizione, per persuadere Maria a condividere l'eredità con i fratelli. Nel frattempo, l'avrebbe "regalata" a Giuseppina.

La speranza di Giosuè di andare a vivere in America con Maria divenne ben presto un desiderio irrealizzabile, almeno nell'immediato. Non soltanto Maria aveva molto da fare per le pratiche di successione, ma Rita non voleva lasciare Palermo. Decise allora che si sarebbe occupato della restituzione dei beni confiscati dal fascismo a lui e ai suoi familiari. Le sole azioni Fiat gli avrebbero permesso di vivere nell'agiatezza per sempre. Rimanere in Sicilia presentava per lui l'enorme vantaggio di poter conoscere, amare ed essere amato da Rita. Avrebbe voluto portarla con sé in America, dove un ebreo si sarebbe sentito al sicuro, ma doveva volerlo anche lei.

Decise di comprare una casa a Palermo; bella, comoda e tutta loro. Non voleva vivere nella villa dei Savoca.

Nell'autunno del '43, un vecchio amico di Giosuè gli aveva mostrato una tenuta ad Altarello, sotto Monreale, con una villa quattrocentesca. Si entrava in un agrumeto come tanti altri nella Conca d'oro: aranci, limoni e nespoli a macchia. La strada saliva a spirale fino alla villa. Gli agrumi cedevano il posto a un giardino all'italiana con aiuole bordate di bosso e grandi cespugli e alberi ornamentali. Al centro, una fontana ottagonale la cui vasca era decorata da mattonelle moresche. C'era un unico spruzzo d'acqua, al centro, molto alto. Piccole gocce finivano sui gelsomini che riempivano le aiuole intorno alla fontana, facendone sprigionare il profumo. Era un giardino formale del primo Rinascimento immerso in un giardino islamico del dodicesimo secolo. Il profumo della zagara si mescolava a quello dei gelsomini, delle rose e della lavanda.

Nella villa si entrava attraverso una loggia a tre archi. Il vestibolo era enorme, con un'apertura molto grande sul cortile interno. Una scala a due rampe portava al piano nobile, a un altro vestibolo più piccolo. Ai lati, quattro grandi camere da letto: alle pareti, enormi quadri quattrocenteschi, due ritratti di antenati e due vedute. Il soffitto era a cassettoni dipinti in oro e colori scuri. Il lampadario in ferro battuto era ancora illuminato da candele.

Dalla loggia, con pavimento di maiolica e illeggiadrita da colonnine alla base degli archi, si vedeva tutta Palermo; i tetti dei monasteri e gli agrumeti, poi il Palazzo Reale, la Cattedrale, i campanili, le cupole, il teatro Massimo e il Politeama. Le torri dell'acqua spuntavano qua e là. In fondo, il mare e Monte Pellegrino. Era come essere adagiati su un tappeto verde, e come se Palermo fosse un'isola affacciata sul mare di cobalto. Non c'era nulla di straniero in quella villa. Non c'era influenza spagnola, né barocca; era una villa del Quattrocento italiano, un retaggio della Sicilia dignitosa e indipendente, prima che il Regno diventasse oggetto di scambio ai trattati internazionali, tra le grandi potenze europee, e colonia del proprietario del momento.

Maria ne fu incantata, ma non parlava.

"Sei pensierosa?" le chiese Giosuè. "Hai qualche perplessità?"

"No. È bello, è bellissimo qui. Troppo bello."

"Allora ti piace?" Giosuè era speranzoso.
"È un posto meraviglioso."
"Ti piacerebbe se prendessimo questa casa? O ti sembra isolata?"
"No, è bellissima."
"Allora perché sei pensierosa?"
"Rita... dovrebbe sapere."
Giosuè le prese la mano. "Forse dovremmo parlarle quando avremo deciso dove vivere. Nel frattempo, bisogna che sappia che noi due staremo sempre insieme fino alla morte, sposati o no."
"Io sono felice, completamente felice," disse piano Maria, "tanto che potrei morire."
"Che dici?"
"Si può morire di felicità: è una scelta, se lo si vuole."
Giosuè si chinò su di lei e le diede un bacio. "Ancora no."

49.

1948. La visita di Ruben

Maria e Giosuè ritornavano ad Altarello dopo il funerale di Giuseppina, con Egle e il marito Andrea Prosio. Giuseppina, alle soglie dei novant'anni, era stata investita davanti a casa Sala da una jeep che andava a tutta velocità; nessuno dei passanti, dei portieri e degli abitanti dei palazzi intorno aveva alcun ricordo dell'automezzo, del suo guidatore e degli eventuali passeggeri. E naturalmente, del numero della targa. Si murmuriava che al volante ci fosse il figlio di un noto personaggio politico, anch'egli, come il padre, in ascesa.

Egle e Andrea avevano partecipato al funerale e Maria li aveva invitati a pranzo.

Giosuè era molto affezionato a Egle e, appena gli era stato possibile, aveva cercato di rintracciarla. Era sfollata con il marito a Belmonte; dal loro ritorno a Palermo, i quattro si incontravano spesso. Maria e Giosuè erano di fatto una coppia – di amici fraterni, come dichiaravano ufficialmente, e di innamorati che vivevano *more uxorio* per i pochi amici fidati. Ai figli non avevano mai parlato del loro rapporto e della paternità di Rita. Era implicito che avrebbero vissuto insieme, anche se non condividevano la camera da letto, e che i figli sarebbero stati coinvolti in tutte le decisioni che Maria avrebbe preso sul proprio futuro.

Maria non si era voluta sposare. Temeva che l'armonia che esisteva in famiglia tra lei, i figli e Giosuè potesse incrinarsi, perché a quel punto sarebbe stato inevitabile dover dichiarare ai figli la vera paternità di Rita. Inoltre, Maria temeva le reazioni di Giuseppina. Questa, dopo la morte di Pietro, aveva intrapreso un'agguerrita campagna di accuse particolarmente sgradevoli contro di lei, e sosteneva che Rita non era figlia di Pietro e dunque non aveva diritto all'eredità paterna; lei non ne avrebbe ricavato alcun vantaggio economico diretto – secondo la legge, la parte di Rita sarebbe stata divisa tra Anna e Vito –, ma sperava che Maria le pagasse, e tanto, il suo silenzio. Il suo era un ricatto vero e proprio: il figlio Carlo aveva sperperato il patrimonio ed era finito in prigione per aver sottratto illegalmente il grano destinato all'ammasso imposto dallo Stato; Carolina, zitella, non aveva di che vivere. Giuseppina aveva bisogno di denari e dunque aveva fatto di tutto per procurarsi prove della vera paternità di Rita: possedeva una dichiarazione rilasciata a un avvocato da Caterina, la sua cameriera, che affermava di aver saputo da una nipote di Maddalena, la cameriera di Maria, della relazione tra Maria e Giosuè, incluse le date dei loro incontri nella casa di Girgenti. Ed era andata oltre. Aveva ottenuto una fotografia del primo matrimonio della madre di Giosuè, a cui Rita somigliava moltissimo: stesso taglio di occhi, stesse palpebre pesanti, stessa attaccatura di capelli – con una punta al centro della fronte – e stesso sorriso.

Egle lo aveva saputo da Carolina, che, ormai indigente, aveva ripreso contatti con le persone che – come lei – aveva smesso di trattare perché considerava inferiori. Carolina parlava assai di tutto, e con chiunque. A Egle aveva raccontato anche che la madre aveva dovuto pagare una grossa cifra al giudice perché concedesse uno sconto di pena a Carlo. Al funerale, si era avvicinata a Maria e – grata per la sua presenza – le aveva chiesto scusa, senza andare oltre. "Io sono dalla tua parte," le aveva detto nel salutarla. A tavola, adesso i quattro discutevano se fosse opportuno che Maria la contattasse. Decisero infine che l'avrebbe incontrata in casa di zia Elena, dove vivevano anche Anna e la sua famiglia – aveva una bambina di tre anni, Rosa, la prima nipote.

Egle e Andrea erano andati via. Nella loggia, Giosuè e Maria avevano davanti a loro la struggente bellezza della Conca d'oro, spolverata dalla luce crepuscolare.

"Mi piacerebbe se fossi mia moglie. Ormai sono ricco, a chi andrà la mia eredità? Se morissi oggi, andrebbe a mia sorella. Almeno potrei adottare Rita, per le imposte di successione."

"Aspettiamo... non voglio altri problemi con i miei parenti."

"È da cinque anni che aspetto, Maria. Siamo anziani. Io ho sessantun anni, tu cinquantotto."

"Parlerò con Carolina."

"Promettimelo. Potremmo viaggiare, andare in America, mi piacerebbe... Ma anche stare qui sarebbe stupendo."

Tirava una leggera brezza. I pescherecci lasciavano la Cala per la pesca notturna, e rimpicciolivano man mano sul mare lucido. I gozzi li seguivano, a rilento, poi si fermavano in attesa che scendesse la notte per accendere le lampare. America?, si domandava Maria, immaginandosi una lontananza e un futuro non desiderati. Lei, una di paese, aveva imparato ad amare Palermo e se la sentiva sua, dopo i duri anni della guerra e quelli altrettanto tormentosi del dopoguerra. C'erano ricevimenti, inaugurazioni, incontri e un lento ma febbricitante ritorno alla vita sociale. Alla normalità. Lei e Giosuè erano felici; avevano un gruppo ristretto di amici – godevano della reciproca compagnia e non volevano dare nell'occhio –, partecipavano alla vita sociale del parentado di Maria e andavano agli eventi culturali della città: mostre, concerti, rappresentazioni teatrali e l'Opera.

In queste occasioni, nelle sale affollate, nello stordimento leggero della musica, del fumo delle sigarette, delle bevande alcoliche, Maria non mancava di notare come Giosuè, abbronzato e aitante, spiccasse per prestanza e bellezza, e come fosse immancabilmente circondato da giovani e meno giovani donne che ne cercavano l'attenzione, il consenso. Non erano che spicchi di conversazione, cenni, moine, battiti di ciglia, ma erano più che sufficienti a testimoniare che quanto più Giosuè diventava "suo", tanto più il mondo muliebre ne sentiva il fascino. Un bellissimo sessantenne, si ritrovò a pensare più di una volta quasi ad alta voce, mentre sedeva in disparte a osservare. Un bellissimo sessantenne, nel pieno della sua mascolinità, emerso da anni di reclusione forte e pronto a godersi la vita.

Lei, al contrario, si sentiva esausta. Non sfiorita, ma esausta. Più volte Anna aveva provato a suggerirle questo o quello specialista. Maria non si sottraeva a quella stanchezza, né al dolore al seno, e nemmeno a certi mancamenti che la lasciavano sfibrata e ansante. Era sazia di vita e non le interessava che quella sensazione coincidesse con l'incrinarsi della sua saldezza fisica. Scacciava la parola malattia come si scaccia un insetto, non le piaceva che si pensasse a lei come a una donna malata. Non lo era. Preferiva quella profonda insondata arrendevolezza alla sua stanchezza. Anzi, tanto la prospettiva di una malattia le provocava rabbia e dispetto, quanto la progressiva confidenza con la propria stanchezza era accolta dentro di lei come una crepuscolare confidenza con la vita vissuta. Come le gugliate della giovinezza ricamavano le pezze di un futuro corredo, così Maria vedeva il filo degli addii entrare nel tessuto del suo tempo futuro, e tracciare un disegno bellissimo e ancora incerto.

Rita aveva ventun anni e l'anno seguente si sarebbe laureata in Lingue, specializzandosi in inglese; era innamorata del giovane console americano, conosciuto quando era un tenente nell'AMGOT e poi ritornato a Palermo per lei. Di matrimonio non si parlava, Maria però sentiva che si avvicinava il momento di decidere. La casa di zia Elena era stata rimessa a nuovo. La facciata fresca di intonaco faceva la sua figura su piazza Politeama ancora malandata dopo la guerra. L'appartamento di Maria e Giosuè era separato dal resto della casa. Anna e la sua famiglia vivevano al secondo piano, dove c'era un altro appartamento, pronto per Rita. Lei aveva conosciuto il giovane, Giosuè no. Rita evitava di presentarglielo. Era chiaro che dovevano dirle che lui era suo padre. Ma quando? Come?

Fu di domenica, ad Altarello. Una domenica che era cominciata tardi, come se Maria e Giosuè avessero sentito un soffio profondo di stanchezza. A pranzo avevano fatto uno spuntino veloce e poi era arrivata la telefonata di Rita. Sarebbe venuta a trovarli tra un'oretta con Ruben, che si preparassero, sarebbe stata una visita ufficiale, e così dicendo aveva cominciato a ridere: un trillo alto e gentile, da ragazzina. Poi si era ricomposta e aveva detto: "Voglio che Giosuè lo conosca questo giovane console, *this love of mine*".

"Sei sicura?" le aveva chiesto la madre.

E Rita aveva risposto di sì con la stessa leggerezza di prima.

"Vengono i ragazzi," annunciò Maria.

"Quali ragazzi?"

"Gli unici che puoi chiamare ragazzi e che ti riguardano da vicino. Lui si chiama Ruben Goldsmith. Preparati."

Maria fece un lungo bagno nella vasca, mescolando sali, i petali secchi del roseto e un mazzo di rosmarino.

Uscì in giardino con un vestito leggero color malva; appena la vide, Giosuè risalì il sentiero per andarle incontro, poi tornarono insieme sulla loggia. Lui cercò tra i dischi un ballabile e le porse la mano per invitarla a danzare. Maria prima si schermì. Poi accettò, e si allacciarono dando al morbido slow la grazia di passi quasi senza gravità.

"Quanto abbiamo vissuto, amore mio," sussurrò Maria.

"E quante ne abbiamo viste fino a qui."

Volteggiavano nel portico nella luce calda del pomeriggio.

L'acquisto di quella villa era stato un colpo di genio. Era isolata, aveva occhi su tutta la Conca d'oro, ci si viveva in pace, ma la città era vicina e si raggiungeva velocemente malgrado lo stato ancora precario delle strade.

"Hanno vinto gli americani," fece Maria con un sorriso malizioso appoggiandogli la testa sulla spalla.

"Già. Hanno vinto anche le nostre elezioni. Niente comunismo in Italia. Siamo una repubblica figlia del Piano Marshall."

"Ti piacerebbe tornare in politica?" chiese Maria.

Giosuè smise di ballare. "La politica mi fa orrore. Il nuovo potere della destra è gonfio di omertà e corruzione, come la mafia. E come quella, non ha paura di uccidere; saremo condannati ai segreti di Stato."

"Esageri..."

"Ricordi quella mattina di giovedì 19 ottobre del 1944? Erano dieci mesi dopo la fine dell'amministrazione AMGOT; visitavamo una casa all'angolo tra via Maqueda e via Divisi, pensavamo di acquistarla. Passava un corteo di scioperanti, uomini donne ragazzi e perfino bambini: era uno sciopero contro il carovita, di impiegati comunali. Pacifici e disarmati. Passavano davanti a noi – dirimpetto c'era palazzo Comitini, la sede della prefettura. Dalle rivendicazioni sindacali erano passati alla protesta contro il prezzo del pane. *Pane pasta e lavoro*, cantavano. Ci affacciammo: sotto i nostri occhi, due autocarri e una cinquantina di uomini, ai comandi di un giovane, iniziarono a sparare su quei disgraziati, impietosi. Ne uccisero ventiquattro e lasciarono più di centocinquanta feriti." Maria portò le mani al volto, al ricordo. Incurante, Giosuè continuava. "'La strage del pane', fu immediatamente chiamata, e strage fu, l'abbiamo vista noi due. Ben presto fu dimenticata, e in conclusione il procedimento penale contro i militari fu insabbiato dai vertici militari amministrativi e politici. Avevo sperato che, una volta rinsaldata l'amministrazione civile, la nuova classe politica dimostrasse una coscienza civica e non predatoria. Che rispettasse la giustizia. Mi sbagliavo. La sentenza del Tribunale militare di Taranto, nel febbraio dell'anno scorso, ha ridotto il reato di strage a eccesso di legittima difesa, esonerando i militari e i loro capi." Giosuè riprese fiato, e poi: "Questo è uno dei tanti esempi della precisa volontà politica di non proteggere il popolo, di non rispettare la giustizia e di governare per i propri interessi e non per il bene dei cittadini!".

Si allontanò da Maria per guardarla meglio negli occhi. "L'hanno armato loro Salvatore Giuliano. L'hanno preso loro, e come l'hanno preso se ne disferanno presto. Nessuno dirà. E nessuno saprà."

Il disco gracchiava sul piatto del grammofono.

Maria passò una mano nei capelli di Giosuè: "Non abbiamo mai avuto paura della realtà. E neppure di questa Sicilia nostra".

E lui: "Voglio poterti amare per sempre. Vedo un grande futuro. Per noi, e per i ragazzi".

Si sentì lo sgasare di una moto. Rita comparve al cancello, lo aprì e dietro di lei un giovane alto, tutto spalle, spinse il suo Guzzi Falcone sull'acciottolato dell'ingresso.

Accaldati e contenti, i due giovani erano stati accompagnati in casa. Dopo aver baciato la madre e Giosuè, Rita si era girata: "Questo è Ruben Goldsmith. Mi ha detto che suo zio ha sposato una siciliana emigrata a New York". Si volse verso il suo accompagnatore: "Ruben, this is my mother, Maria, and this is Giosuè, my father". E poi continuò, tutta un chiacchiericcio. Infine prese per mano Ruben e lo trascinò fuori per mostrargli la villa.

Maria si era seduta nella poltrona; guardava il cielo e non diceva niente.

"Hai sentito?" disse Giosuè.

"Sì."

"Rita è più intelligente di noi: ha risolto tutto, se posso dirlo, elegantemente. Lo sa, e lo dice."

"Lo sa, e lo dice... in inglese."

"Cosa significa? Cosa intendi dire?"

"Dico che Rita vuol farci capire che vivrebbe all'estero, come figlia di noi due."

"Maria, abbiamo due scelte."

"Tu. Io ne ho tre."

"Quali?"

“Andare in America, restare qui...”
Giosuè le strinse la mano, forte. “E la terza...?”

La coppia tornò.
L’incontro proseguì e non fu affatto formale. Giosuè mise a suo agio il giovane console e Ruben non fece fatica a goderne: si guardava intorno e non smetteva di sperticarsi in lodi per il “luogo ameno” – diceva proprio così, “luogo ameno”.
Disse poi che aveva portato un regalo e dalla borsa di cuoio a tracolla trasse una mezza dozzina di dischi. “I got them two weeks ago.”
Giosuè gradì il regalo e tornò al grammofono.
Una nuova musica li raggiunse. Maria fece portare dei drink che servì sul tavolino basso.
Di disco in disco, passava un repertorio di pezzi jazz, strumentali, molto intensi, raffinatissimi. Poi arrivò una voce profonda, vellutata, di cantante di colore.
“*I’m feeling mighty lonesome. I haven’t slept a wink.*”
“Chi è?” chiese Maria.
“Sarah Vaughan.”
Maria cercò la copertina del disco. C’era il nome della cantante e il titolo: *Black Coffee*.
Si lasciò trasportare dentro quella melodia sofferta ma non patetica, dentro quella scia vocale soffice ma potente, e sorrise. Sorrise perché quel caffè gliene faceva tornare in mente un altro di cui i presenti nulla sapevano, neppure Giosuè.
Disse che le era venuta voglia di un bel caffè zuccherato.
“Ma non lo prendi mai con lo zucchero,” obiettò Giosuè.
“Oggi me lo posso permettere. Ti ricordi cinque anni fa? Ero così felice che avrei potuto morire. E tu non me lo hai lasciato fare.”
“Mi ricordo.”
“Oggi sono ancora più felice.”
Giosuè si ritrasse, cercò qualcosa da fare, senza sapere cosa. Poi si occupò del caffè.

I due ragazzi uscirono a ballare contro il cielo che si faceva blu intenso. Erano due figure quasi senza consistenza. Belli e pieni di grazia, presi l'uno dall'altra. Continuarono a ballare anche quando la canzone finì. E rimasero nella luce anche quando Giosuè tornò con la tazzina di caffè e si accorse che Maria, un sorriso esausto sul volto, non rispondeva più. Aveva smesso di guardare, di ascoltare, se non forse la brezza che scendeva dai monti alle spalle.

Indice dei personaggi principali

I MARRA

Ignazio – moglie: Titina Tummia

Figli

Maria – marito: Pietro Sala; tre figli
Filippo – moglie: Leonora Margiotta; due figli
Nicola – celibe
Roberto – celibe

Nipoti

Anna, Vito e Rita Sala
Ignazio, detto Zino, e Stefano Marra

Ospiti permanenti

Giosuè Sacerdoti, figlio di Tonino, ebreo di Livorno
Maricchia ed Egle Malon, rispettivamente sorella e figlia di Carlin Malon, valdese di Torre Pellice

Parenti dei Marra

Elena, sorella di Ignazio, madre adottiva di Maria – marito: Tommaso Savoca
Diego Margiotta, cugino di Ignazio – moglie: Nike Zalapì; figli: Luigi e Leonora, moglie di Filippo Marra
Matilde Sacco, cugina della madre di Titina, madre adottiva di Nicola – nubile

Peppino Tummia, fratello di Titina – moglie: Giuseppina Sala; figli: Carlo e Carolina

I SALA

I fratelli Sala

Vito – moglie: Anna Alletto
Giacomina – nubile e monaca di casa
Giovannino – celibe, ha una relazione con il suo segretario, Matteo Mazzara, ex amministratore di museo

Figli di Vito

Sistina – marito: Giacomo Altomonte
Graziella – marito: Riccardo Di Gesù
Giuseppina – marito: Peppino Tummia
Pietro – moglie: Maria Marra

Figli di Pietro

Anna – marito: Pippo Carta; figlia Rosa
Vito – moglie: Beatrice Russo; senza figli
Rita – innamorata di Ruben Goldsmith, un americano

Nota dell'autrice

Mi premono alcune notazioni legate alla Storia con la "esse" maiuscola, che attraversa le pagine del romanzo e che ha costituito motivo di curiosità, di ricerca, di scoperte, e di sperimentazione letteraria.

"Si dubita sempre delle cose più belle"

Le lettere di Giosuè a Maria che compaiono nel capitolo 42 sono una deliberata forma di inesattezza. Sono infatti il frutto di una selezione e di un rimaneggiamento di alcune lettere raccolte nel meraviglioso volume *Si dubita sempre delle cose più belle*, a cura di Sarah Zappulla Muscarà e di Enzo Zappulla, edito da Bompiani, che ho enormemente amato e che volevo si insinuasse in qualche modo dentro il mio romanzo come omaggio a uno dei veri grandi scrittori siciliani, e non da ultimo come fonte di ispirazione.

Ho già testimoniato a Sarah Zappulla Muscarà e a Enzo Zappulla la mia stima per il lavoro condotto su un materiale così immenso e così rivelatore.

L'editore Formiggini e il Villaggio Crespi d'Adda

Compaiono nel romanzo alcuni personaggi ispirati a persone realmente esistite. Mi è piaciuto che i miei personaggi avessero relazioni amicali con l'editore Angelo Fortunato Formiggini e la moglie Emilia, che li frequentassero a Roma e che facessero loro visita a Modena, dove peraltro i Formiggini risiedevano. Va da sé che i modi con cui entrano nella mia storia sono totalmente dipendenti dalla mia fantasia.

Allo stesso modo compaiono, appena citati, alcuni membri della famiglia Crespi (nella fattispecie, Daniele Crespi e Silvio e Teresa Crespi). Attraverso l'ipotesi di una relazione amicale i miei personaggi possono visitare, negli anni di maggiore splendore, il Villaggio Crespi d'Adda (dal 1995 inserito nella lista del World Heritage come esempio eccezionale di villaggio operaio, il più completo e il meglio conservato del Sud Europa) e rendere omaggio a un'imprenditoria moderna ed europea, aperta a esperimenti importanti sia dal punto di vista produttivo sia da quello sociale.

La stagione scaligera del 1924

Va segnalato, per non incorrere nelle rimostranze degli studiosi del teatro d'opera, che il *Mefistofele* di Arrigo Boito apre la stagione scaligera del 1924. I miei personaggi avevano bisogno che fosse quella del 1926.

Le leggi razziali

Augurandomi che vada anche a beneficio di lettrici e lettori, dedico qualche riga in più al tema delle leggi razziali, che toccano profondamente le vicende di questo romanzo e, in particolare, la storia d'amore che lega Maria a Giosuè. Il tema mi ha incuriosito e mi ha indotto a non circoscriverlo all'ultimo decennio del regime fascista.

Ultima arrivata nella spartizione colonialista del mondo extraeuropeo, l'Italia disegna una modalità molto particolare di intendere la relazione fra dominatori e dominati, là dove il rapporto di potere concerneva anche il confronto con razze e culture diverse. È così che le leggi razziali fasciste rivelano radici più lontane, anche quando devono adeguarsi alle leggi antisemitiche dell'alleato germanico. Ne ricostruisco a grandi linee la dinamica.

Sin dai primi anni di presenza italiana in Africa Orientale, nelle colonie vigeva il "madamismo", cioè un rapporto more uxorio con un'amante indigena, ben visto dalle stesse autorità. Il termine madamato designava, inizialmente una relazione temporanea *more uxorio* tra un cittadino italiano (prevalentemente soldati, ma non solo) e una donna nativa delle terre colonizzate, chiamata in questo caso madama, dalla tradizione locale del *dämòz* o "nozze per mercede", una forma di contratto matrimoniale che vincola i coniugi a una reciprocità di obblighi che includono per l'uomo quello di provvedere alla prole anche dopo la risoluzione del contratto. Molto spesso, però, gli italiani intendevano il madamato come libero accesso a prestazioni domestiche e sessuali di ragazze vergini dai dodici anni in su, senza curarsi troppo dei doveri che l'unione prevedeva.

Nonostante Ferdinando Martini, primo governatore dell'Eritrea, considerasse questa convivenza un inganno e un sopruso nei confronti delle donne e delle tradizioni locali, il madamismo portò alla nascita, e al contestuale abbandono, di un numero altissimo di figli meticci non riconosciuti dal padre, la cui unica sorte era di essere accuditi presso i brefotrofi religiosi. Non mancarono, comunque, convivenze improntate a maggior senso di responsabilità da parte degli italiani e figli regolarmente riconosciuti. Molti dei militari che ricorrevano al madamato erano celibi.

Dopo la conquista della Libia, il madamismo si estese anche in quelle zone. Nel frattempo le nascite di mulatti aumentarono nelle colonie, in particolare in Etiopia. Fu allora che il Regio Decreto n. 880 del 19 aprile 1937 – il primo dei provvedimenti varati a tutela della razza italiana contro quella africana – vietò il matrimonio e la convivenza degli italiani con donne di colore "suddite delle colonie africane", punibili con la prigione fino a cinque anni, vietando il riconoscimento dei figli di sangue misto. Le donne italiane che avessero avuto rapporti sessuali con uomini di colore erano trattate ancora peggio, perché offendevano "la purezza della razza" e "la virilità dell'uomo bianco". Il Decreto è dunque basato sul colore e sembra non avere nulla a che fare con l'antisemitismo tedesco. È una legge autoctona e tutta italiana.

In compenso, il governo si fece carico di inviare in Africa Orientale un buon numero di prostitute italiane.

In Etiopia i nativi, classificati ufficialmente di razza inferiore, furono costretti a vivere in quartieri separati da quelli degli italiani; se un etiope incrociava un italiano, doveva scendere dal marciapiede per lasciarlo passare.

A coloro che reclamavano una maggiore tolleranza, il regime rispondeva che l'Impero fascista era l'impero del lavoro e della costruzione, degna palestra per le migliori energie della Stirpe, prolungamento transmarino dell'Italia. Il nuovo colono fascista doveva essere il più tipico e degno rappresentante della Stirpe immortale.

Questa teoria discriminatoria era giustificata dal pensiero dell'antropologo Lidio Cipriani, secondo il quale l'Italia non doveva cercare di elevare il livello di vita dei popoli colonizzati, né imporre la propria civiltà, perché questi erano inferiori e incapaci di assimilarla. Un incrocio delle razze avrebbe portato alla decadenza della popolazione europea.

Mi sembra corretto riportare, anche se più nota, la *Dichiarazione sulla razza* votata dal Gran Consiglio del Fascismo il 6 ottobre 1938, e dunque successiva agli accordi con la Germania nazista, e dichiaratamente antisemitica:

> Il Gran Consiglio del Fascismo, in seguito alla conquista dell'Impero, dichiara l'attualità urgente dei problemi razziali e la necessità di una coscienza razziale. Ricorda che il Fascismo ha svolto da sedici anni e svolge un'attività positiva, diretta al miglioramento quantitativo e qualitativo della razza italiana, miglioramento che potrebbe essere gravemente compromesso, con conseguenze politiche incalcolabili, da incroci e imbastardimenti. Il problema ebraico non è che l'aspetto metropolitano di un problema di carattere generale.
> Il Gran Consiglio del Fascismo stabilisce:
> *a)* il divieto di matrimoni di italiani e italiane con elementi appartenenti alle razze camita, semita e altre razze non ariane;
> *b)* il divieto per i dipendenti dello Stato e da Enti pubblici – personale civile e militare – di contrarre matrimonio con donne straniere di qualsiasi razza;
> *c)* il matrimonio di italiani e italiane con stranieri, anche di razze ariane, dovrà avere il preventivo consenso del Ministero dell'Interno;
> *d)* dovranno essere rafforzate le misure contro chi attenta al prestigio della razza nei territori dell'Impero.
>
> *Ebrei ed ebraismo*
>
> Il Gran Consiglio del Fascismo ricorda che l'ebraismo mondiale – specie dopo l'abolizione della massoneria – è stato l'animatore dell'antifascismo in tutti i campi e che l'ebraismo estero o italiano fuoruscito è stato in taluni periodi culminanti, come nel 1924-25 e durante la guerra etiopica, unanimemente ostile al Fascismo. L'immigrazione di elementi stranieri accentuatasi fortemente dal 1933 in poi, ha peggiorato lo stato d'animo degli ebrei italiani nei confronti del Regime, non accettato sinceramente, poiché antitetico a quella che è la psicologia, la politica e l'internazionalismo d'Israele. Tutte le forze antifasciste fanno capo ad elementi ebrei; l'ebraismo mondiale è in Spagna dalla parte dei bolscevichi di Barcellona.

Ringraziamenti

Questo romanzo ha una lunga genesi. Da quando ne parlai a Carlo Feltrinelli nel lontano 2012, lavoro, famiglia e amici hanno riempito il mio tempo, accavallandosi e impedendomi l'ampia ricerca storica necessaria prima di iniziarne la stesura.

Ringraziamenti vanno innanzitutto al professor Christopher Duggan dell'Università di Reading, scomparso prematuramente, per il suo sostegno e per i suoi testi storici sulla Sicilia degli ultimi due secoli, letti e riletti; a Gaetano Briuccia, parente ritrovato e autore di *Ottanta anni di vita in Sicilia*, la sua autobiografia, da cui ho attinto per descrivere Palermo durante la Seconda guerra mondiale e sotto i bombardamenti degli anni 1941-43; a Mimmo Cuticchio, fondatore dell'Associazione Figli d'Arte Cuticchio, patrimonio culturale intangibile dell'Umanità dell'Unesco, e autore di *La nuova vita di un mestiere antico*, edito da Liguori, da cui ho imparato a conoscere e amare l'Opra dei Pupi. Un grazie, inoltre, a Marida Planeta, per avermi guidato – davanti al pianoforte – nella scelta della musica suonata da Maria.

Ringrazio Beatrice Fini per avere cercato e regalato delle pubblicazioni dell'epoca fascista tra cui l'"Almanacco della donna italiana".

Un secondo ringraziamento postumo va ad Antonio Gambino, per avermi fatto capire meglio l'Italia e gli italiani con il suo *Inventario italiano*.

Ringrazio Rino Messina, collega universitario e grande amico, un tempo presidente del Tribunale militare di Palermo e autore di *La strage negata*, pubblicato nel 2015 per i tipi dell'Istituto Poligrafico Europeo: una ricostruzione storica dei fatti accaduti a Palermo il 19 ottobre 1944 – quando l'esercito sparò su una folla pacifica di uomini, donne e bambini che dimostravano al grido di "pane pasta e lavoro", uccidendo 24 persone e ferendone 156 – e della vicenda giudiziaria che seguì l'eccidio (la sentenza del Tribunale militare di Taranto del febbraio 1947 derubricò l'accusa di strage a "eccesso colposo di legittima difesa").

Ringrazio coloro che mi hanno aperto le loro case d'epoca e le loro biblioteche personali e che mi hanno raccontato le loro esperienze durante il regime fascista e la Seconda guerra mondiale – per la gentilezza e la pazienza nell'ascoltarmi e poi nel rispondere alle mie domande incalzanti.

Ringrazio Cristiana e Riccardo Mastropietro, dei Pesci Combattenti – i produttori di *Io e George*, il programma televisivo apparso su Rai 3 –, per avermi assecondata nel filmare al teatro lirico alla Scala di Milano e a Crespi d'Adda, dove ho ambientato alcune scene del romanzo. Ringrazio la direzione del teatro lirico alla Scala di Milano per avermi aperto le porte e i palchi del teatro in cui avrei portato i miei personaggi, e il comune di Crespi d'Adda – magnifico villaggio industriale e patrimonio dell'Unesco, tuttora intatto – per avermi facilitato la visita al villaggio e al cimitero.

Ringrazio tutti coloro che mi hanno fatto avere suggerimenti, libri, memorie, documenti e indicazioni bibliografiche.

Ringrazio Giovanna Salvia, diligente e critica editor.

Ringrazio infine il direttore letterario della Feltrinelli, Alberto Rollo, che mi ha accompagnato in tutti i miei romanzi, per la maestria editoriale e per avermi fatto da guida alla Scala e a Crespi d'Adda. Grazie a lui, la scrittura di *Caffè amaro* è stata un intenso piacere, anche nelle parti più sofferte.

Indice